NIVEL
BÁSICO
CURSO
DE ESPAÑOL
COMO LENGUA
EXTRANJERA

NUEVO
ESPAÑOL EN MARCHA

LIBRO DEL ALUMNO

Francisca Castro Viúdez

Pilar Díaz Ballesteros

Ignacio Rodero Díez

Carmen Sardinero Francos

Español Lengua Extranjera

SGEL

¿Cómo es *Nuevo Español en marcha*?

NUEVO ESPAÑOL EN MARCHA es un curso de español en cuatro niveles que abarca los contenidos correspondientes a los niveles A1, A2, B1 y B2 del *Marco común europeo de referencia*. También existe una edición con los niveles A1 y A2 en un solo volumen: *Nuevo Español en marcha Básico*. Al final de este tomo denominado *Básico* (niveles A1 y A2), los estudiantes podrán describir y narrar en términos sencillos aspectos de su pasado, describir algunos sentimientos y estados de ánimo, hablar de planes, así como expresar opiniones sencillas sobre temas variados y de actualidad. También se les proporcionan recursos para desenvolverse en situaciones cotidianas, relacionadas con necesidades inmediatas.

1 Portada

Incluye los contenidos que se van a trabajar en la unidad.

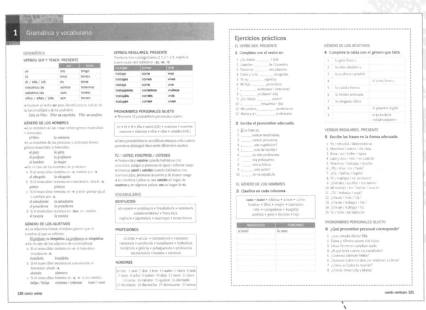

5 Anexos

- Actividades en parejas.
- Gramática, vocabulario y ejercicios prácticos.
- Verbos regulares e irregulares.
- Transcripciones.

4 Autoevaluación

Actividades destinadas a recapitular y consolidar los objetivos de la unidad, y donde se incluye un test con el que el alumno podrá evaluar su progreso según los descriptores del *Portfolio europeo de las lenguas*.

2 Apartados A, B y C

Se presentan, desarrollan y practican los contenidos lingüísticos citados al inicio de cada uno de ellos. Cada apartado sigue una secuencia cuidadosamente graduada, desde la presentación de las muestras de lengua hasta una actividad final de producción. A lo largo de cada unidad, el alumno tendrá la oportunidad de desarrollar todas las destrezas (leer, escuchar, escribir y hablar) así como de trabajar en profundidad la gramática, el vocabulario y la pronunciación, en una serie de tareas que van desde las más dirigidas a las más libres.

3 Apartado D - Comunicación y cultura

Tiene como objetivo desarrollar la comunicación y las competencias tanto socioculturales como interculturales del estudiante. Las actividades están agrupadas según las cuatro destrezas lingüísticas: leer, escuchar, escribir y hablar.

Contenidos

TEMA	A	B	C	D	PÁG.
Unidad 15 Cocinar	**Segunda mano** • Escribir un anuncio. • Comprar y vender por teléfono.	**En la compra** • Expresar cantidades indeterminadas. • Indefinidos: *algo/nada, alguien/nadie, algún/ ningún.* **Pronunciación y ortografía:** Diptongos e hiatos.	**Cocina fácil** • Dar instrucciones de forma impersonal. • Impersonales con *se.*	**Comunicación y cultura** • La dieta mediterránea.	155
Unidad 16 Consejos	**Este verano, salud** • Dar consejos e instruc- ciones. • Imperativo afirmativo y negativo.	**Mi jefe está de mal humor** • Hablar de estados de ánimo. • *Ser / estar.*	**¡Que te mejores!** • Expresar deseos. • Presente de subjuntivo. **Pronunciación y ortografía:** /r/ y /rr/.	**Comunicación y cultura** • Hábitos saludables.	165
Unidad 17 El periódico	**Buscando trabajo** • Hablar de condiciones de trabajo. • Anuncios de empleo.	**Sucesos** • Noticias del periódico. • *Estaba* + gerundio.	**Excusas** • Estilo indirecto. **Pronunciación y ortografía:** Oposición /p/ y /b/.	**Comunicación y cultura** • Escritores hispanos.	175
Unidad 18 Predicciones	**¿Cuánto tiempo llevas esperando?** • Hablar de la duración de una actividad. • *Llevar* + gerundio.	**¿Qué pasará?** • Hablar del futuro. • Hacer predicciones. • Futuro imperfecto. • Oraciones condicionales.	**¿Qué te parece este...?** • Expresar gustos y opiniones. • Opinar: *A mí me parece, yo creo / pienso, (no) me interesa. A mí, también / A mí tampoco.* **Pronunciación y ortografía:** Sonido /θ/ (z).	**Comunicación y cultura** • Emigrar a otro país.	185

¡Hola! Me llamo Maribel

2 Practica con tus compañeros.

- ■ ¡Hola!
- ● Me llamo _____.
- ● ¡Hola!
- ■ ¿De dónde eres?
- ■ ¿Cómo te llamas?
- ● Soy (de) _____.

1 🔊 **1 Lee y escucha.**

Profesora: ¡Hola! Me llamo Maribel y soy la profesora de español. Vamos a presentarnos. A ver,
empieza tú, ¿cómo te llamas?

Estudiante 1: Me llamo Marcelo.

Profesora: ¿De dónde eres, Marcelo?

Estudiante 1: Soy brasileño, de Porto Alegre.

Estudiante 2: Yo me llamo Isabelle y soy francesa.

3 Completa el cuadro.

PAÍS	NACIONALIDAD	
	masculino	femenino
1 Alemania	alemán	
2 España		española
3 Brasil	brasileño	
4 Francia		francesa
5 Italia	italiano	

Saludos

¡Hola!

Buenos días

Buenas tardes

Buenas noches

4 🔊2 Escucha y repite.

VOCALES					
A	E	I	O	U
a	e	i	o	u

CONSONANTES				
mayúscula	minúscula	nombre	sonido	ejemplos
B	b	be	/b/	abuelo, bien
C	c	ce	c + a, o, u = /k/ c + e, i = /θ/	casa, cosa, cuatro cerrado, cine
D	d	de	/d/	día, dos
F	f	efe	/f/	fumar
G	g	ge	g + a, o, u = /g/ gu + e, i= /g/ g + e, i = /x/	gato, pago, agua guerrero, guitarra genio, giro
H	h	hache	–	hotel, hospital
J	j	jota	/x/	jefe, jirafa
K	k	ka	/k/	kilogramo
L	l	ele	/l/	león, limón
M	m	eme	/m/	Madrid, mira
N	n	ene	/n/	nada, no
Ñ	ñ	eñe	/ɲ/	niña, año
P	p	pe	/p/	pan, pera
Q	q	cu	qu + e, i = /k/	quince, queso
R	r	erre	/r/ /rr/	pera, Corea, rosa, ramo, arroz
S	s	ese	/s/	casa, sol, paseo
T	t	te	/t/	tomate, tú
V	v	uve	/b/	vaca, ven, vino
W	w	uve doble (doble u)	/u/ o /gu/ /b/	William wolframio
X	x	equis	/ks/	examen, éxito
Y	y	i griega (ye)	/i/ /j/	(Juan) y (Luis) yogur, yo
Z	z	zeta	z + a, o, u = /θ/	zapato, cazo, azul

Conjuntos de letras
CH ch (che) /tʃ/ chocolate
LL ll (elle) /ʎ/ llave, camello, lluvia

5 🔘 3 Escucha.

ca	casa	**ga**	gato	**za**	zapato	**ja**	jamón
que	queso	**gue**	guerra	**ce**	cerrado	**je / ge**	jefe / genio
qui	quiero	**gui**	guitarra	**ci**	cine	**ji / gi**	jirafa / gitano
co	color	**go**	agosto	**zo**	zoo	**jo**	jota
cu	cuatro	**gu**	agua	**zu**	azul	**ju**	julio

6 Lee en voz alta las siguientes palabras.

región	paz	quien
gente	chocolate	catorce
joven	ácido	pequeño
ejemplo	cereza	guitarra

¿Con B o con V?
(En Latinoamérica: *b = be larga; v = be corta*)
Valencia, Bilbao, Isabel, Vicente.

¿Con G o con J?
Genio, rojo, jirafa, gitana.

¿Con H o sin H?
Hotel, agua, huevo, helado.

---

7 🔘 4 Escucha y señala la palabra que deletrean.

1 ROMERO	☑	RODERO	☐
2 DÍEZ	☐	DÍAZ	☐
3 GONZÁLEZ	☐	GONZALVO	☐
4 RIBERA	☐	RIVERA	☐
5 JIMÉNEZ	☐	GIMÉNEZ	☐
6 PADÍN	☐	BADÍN	☐

8 Pregunta a cinco compañeros su nombre y apellido. Sigue el modelo.

- ¿Cómo te llamas?
- Fabio.
- ¿Con be o con uve?
- Con be.
- ¿Y de apellido?
- Oliveira.
- ¿Cómo se escribe?
- O-ele-i-uve-e-i-erre-a.
- ¿Así está bien?
- Sí, vale.

SÍLABA TÓNICA

Si la palabra lleva tilde, esta indica la sílaba tónica.
café   médico   árbol

Si no hay tilde, se pronuncia más fuerte la última cuando la palabra acaba en consonante (excepto **n** y **s**).
Madrid   español   hablar

Se pronuncia más fuerte la penúltima si la palabra termina en vocal, en **n** o **s**.
jefe   ventana   examen   crisis

9 Subraya la sílaba tónica de las palabras del recuadro.

alemán • alemana • japonés • profesor
estudiante • profesora • brasileño
hospital • estudiar • libro
lección • compañero • madre

10 🔘 5 Escucha, comprueba y repite.

Para la clase

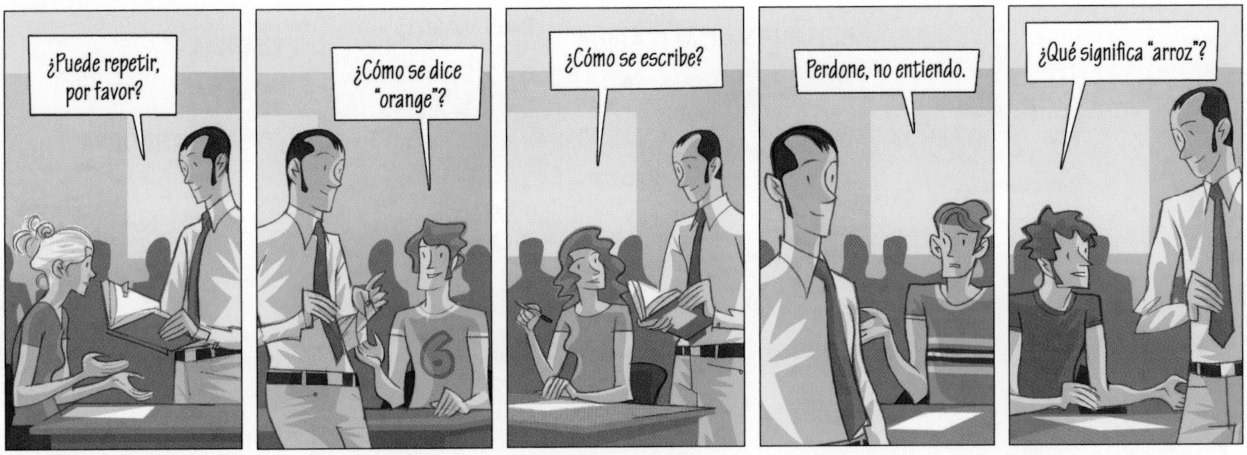

¿Puede repetir, por favor?

¿Cómo se dice "orange"?

¿Cómo se escribe?

Perdone, no entiendo.

¿Qué significa "arroz"?

11 Seguro que conoces algunas palabras en español. Relaciónalas con las imágenes.

1 fiesta ☐
2 hotel ☐
3 cine ☐
4 hospital ☐
5 restaurante ☐

6 flamenco ☐
7 tango ☐
8 bar ☐
9 chocolate ☐
10 café ☐

11 salsa ☐
12 playa ☐
13 paella ☐
14 guitarra ☐
15 siesta ☐

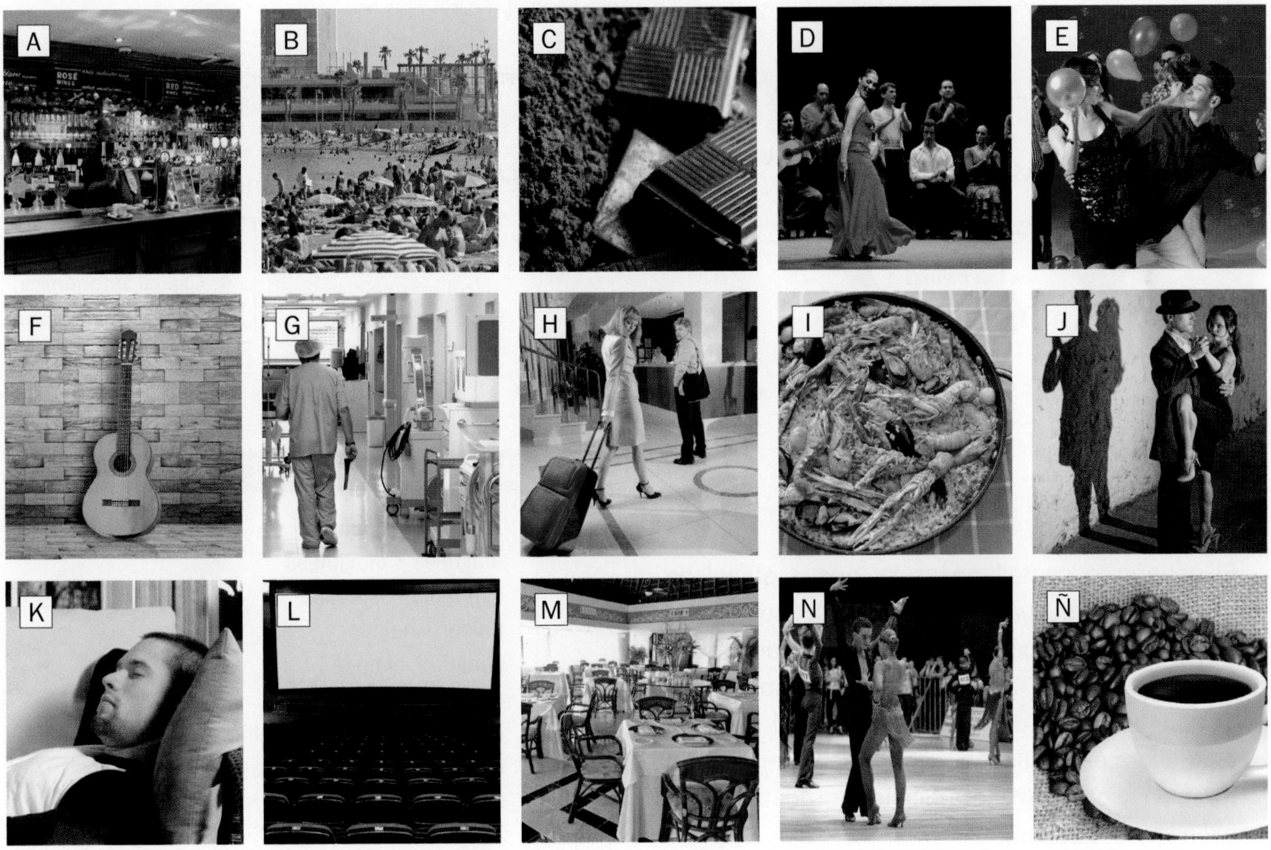

12 🔘 Escucha y repite.

13 ¿Conoces otras palabras en español?

ANTES DE EMPEZAR

El español

El español o castellano es la lengua oficial de España y de 19 países latinoamericanos. Es la segunda lengua más hablada después del chino; la hablan más de 450 millones de personas.

El español viene del latín, igual que el francés, el italiano, el portugués y el rumano. En España, también son lenguas oficiales el catalán, el gallego y el euskera.

GENTILICIOS ESPAÑOLES

andaluz / andaluza
aragonés / aragonesa
asturiano / asturiana
balear / balear
canario / canaria
cántabro / cántabra
castellanoleonés / castellanoleonesa
castellanomanchego / castellanomanchega
catalán / catalana
extremeño / extremeña
gallego / gallega
madrileño / madrileña
murciano / murciana
valenciano / valenciana
vasco / vasca

Canadá

OTTAWA

Estados Unidos

WASHINGTON

Océano Atlántico

Océano Pacífico

Mar Caribe

Bahamas

NASSAU

México

LA HABANA

**República
Dominicana**

Cuba

SANTO DOMINGO

CIUDAD DE MEXICO

KINGSTON

Haití

SAN JUAN

Jamaica

PUERTO
PRÍNCIPE

**Puerto
Rico**

Barbados

Granada

CARACAS

Trinidad y Tobago

GEORGETOWN

Venezuela

PARAMARIBO

Guyana

CAYENA

BOGOTÁ

Guayana Francesa

Colombia

Surinam

Ecuador

QUITO

México

Belize

BELMOPÁN

Mar Caribe

Guatemala

Honduras

GUATEMALA

TEGUCIGALPA

SAN SALVADOR

El Salvador

Nicaragua

MANAGUA

Perú

Brasil

LIMA

BRASILIA

Costa Rica

SAN JOSÉ

PANAMÁ

Bolivia

Océano Pacífico

Panamá

SUCRE

Colombia

Paraguay

ASUNCIÓN

Argentina

Chile

Uruguay

MONTEVIDEO

SANTIAGO
DE CHILE

BUENOS AIRES

GENTILICIOS HISPANOAMERICANOS

argentino / argentina
boliviano / boliviana
colombiano / colombiana
costarricense / costarricense
cubano / cubana
chileno / chilena
dominicano / dominicana
ecuatoriano / ecuatoriana
guatemalteco / guatemalteca
hondureño / hondureña
mexicano / mexicana

nicaragüense / nicaragüense
panameño / panameña
paraguayo / paraguaya
peruano / peruana
puertorriqueño / puertorriqueña
salvadoreño / salvadoreña
uruguayo / uruguaya
venezolano / venezolana

14 ¿Reconoces estos lugares? Relaciónalos con las fotografías.

Sagrada Familia (España) ☐   Cataratas de Iguazú (Argentina y Paraguay) ☐   Museo Gugenheim (España) ☐

Machu Picchu (Perú) ☐   La Alhambra (España) ☐   La Casa Rosada (Argentina) ☐   Murallas romanas (España) ☐

Playa de Cancún (México) ☐   Plaza el Zócalo (México) ☐   La Giralda (España) ☐

Saludos

1

Hablar

1 Mira las fotos y señala dónde están.

1 En una oficina. ☐
2 En un hotel. ☐
3 En clase. ☐
4 En una cafetería. ☐

Escuchar

2 🔘7 Escucha y lee.

EN CLASE

Isabelle: ¡Hola, Marcelo!, ¿qué tal?

Marcelo: Bien, ¿y tú?

Isabelle: Muy bien. Mira, esta es Ulrike, una nueva compañera, es alemana.

Marcelo: ¡Hola! ¡Encantado! ¿Eres de Berlín?

Ulrike: Sí, pero ahora vivo en Madrid.

EN UN HOTEL

Recepcionista: Su nombre, por favor.

Fernando: Yo me llamo Fernando Álvarez y ella es Carmen Hernández.

Recepcionista: ¿De dónde son ustedes?

Fernando: Somos argentinos, de Buenos Aires.

Recepcionista: Ah, Buenos Aires… Aquí están sus tarjetas, bienvenidos a Madrid.

Fernando: Gracias.

EN UNA OFICINA

Díaz: ¡Buenos días!, señor Álvarez, ¿qué tal está?

Álvarez: Muy bien, gracias. Mire, le presento a Marta Rodríguez, la nueva directora.

Díaz: Encantado de conocerla, yo me llamo Gerardo Díaz, y soy el responsable de administración.

Rodríguez: Mucho gusto, Gerardo.

3 Completa.

EN UNA CAFETERÍA

Luis: ¡Hola, Eva!, ¿_____?

Eva: Bien, ¿_____?

Luis: Muy bien. _____, este es Roberto, un compañero nuevo.

Eva: _____ _____
¿De dónde _____?

Roberto: Soy cubano.

4 🔘8 Escucha y comprueba.

Comunicación

Informal

- ■ *¡Hola!, ¿qué tal?*
- ● *Bien, ¿y tú?*

- ■ *¿Cómo te llamas?*
- ● *Carmen, ¿y tú?*

- ■ *Esta es Celia. / Este es Roberto.*

Formal

- ■ *¡Buenos días, señor Prado, ¿cómo está usted?*
- ● *Muy bien, gracias.*

- ■ *Le presento al señor Rodríguez.*
- ● *¡Encantado/a! / Mucho gusto.*

Hablar

5 Practica los saludos y las presentaciones con tus compañeros de clase, en grupos de dos o tres personas.

Gramática

GÉNERO DE LOS ADJETIVOS DE NACIONALIDAD	
masculino	femenino
itali**ano**	itali**ana**
español	español**a**
estadounid**ense**	estadounid**ense**
marroqu**í**	marroqu**í**

6 Completa el cuadro.

	PAÍSES	NACIONALIDADES	
1	China	chino	
2		iraní	
3	Reino Unido	británico	
4	Turquía		turca
5	Sudáfrica		sudafricana
6		colombiano	
7		brasileño	
8	Francia		francesa
9	Polonia	polaco	
10	Suecia		sueca
11			alemana
12	Canadá		

7 🔊 9 Escucha y repite.

8 Practica con tus compañeros e imagina una nacionalidad distinta a la tuya.

- ■ *¿De dónde eres?*
- ● *Soy colombiana, ¿y tú?*
- ■ *Yo soy francés.*

Escuchar

9 🔊 10 Escucha y escribe en las tarjetas.

Nombre:
_____

Apellido:
_____

Nacionalidad:
_____

1

Nombre:
_____

Apellido:
_____

Nacionalidad:
_____

2

Nombre:
_____

Apellido:
_____

Nacionalidad:
_____

3

Nombre:
_____

Apellido:
_____

Nacionalidad:
_____

4

Vocabulario

1 Escribe la letra correspondiente.

1 peluquera F
2 profesor ☐
3 médica ☐
4 camarero ☐
5 ama de casa ☐

6 taxista ☐
7 cartero ☐
8 actriz ☐
9 abogada ☐
10 limpiadora ☐

A

B

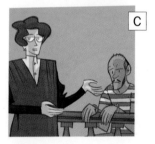
C

D

E

F

G

H

I

J

2 Escoge una profesión. Pregunta a tres compañeros.

■ *¿A qué te dedicas?*
● *Soy médico, ¿y tú?*
■ *Yo soy abogada.*

Gramática

GÉNERO DE LOS NOMBRES DE PROFESIÓN	
masculino	femenino
camarero	camarera
profesor	profesora
estudiante	estudiante
presidente	presidenta
economista	economista

3 Escribe el femenino.

1 el vendedor la *vendedora*
2 el secretario la _____
3 el conductor la _____
4 el cocinero la _____
5 el futbolista la _____
6 el cantante la _____
7 el actor la _____
8 el jardinero la _____
9 el guía la _____
10 el pianista la _____

4 🔊11 Escucha y lee.

Me llamo Manolo García. Soy médico. Soy sevillano, pero vivo en Barcelona. Trabajo en un hospital. Mi mujer se llama Amelia, es profesora y trabaja en un instituto. Ella es catalana. Tenemos dos hijos, Sergio y Elena; los dos son estudiantes. Sergio estudia en la universidad, y Elena, en el instituto.

5 Responde.

1 ¿A qué se dedica Manolo? *Es médico.*
2 ¿De dónde es Manolo?
3 ¿Dónde viven?
4 ¿Dónde trabaja Amelia?
5 ¿De dónde es Amelia?
6 ¿Cuántos hijos tienen?
7 ¿Qué hacen los hijos?

PRESENTE DE VERBOS REGULARES

	trabajar	comer	vivir
yo	trabajo	como	vivo
tú	trabajas	comes	vives
él / ella / usted	trabaja	come	vive
nosotros/as	trabajamos	comemos	vivimos
vosotros/as	trabajáis	coméis	vivís
ellos / ellas / ustedes	trabajan	comen	viven

PRESENTE DE VERBOS IRREGULARES

	ser	tener
yo	soy	tengo
tú	eres	tienes
él / ella / usted	es	tiene
nosotros/as	somos	tenemos
vosotros/as	sois	tenéis
ellos / ellas / ustedes	son	tienen

6 Completa las frases con la forma adecuada de los verbos anteriores.

1 Belén no _____ madrileña, _____ valenciana.
2 Rocío _____ en una agencia de viajes.
3 Javier Bardem _____ un actor español.
4 Nosotros _____ tres hijos.
5 Mi marido_____ muchas verduras.
6 ¿De dónde_____ Fernando?
7 Yo no_____ carne, _____ vegetariana.
8 Miguel y María _____ en una empresa sevillana.
9 ¿Tus padres _____ en una casa al lado de la playa?
10 Tú _____ más dinero que yo.
11 Nosotras no _____ profesoras: Rosa _____ médica y yo _____ periodista.
12 ¿Usted _____ colombiano?

7 Completa.

TÚ	USTED
¿Dónde vives?	¿Dónde _vive_ usted?
¿Cómo _____?	¿Cómo se llama usted?
¿Tienes hijos?	¿_____ hijos usted?
¿De dónde _____?	¿De dónde _____ usted?
¿A qué _____?	¿A qué se dedica usted?

8 Practica las preguntas anteriores con *usted* con tu profesor.

Leer

9 Completa el texto siguiente con los verbos adecuados.

Me [1] *llamo Elaine Araujo y* [2] _____
arquitecta. [3] _____ *brasileña, pero*
ahora [4] _____ *en Madrid porque*
estudio un máster en la universidad. También
[5] _____ *los fines de semana en un res-*
taurante. Estoy soltera pero [6] _____
un novio español: él [7] _____ *en una*
empresa de informática.

Escribir

10 Escribe un párrafo sobre ti. Luego, léelo a tus compañeros.

Me llamo _____
_____, *soy* _____
_____.

Entonación interrogativa

1 🔊12 Escucha y repite.

1 ¿De dónde eres?
2 ¿De dónde son ustedes?
3 ¿Cómo te llamas?
4 ¿Quién es este?
5 ¿Dónde vives?
6 ¿Dónde trabaja usted?
7 ¿Dónde viven ustedes?
8 ¿Cómo se llama el marido de Ana?

■ *Preguntar y dar el número de teléfono y la dirección*

Vocabulario

1 Escribe los números.

> seis • uno • ocho • tres • nueve

0 cero   1 _____

2 dos   3 _____   4 cuatro

5 cinco   6 _____

7 siete   8 _____

9 _____   10 diez

2 🔘13 Escucha y comprueba.

3 Practica con tu compañero.

2 + 3 = _cinco_   8 - 6 = _dos_
■ ¿Dos más tres?   ■ ¿Ocho menos seis?
● Cinco.   ● Dos.

3 + 5 = _____   9 - 4 = _____
4 + 4 = _____   1 - 0 = _____

Escuchar

4 🔘14 Escucha y escribe los números de teléfono.

1 María: <u>936 547 832</u>
2 Jorge: _____
3 Marina: _____ , _____
4 Aeropuerto de Barajas: _____
5 Cruz Roja: _____
6 Radio-taxi: _____

Hablar

5 Pregunta el número de teléfono a varios compañeros. Toma nota.

■ *Lars, ¿cuál es tu número de teléfono / móvil?*
● *Es el 95 835 62 10.*
■ *Gracias.*

6 Ahora pregúntale su dirección de correo electrónico.

■ *¿Cuál es tu correo electrónico?*
● *joseluis@gmail.com*

Vocabulario

7 🔘15 Escucha y aprende.

11 once	16 dieciséis
12 doce	17 diecisiete
13 trece	18 dieciocho
14 catorce	19 diecinueve
15 quince	20 veinte

8 En parejas escribid los números.

4 x 4 = _dieciséis_
Cuatro por cuatro dieciséis

9 x 2 = _____   4 x 5 = _____
3 x 6 = _____   2 x 8 = _____
5 x 3 = _____   7 x 2 = _____
2 x 6 = _____   3 x 4 = _____

9 🔘16 Juega al bingo.

A Escoge uno de los dos cartones.
B Escucha y señala los números que oyes. ¡Suerte!

B	I	N	G	O	
1	4	7	13	16	**1**
2	5	8	14	18	
3	6	11	15	19	**2**

3	7	10	13	16
4	8	11	14	17
5	9	12	15	20

Escuchar

10 🔘17 Lee, escucha y completa.

EN UN GIMNASIO

Felipe: ¡Buenas tardes!
Rosa: ¡Hola!, [1] _____.
Felipe: Quiero apuntarme al gimnasio.
Rosa: Tienes que darme tus datos. A ver, ¿[2] _____?
Felipe: Felipe Martínez.
Rosa: ¿Y de segundo apellido?
Felipe: Franco.
Rosa: ¿Dónde [3] _____?
Felipe: En la calle Goya, número ochenta y siete, tercero izquierda.
Rosa: ¿Teléfono?
Felipe: [4] _____.
Rosa: ¿Profesión?
Felipe: [5] _____.
Rosa: Bueno, ya está; el precio es...

11 Completa la tarjeta con los datos de Felipe.

Gramática

INTERROGATIVOS

¿**A qué** te dedicas?
¿**Cómo** te llamas?
¿**De dónde** eres?
¿**Dónde** vives?
¿**Dónde** trabajas?
¿**Cuál** es tu número de teléfono?

12 Completa las frases con *qué, dónde, cómo, cuál*.

1 ■ ¿De _dónde_ es Gloria Estefan?
  ● De Cuba.
2 ■ ¿_____ trabajas?
  ● En un banco.
3 ■ ¿_____ se llama tu compañero?
  ● Mariano.
4 ■ ¿_____ vive Julio?
  ● En Miami.
5 ■ ¿A _____ se dedica tu mujer?
  ● Es cantante.
6 ■ ¿De _____ son ustedes?
  ● Somos alemanes, de Bonn.
7 ■ ¿_____ significa "saludo"?
  ● «Hola» es un saludo.
8 ■ ¿A _____ te dedicas?
  ● Soy pintor.
9 ■ ¿_____ es tu número de teléfono?
  ● 693 22 06 31.

Hablar

13 Prepara cinco preguntas para un compañero y luego pregúntale. Anota las respuestas.

¿Dónde vives?
¿Cómo se llama tu padre?
¿De dónde eres?...

🏋 Gimnasio Praga _____

NOMBRE _____ APELLIDOS _____

DOMICILIO ACTUAL _____ NÚMERO ____

PISO ____ PUERTA ____ TELÉFONO _____ PROFESIÓN _____

CORREO ELECTRÓNICO femartinez@gmail.com

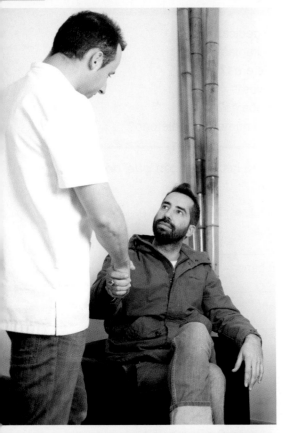

Leer

1 Lee el siguiente texto.

Saludos

En español podemos hablar en estilo formal o informal. En estilo formal usamos *usted (Ud.)* y *ustedes (Uds.)* para hablar con personas desconocidas, de mayor edad o superiores en el trabajo: un jefe, un profesor, un médico. También en estilo formal utilizamos las fórmulas *señor (Sr.)* y *señora (Sra.)* con el apellido: *Sr. Pérez.*

En estilo informal usamos el nombre, y es muy habitual decir *¡hola!* para saludar y *¡hasta luego!,* para despedirse; pero también decimos *¡adiós!, ¡hasta mañana!* o *¡hasta pronto!*

En estilo formal e informal es normal saludar también con *¡buenos días!,* por la mañana; *¡buenas tardes!,* por la tarde; y *¡buenas noches!,* por la noche.

2 Marca la forma adecuada.

	Tú	Usted
1 Hablo con un camarero.	☐	☐
2 Hablo con mi profesor.	☐	☐
3 Hablo con mi tío.	☐	☐
4 Hablo con la vendedora.	☐	☐
5 Hablo con un niño.	☐	☐
6 Hablo con una persona de 70 años desconocida.	☐	☐

3 Relaciona.

1 ¡Hola!, ¿qué tal?
2 ¡Adiós!
3 ¡Hola, chico!, ¿cómo estás?
4 ¡Hola!, me llamo Javier.
5 Buenas noches, ¿cómo está usted?
6 Vos sos* Pablo, ¿no?

a ¡Hola! ·
b Sí, hola. Y vos Óscar, claro.
c Hola, yo soy Marisa.
d Bien, ¿y tú?, ¿qué tal?
e Bien, ¿y Ud.?
f ¡Adiós, hasta luego!

* En Argentina dicen *vos sos* en lugar de *tú eres.*

Escuchar

4 🔊18 Escucha cómo se presentan cuatro personas y completa la tabla.

NOMBRE	PROFESIÓN	CIUDAD	MÓVIL
	estudiante		
Claudia			
		Caracas	
Manuel			

Hablar

Alumno A (alumno B, ver «En parejas»)

5 ¿Conoces a estos personajes famosos? Pregunta a B la información sobre los números 1, 3, 5 y 7.

¿Cómo se llama el número 1? ¿De dónde es? ¿A qué se dedica?

1

_____
_____
_____

2

Benicio del Toro
puertorriqueño
actor

3

_____
_____
_____

4

Miquel Barceló
español
pintor

5

_____
_____
_____

6

Penélope Cruz
española
actriz

7

_____
_____
_____

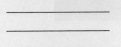

8

Pedro Almodóvar
español
director de cine

6 Responde a B la información sobre los números 2, 4, 6 y 8.

El número 2 se llama Benicio del Toro. Es puertorriqueño. Es actor.

Escribir

7 Completa una ficha con tus datos y otra con los de tu compañero.

| Nombre: |
| Apellido: |
| Nacionalidad: |
| Profesión: |
| Domicilio: |
| Ciudad: |
| Teléfono: |
| Correo electrónico: |

| Nombre: |
| Apellido: |
| Nacionalidad: |
| Profesión: |
| Domicilio: |
| Ciudad: |
| Teléfono: |
| Correo electrónico: |

1 Lee los textos y completa las preguntas.

A Me llamo Peter Tuck. Soy profesor de inglés. Vivo en Madrid y trabajo en un colegio. Estoy soltero.

B Yo me llamo Maria Rodrigues; soy brasileña, de Río de Janeiro. Mi marido se llama Bruno y también es brasileño. Somos profesores.

C Yo me llamo Yoshie Kikkawa y soy japonesa, de Tokio. Estoy casada. Mi marido se llama Mitsuo y tenemos dos hijos, Kimiko y Ken. Los dos estudian en el colegio.

1 ■ ¿*Dónde* vive Peter?
  ● En Madrid.
2 ■ ¿_____ Peter?
  ● En un colegio.
3 ■ ¿_____ Maria?
  ● Es brasileña.
4 ■ ¿_____ el marido de Maria?
  ● Bruno.
5 ■ ¿_____ Yoshie?
  ● De Tokio.
6 ■ ¿Qué _____ los hijos de Yoshie?
  ● Estudian en el colegio.

2 Completa los diálogos.

1 ■ Hola, me _llamo_ Manuel, y _____ español. ¿Cómo _____ tú?
  ● _____ Marta.
2 ■ Buenos días, señor Jiménez, ¿cómo _____ usted?
  ● Bien, gracias, ¿y _____?
3 ■ Mire, señora Rodríguez, le _____ al señor Márquez.
  ● _____.
  ▼ Mucho gusto.
4 ■ Hola, Laura. ¿Qué _____?
  ● Hola, Manu, muy _____. Mira, _____. es Marina, una nueva _____.
  ■ Hola, ¿qué _____?
  ▼ _____ , ¿y tú?
  ■ Muy bien.

3 🔊19 Escucha los apellidos y escribe el número de orden.

Díaz	☐	Martínez	☐
Vargas	☐	Díez	☐
Marín	☐	Martín	☐
Serrano	☐	López	☐
Moreno	☐	Romero	☐
Jiménez	☐	García	☐
Pérez	☐		

4 Lee y señala si hablan de tú o de usted.

	Tú	Usted
1 ¿Cómo te llamas?	☑	☐
2 ¿Dónde vive?	☐	☐
3 ¿De dónde es?	☐	☐
4 ¿Dónde trabaja?	☐	☐
5 ¿De dónde eres?	☐	☐
6 ¿Cuál es tu número de teléfono?	☐	☐
7 ¿A qué te dedicas?	☐	☐

¿Qué sabes?

	☺	☺	☹
· Saludar y presentar a alguien.	☐	☐	☐
· Decir la nacionalidad y la profesión.	☐	☐	☐
· Los números del 1 al 20.	☐	☐	☐
· Preguntar y decir el domicilio y el número de teléfono.	☐	☐	☐

Familias

- ·· Presentar a la familia
- ·· Dar información personal
- ·· Decir dónde están las cosas
- ·· Expresar posesión
- ·· Preguntar y decir la hora
- ·· **Cultura**: La familia hispana: celebraciones

2

a)

b)

c)

d)

Hola, soy Jorge. Estoy casado y esta es mi familia. Mi mujer se llama Rosa y tenemos dos hijos: Isabel, de doce años, y David, de diez. Vivimos en Fuenlabrada, cerca de Madrid. Soy profesor de autoescuela.

Vocabulario

1 Relaciona.

1 ¿Estás casado/a?
2 ¿Tienes hijos?
3 ¿Tienes hermanos?

a No, no tengo.
b Sí, un hermano y una hermana.
c No, estoy soltero/a.

2 🔊 20 Jorge y Luis hablan de sus familias. Lee los textos y escucha.

3 Escribe el nombre de cada uno en las fotos.

4 Escribe las preguntas para estas respuestas.

1 Jorge vive cerca de Madrid. *¿Dónde vive Jorge?*
2 Es profesor de autoescuela.
3 Se llama Manuel.
4 Estudia Medicina.
5 Tiene setenta y nueve años.

e)

f)

g)

h)

Yo soy Luis. No tengo hermanos, no tengo novia, estoy soltero y vivo en Sevilla con mis padres y mi abuela. Mi padre se llama Manuel y tiene cincuenta y ocho años. Mi madre se llama Rocío y tiene cincuenta y seis años. Mi abuela tiene setenta y nueve años y se llama Carmen. Soy estudiante de Medicina.

5 Completa las frases siguientes con las palabras del recuadro.

> ~~mujer~~ • hermana • padre • hijo
> abuela • madre • marido

1 Rosa es la _mujer_ de Jorge.
2 David es _____ de Jorge y Rosa.
3 Rosa es la _____ de Isabel.
4 Isabel es _____ de David.
5 Manuel es el _____ de Luis.
6 Carmen es _____ de Luis.
7 Manuel es el _____ de Rocío.

Hablar

6 Haz estas preguntas a varios compañeros y luego completa la ficha.

1 ¿Estás casado/a o soltero/a?
2 ¿Tienes hijos?
3 ¿Tienes novio/a?
4 ¿Cómo se llama tu padre / madre?
5 ¿Tienes hermanos?
6 ¿Tienes abuelos?

	NOMBRE
a Está soltero/a	
b Está casado/a	
c Tiene hijos	
d Tiene novio/a	
e No tiene hermanos	
f Tiene abuelos	

Escribir

7 Escribe algunas frases sobre tu familia y léeselas a tu compañero.

> *Mi padre se llama Toni y tiene sesenta años. Mi hermana está casada y tiene dos hijos. Mi padre es taxista y mi hermano estudia Arquitectura.*

Gramática

PLURAL DE LOS NOMBRES	
un mapa	dos mapa**s**
un autobús	dos autobus**es**

8 Mira la imagen y señala si es verdadero (V) o falso (F).

En esta clase tienen:

a una televisión ☐   e cinco estudiantes ☐
b dos mapas ☐   f un teléfono ☐
c cinco sillas ☐   g tres mesas ☐
d cinco libros ☐   h dos bolígrafos ☐

9 Escribe en plural.

1 un coche   _dos coches_
2 un profesor   _____
3 una ventana   _____
4 una compañera   _____
5 una ciudad   _____
6 un cuaderno   _____
7 un chico   _____
8 un hotel   _____
9 un teléfono   _____
10 un ordenador   _____

10 Completa.

SINGULAR	PLURAL
hermano / hermana	hermanos / _hermanas_
padre / _____	_____ / madres
_____ / hija	hijos / _____
abuelo / _____	abuelos / _____

■ *Decir dónde están las cosas*
■ *Expresar posesión*

¿Dónde están mis gafas?

Vocabulario

1 Mira el dibujo y escribe la letra correspondiente.

1 reloj	☐	7 silla	☐
2 paraguas	☐	8 mesita	☐
3 zapatillas	B	9 gafas	☐
4 ordenador	☐	10 teléfono	☐
5 cuadro	☐	11 sillón	☐
6 sofá	☐	12 lámpara	☐

Gramática

Marcadores de lugar

debajo · delante · al lado · a la derecha · a la izquierda · encima · detrás · entre

---

MARCADORES DE LUGAR

debajo de	al lado de	encima de
delante de	a la derecha de	entre
detrás de	a la izquierda de	en

*La planta está **debajo de** la ventana.*
*Los libros están **en** la cartera.*

A + el = **al**
De + el = **del**

*El sofá está **al lado del** sillón.*

---

2 Mira la habitación anterior y completa las frases.

1 El reloj está _al lado_ del cuadro.
2 Las zapatillas están _____ de la mesita.
3 El teléfono está _____ del ordenador.
4 El sillón está _____ de la librería.
5 Las gafas están _____ el teléfono y el ordenador.
6 El gato está _____ de David.
7 La ventana está _____ de la planta.
8 El paraguas está _____ del teléfono.
9 El cuadro está _____ la estantería y el reloj.
10 El gato está _____ del sofá.

3 Mira tu clase o tu habitación y escribe cinco frases.

El diccionario está al lado del cuaderno.
La silla está delante de la mesa.

ADJETIVOS POSESIVOS				
sujeto	singular		plural	
yo	mi	primo prima	mis	primos primas
tú	tu	amigo amiga	tus	amigos amigas
él / ella / usted	su	hermano hermana	sus	hermanos hermanas
nosotros/as	**nuestro** tío **nuestra** tía		**nuestros** tíos **nuestras** tías	
vosotros/as	**vuestro** hijo **vuestra** hija		**vuestros** hijos **vuestras** hijas	
ellos / ellas / ustedes	su	abuelo abuela	sus	abuelos abuelas

4 Completa las frases con el posesivo correspondiente.

1 ¿Cuál es _tu_ número de teléfono? (tú)
2 _____ gata se llama Bonita. (ella)
3 ¿Esta es _____ chaqueta? (tú)
4 ¿Dónde está _____ diccionario? (él)
5 ¿Tienes _____ gafas? (yo)
6 _____ casa está cerca de aquí. (nosotros)
7 _____ primos viven en Barcelona. (ellas)
8 ¿Dónde viven _____ padres? (Ud.)
9 ¿Dónde vive _____ hermano? (vosotros)
10 ¿Dónde trabaja _____ madre? (él)

5 Completa la conversación con los adjetivos posesivos.

■ ¿Estos son (1) _tus_ padres?
● Sí, (2) _____ madre se llama Julia y (3) _____ padre, Miguel.
■ ¿Y estos?
● Son (4) _____ tíos, Carlos y Águeda.
■ ¿Esta es (5) _____ hija?
● Sí, esa es (6) _____ prima Carolina.
■ Pues es muy guapa (7) _____ prima.

6 Completa.

Mira, (1) _estos_ son mis amigos. (2) _____ es Celia, y (3) _____ es Gonzalo, su novio. (4) _____ de la derecha es Laura. (5) _____ de aquí son las hermanas de Gonzalo, Marisa y Pilar.

Hablar

7 Mira las imágenes y, con tu compañero, practica microdiálogos, como en el ejemplo.

1 ■ (Miguel / libros)
● ¿poesía?

■ (yo / cámara)
● ¿fotografía?
  ■ _Esta soy yo con mi cámara._
  ● _¿Eres aficionada a la fotografía?_

2 ■ (nosotros / guitarras)
● ¿música?

3 ■ (Sara / cuadro)
● ¿arte?

4 ■ (María y Juan / bicicletas)
● ¿deporte?

5 ■ (mis hermanas / raquetas)
● ¿tenis?

Vocabulario

en punto
y cinco
menos cinco
y diez
menos diez
y cuarto
menos cuarto
y veinte
menos veinte
y veinticinco
menos veinticinco
y media

Comunicación

● **Las comidas**
desayunar - comer - cenar

● **Abrir / Cerrar**
- *En España los bancos **abren** <u>por la mañana</u>, pero **cierran** <u>por la tarde</u>.*
- *Las discotecas **abren** <u>por la noche</u>.*
- *Muchos comercios **cierran** <u>a mediodía</u>.*

Leer

4 Lee el texto y señala con V lo que es igual en tu país y con X lo que es diferente.

Horarios

1 En Noruega la gente come a las cinco de la tarde. □
2 En Senegal cenan a las ocho o las ocho y media. □
3 En México los bancos no abren por la tarde. □
4 En España la gente come a las dos del mediodía. □
5 Los españoles cenan a las diez de la noche. □
6 En Estados Unidos muchas tiendas abren por la noche. □
7 En Francia los restaurantes abren a las 12:00. □
8 En Brasil los bancos abren a las diez. □
9 En el Reino Unido las farmacias cierran a las cinco de la tarde. □
10 En España la mayoría de los comercios cierran de dos a cinco de la tarde. □

1 Mira los relojes. ¿Qué hora es?

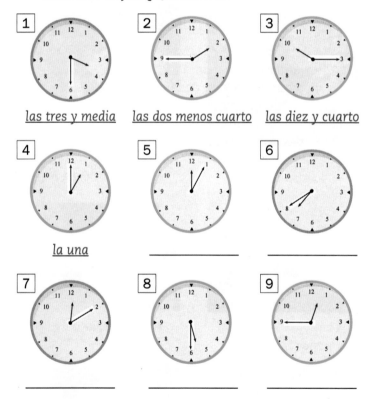

1	2	3
<u>las tres y media</u>	<u>las dos menos cuarto</u>	<u>las diez y cuarto</u>

4	5	6
<u>la una</u>	_____	_____

7	8	9
_____	_____	_____

2 🔘21 Escucha y repite.

3 Dibuja tres horas diferentes en tu cuaderno. En parejas, pregunta y di las horas.

■ *Perdone, ¿qué hora es?*
● *Son las siete y veinte.*

5 Habla con tu compañero y compara las afirmaciones anteriores con lo que ocurre en tu país.

■ *En Noruega comen a las cinco de la tarde y en mi país también.*
● *En Noruega comen a las cinco de la tarde, pero en mi país comemos a la una.*

Vocabulario

6 Relaciona.

1 sesenta segundos
2 veinticuatro horas
3 siete días
4 doce meses
5 sesenta minutos
6 cien años
7 una década

a una hora
b una semana
c un minuto
d un día
e diez años
f un año
g un siglo

Escuchar

7 🎧22 **Escucha y completa con las palabras del recuadro.**

> cuarenta • noventa • setenta • seiscientos/as
> cuatrocientos/as • trescientos/as • veinticuatro
> cincuenta y dos • ciento once

21	veintiuno	90	_____
22	veintidós	100	cien
23	veintitrés	103	ciento tres*
24	_____	111	_____
30	treinta	200	doscientos/as
31	treinta y uno	300	_____
40	_____	400	_____
50	cincuenta	500	quinientos/as
52	_____	600	_____
60	sesenta	1000	mil
70	_____	2000	dos mil**
80	ochenta	5000	cinco mil

* Cuando *cien* va seguido de unidades y decenas se dice *ciento, ciento uno, ciento dos...*

** No decimos *dos miles*.

8 🎧23 **Escucha y señala el número que oyes.**

a 2 / 12
b 25 / 35
c 90 / 50
d 37 / 67
e 623 / 323
f 135 / 125
g 830 / 850
h 1589 / 1389
i 1988 / 1998
j 1975 / 1985

9 🎧24 **Escucha y escribe el número.**

1 edad de la niña: 12 años.
2 precio de las naranjas: _____.
3 precio del paquete de café: _____.
4 año de nacimiento: _____.
5 distancia entre Madrid y Barcelona: _____ km.
6 precio del café y la cerveza: _____.
7 hora: _____.
8 páginas del libro: _____.
9 días del mes de marzo: _____.
10 número de la calle: _____.

Pronunciación y ortografía

Acentuación

1 🎧25 **Escucha.**

> teléfono lápiz ventana hotel
> profesor hermano familia música

2 🎧25 **Escucha otra vez y repite. Observa las sílabas fuertes.**

3 🎧26 **Escucha estas palabras y subraya la sílaba fuerte.**

> profesora español café gramática mesa
> vivir hablar médico autobús Pilar alemán
> brasileña familia libro examen

4 Escribe las palabras de la actividad anterior en la columna correspondiente.

música	ventana	hotel

Leer

1 Lee y señala verdadero (V) o falso (F).

La familia hispana

Cuando una persona de España o Hispanoamérica habla de su familia, no habla solamente de sus padres y de sus hermanos, habla también de sus abuelos, de sus tíos, de sus primos y de otros parientes.

Además, las reuniones familiares son frecuentes. Todos se juntan para celebrar las fiestas más importantes, como los cumpleaños, la Navidad, el día del Padre y el día de la Madre. Ese día comen todos en una casa o en un restaurante.

Por otro lado, en algunos países de Hispanoamérica es normal celebrar el día en que

las chicas cumplen quince años de una manera especial. Les hacen muchos regalos y toda la familia y amigos van a comer a un restaurante.

1 La familia hispana está compuesta de padres e hijos. ☐ F

2 Las familias españolas e hispanoamericanas se reúnen muchas veces. ☐

3 Las celebraciones familiares siempre se hacen en un restaurante. ☐

4 El día de la Madre es una fiesta muy popular en España. ☐

5 Las chicas hispanoamericanas se casan a los quince años. ☐

---

2 Lee el siguiente texto.

Dos apellidos

En la mayoría de los países hispanoamericanos, todas las personas tienen dos apellidos. Normalmente el primero es el apellido del padre y el segundo es el de la madre. Estos dos apellidos aparecen en todos los documentos y no cambian al casarse, son para toda la vida.

¿Cuáles son los apellidos de Santiago?

Me llamo Santiago. Mi padre se llama Enrique Lozano Linares y mi madre Luisa Pardo Pérez.

Santiago _____

_____

3 Lee los textos otra vez y contesta a las preguntas.

1 ¿Qué personas forman parte de la familia en España?

2 ¿Para qué se reúnen las familias españolas? ¿Cómo son sus celebraciones?

3 ¿Cómo se celebra en algunos países hispanoamericanos el cumpleaños de las niñas de quince años?

4 ¿Qué apellidos tienen las personas en la mayoría de los países hispanoamericanos?

Hablar

4 Comenta con tus compañeros.

• ¿Cuántos apellidos tienes?

• ¿Cambia en tu país el apellido de las mujeres cuando se casan?

• ¿Te parece bien la costumbre de tener dos apellidos?

Yo tengo un apellido y...

Escribir

5 Dibuja el árbol genealógico de tu familia. Después escribe un pequeño texto y comenta cómo se llaman, quiénes son, cuántos años tienen, dónde viven y en qué época del año os reunís para las celebraciones familiares.

Escuchar

6 🔊·27 Escucha y completa.

Dos de los actores españoles más famosos en el mundo son Penélope Cruz y su [1] _____, Javier Bardem. Mónica, la [2] _____ de Penélope, y Pilar y Carlos, la [3] _____ y el [4] _____ de Javier, también son actores.

La familia Alcántara celebra la primera comunión de su [5] _____ María. Junto a la niña están sus [6] _____, Antonio y Merche, sus [7] _____, Carlitos y Toni, y su [8] _____, Herminia.

Mario Vargas Llosa, Premio Nobel de Literatura, y su [9] _____, Patricia, tienen dos [10] _____, Álvaro y Gonzalo, y una [11] _____, Morgana. Mario y Patricia son [12] _____.

Hablar

Alumno A (alumno B, ver «En parejas»)

7 Pregunta a B dónde están los objetos del recuadro.

gafas   zapatillas deportivas   bolígrafo
agenda   CD   cuaderno

¿Dónde están las gafas?

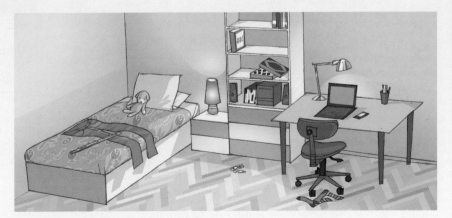

8 Responde a B dónde están sus objetos.

El móvil está al lado del ordenador.

1 Relaciona.

1 ¿Dónde está mi bolígrafo?
2 ¿Estás casado?
3 ¿Tienes hijos?
4 ¿Cuántos hermanos tienes?
5 ¿Qué hora es?
6 ¿A qué hora comen en tu país?

a No, estoy soltero.
b Tres.
c Encima de la mesa.
d Sí, una niña.
e A la una.
f Las dos menos cuarto.

2 Escribe los números.

a 27 *veintisiete*
b 52 _____
c 116 _____
d 238 _____
e 456 _____

f 510 _____
g 1987 _____
h 2003 _____
i 2999 _____
j 4100 _____

3 Escribe en plural.

1 Este hotel es muy caro.
   Estos hoteles son muy caros.
2 Mi hermana está casada.
   _____
3 Mi hermano tiene un hijo.
   _____ dos _____
4 Mi compañero es japonés.
   _____
5 Esta profesora es simpática.
   _____
6 Este libro no es interesante.
   _____
7 Este profesor no es español.
   _____
8 Esta chica está soltera.
   _____
9 Mi gato es joven.
   _____
10 ¿Tu padre es catalán?
   _____

4 Completa con los verbos *estar* o *tener*.

1 Las zapatillas *están* debajo de la silla.
2 Marieli _____ dos hijos.
3 Mi hermano _____ casado.
4 Yo no _____ abuelos.
5 ¿Carmen y Ana _____ hermanos?
6 ¿Dónde _____ la carpeta roja?
7 Mi marido no _____ en casa.
8 Nosotros no _____ coche.
9 Luis y Pepe _____ trabajo.

5 🔊 28 **Escucha y escribe las horas de salida y llegada de los trenes.**

SALIDAS			
tren	andén	destino	hora
Altaria	3	Zaragoza	_____
Talgo	6	Málaga	_____
AVE	2	Sevilla	_____

LLEGADAS			
tren	andén	procedencia	hora
AVE	11	Sevilla	_____
Alaris	8	Valencia	_____
Talgo	4	Vigo	_____

¿Qué sabes?

☺ ☺ ☹

· Hablar de la familia.
· Formar el plural de los nombres.
· Decir dónde están las cosas.
· Preguntar y decir la hora.
· Contar hasta 5000.

El trabajo

3

- ·· Hablar de rutinas diarias
- ·· Hablar del trabajo: lugar, profesión y horario
- ·· Pedir un desayuno
- ·· **Cultura**: Hábitos y horarios de los españoles

Vocabulario

1 Relaciona las frases con los dibujos.

1 Carlos y Ana se casan. **D**
2 Roberto se afeita todos los días. ☐
3 Rosa se levanta a las siete. ☐
4 Mercedes se baña. ☐
5 José se ducha. ☐
6 Mis vecinos se acuestan temprano. ☐

Comunicación

Temprano / Tarde

■ *Los lunes me levanto muy **temprano**, a las seis de la mañana.*
● *¿Y los domingos?*
■ *Los domingos me levanto muy **tarde**, a las 11 o las 12.*

2 Responde.

1 ¿A qué hora te levantas?
2 ¿A qué hora te acuestas?

Gramática

VERBOS REFLEXIVOS		levantarse	acostarse*
yo	**me**	levanto	acuesto
tú	**te**	levantas	acuestas
él / ella / Ud.	**se**	levanta	acuesta
nosotros/as	**nos**	levantamos	acostamos
vosotros/as	**os**	levantáis	acostáis
ellos / ellas / Uds.	**se**	levantan	acuestan

* Verbo irregular

3 Completa la siguiente conversación con los verbos del recuadro.

> levantarse • acostarse • ducharse

■ Y tú, Juan, ¿a qué hora <u>te levantas</u>?
● Bueno, yo ____ _____ pronto, a las siete, más o menos, ____ _____ rápidamente y tomo un café.
■ Y tu mujer, ¿a qué hora _____ _____?
● Pues a las siete y media. Ella también ___ _____ más tarde, sobre las doce de la noche.
■ ¿Y tus hijos?
● Ellos cenan, ven un poco la tele y ___ _____ temprano, a las diez.
■ ¿Y a qué hora ___ _____?
● A las ocho, porque entran al colegio a las nueve.
■ ¿Y los días de fiesta también _____ _____ todos temprano?
● ¡Ah, no!, ni hablar, los domingos ____ _____ más tarde, a las diez, porque, claro, también _____ _____ más tarde.

4 🔊29 Escucha y comprueba.

PRESENTE DE VERBOS IRREGULARES

empezar	volver	ir	salir
empiezo	vuelvo	voy	salgo
empiezas	vuelves	vas	sales
empieza	vuelve	va	sale
empezamos	volvemos	vamos	salimos
empezáis	volvéis	vais	salís
empiezan	vuelven	van	salen

5 Forma frases.

1 Carmen / empezar / su trabajo / a las ocho.
   Carmen empieza su trabajo a las ocho.
2 ¿A qué hora / empezar / la película?
3 Mi padre / ir / al trabajo / en autobús.
4 Yo / volver / a mi casa / a las siete.
5 ¿Cuándo / volver / de vacaciones tus hermanos?
6 ¿Ir (nosotros) / a casa de la abuela?
7 ¿Cómo / ir (tú) / al trabajo?
8 ¿Ir (vosotros) / al colegio / en autobús?
9 ¿A qué hora / salir (tú) / de casa?
10 ¿A qué hora / empezar / las clases?

PREPOSICIONES DE TIEMPO

Días

El lunes		la mañana
Hoy	**por**	la tarde
El sábado		la noche

*Yo solo trabajo **por** la mañana.*
*Julia se ducha **por** la tarde.*
*Los sábados **por** la noche vamos a la discoteca.*

Horas

Son A	las diez las cinco las tres	**de**	la mañana la tarde la noche la madrugada

*Se levanta **a** las seis **de** la mañana.*
*Ella trabaja **desde** las ocho **hasta** las tres.*
*Ella trabaja **de** ocho **a** tres.*
*Hoy **por** la tarde no tengo clase.*
*El sábado **por** la noche vamos **a** la discoteca.*

Comunicación

Cuantificadores

- *Todos los camareros del hotel hablan inglés.*
- *La mayoría de los españoles se acuesta tarde.*
- *Muchas personas en el mundo estudian español.*
- *Algunos alumnos van al colegio en autobús.*

6 Lee el artículo y contesta a las preguntas.

Escuela Provincial de *Ballet* Alejo Carpentier (La Habana, Cuba)

En esta escuela estudian los alumnos desde los nueve hasta los catorce años. El ritmo de trabajo es muy duro, tienen clase por la mañana y por la tarde. Por la mañana, las clases empiezan a las siete y cuarto todos los días, y algunos alumnos se levantan a las cinco de la mañana. Las clases de baile terminan a las doce, y a esa hora los alumnos van a otra escuela que está cerca. Allí estudian las mismas asignaturas (Lengua, Matemáticas, Geografía, etc.) que los demás niños de su edad. Terminan las clases a las seis de la tarde y a veces vuelven otra vez a la escuela de *ballet*, hasta las ocho.

(Texto adaptado de «El milagro cubano», de Mauricio Vicent para *El País*).

1 ¿Cuántas horas de *ballet* tienen cada día?
2 ¿Estudian en la misma escuela otras asignaturas?
3 ¿Qué edad tienen los alumnos de esta escuela?
4 ¿A qué hora terminan las clases por la tarde?

7 Lee el texto otra vez y completa las frases con las preposiciones del recuadro.

> a • de • desde • hasta • por

1 En esta escuela estudian los niños _____ los nueve _____ los catorce años.
2 Algunos alumnos se levantan muy pronto, _____ las cinco _____ la mañana.
3 _____ la mañana, los niños están en la escuela de *ballet* _____ las siete y cuarto _____ las doce.
4 En la escuela de *ballet* los alumnos tienen clase _____ la mañana y _____ la tarde.
5 Los alumnos de *ballet* van a otra escuela ____ las doce ____ las seis de la tarde.
6 Por la tarde, las clases de *ballet* son ____ las ocho.

Leer

1 Escribe los días de la semana en el orden adecuado.

martes   lunes   jueves   sábado   viernes   domingo   miércoles

1. _____   2. _____   3. _____   4. _____   5. _____   6. _____   7. _____

¿Qué día es hoy?

2 🔊30 Lee y escucha los textos de Lucía y Carlos.

Lucía es técnico de sonido y trabaja en una emisora de radio, la Cadena Día. Tiene veintinueve años y no está casada. Vive en Valencia, y habla inglés y francés perfectamente. Todos los días trabaja de ocho a tres, menos los sábados y domingos. Los días laborables se levanta a las siete y sale de casa a las siete y media. Va al trabajo en autobús. Los sábados por la noche siempre sale con sus amigos a cenar y a bailar, por eso se acuesta muy tarde, a las tres o las cuatro de la madrugada.

Carlos es bombero. Trabaja en el ayuntamiento de Toledo. Vive en un pueblo cerca de Toledo y va al trabajo en tren. Tiene treinta y cuatro años, está casado y no tiene hijos. Trabaja en turnos de veinticuatro horas, un día sí y otro no. Si trabaja el sábado o el domingo, después tiene dos días libres. Siempre se levanta muy temprano, a las siete o las ocho de la mañana, por eso normalmente no sale por las noches. Cena a las diez, después ve la tele y a las once y media se acuesta.

3 Lee otra vez y completa las frases.

Lucía

1 Lucía *es* técnico de sonido.
2 Trabaja _____ ocho _____ tres.
3 Normalmente _____ a las siete.
4 _____ al trabajo _____ autobús.
5 Los sábados _____ la noche _____ con sus amigos.
6 Los sábados _____ la noche _____ muy tarde.

Carlos

1 Carlos *vive* en un pueblo pequeño cerca de Toledo.
2 No _____ hijos.
3 Se levanta muy _____, ____ las siete o las ocho ____ la mañana.
4 Carlos normalmente no _____ por la noche y _____ a las once y media.

Hablar

4 Escribe las siguientes preguntas y luego pregunta a tu compañero. Toma nota de sus respuestas.

1 ¿Hora / levantarse / normalmente?
¿A qué hora te levantas normalmente?

2 ¿Hora / empezar las clases o el trabajo?

3 ¿Hora / terminar las clases o el trabajo?

4 ¿Hora / llegar a casa?

5 ¿Cómo / ir a la escuela o al trabajo?

6 ¿Hacer / después de cenar?

7 ¿Cuándo / ver / la televisión?

8 ¿Ducharse por la mañana o por la noche?

9 ¿Hora / acostarse / normalmente?

10 ¿Hora / levantarse / los domingos?

11 ¿Hora / acostarse / los sábados?

12 ¿Salir / los sábados por la noche?

Escribir

5 Escribe un párrafo sobre la vida de tu compañero.

Michael es _____ ,
trabaja en _____ .
Va al trabajo en _____ .

Vocabulario

6 ¿Dónde trabajan? Escribe cada profesión en la columna correspondiente.

> médico/a • estudiante • enfermero/a • cajero/a
> informático/a • dependiente/a • secretario/a
> profesor/a • cocinero/a • camarero/a

hospital	universidad	oficina

supermercado	restaurante

7 ¿Qué hace? Relaciona las dos columnas.

1 El / La dependiente/a
2 El / La recepcionista
3 El / La auxiliar de vuelo
4 El / La enfermero/a
5 El / La profesor/a
6 El / La cocinero/a
7 El / La camarero/a
8 El / La cajero/a

a hace la comida.
b cuida enfermos.
c cobra a los clientes.
d atiende a los clientes.
e enseña a los alumnos.
f atiende a los pasajeros.
g recibe a los turistas.
h vende ropa.

Hablar

8 Piensa en tres o cuatro personas conocidas y comenta con tus compañeros a qué se dedican, dónde trabajan, qué hacen...

Ángel es dependiente, trabaja en unos grandes almacenes, vende muebles...

9 En grupos de cuatro. Uno representa con mímica una profesión y el resto adivina de qué profesión se trata.

Vocabulario

1 ¿Qué bebes para desayunar?

- ☐ leche
- ☐ café (con leche)
- ☐ té (con limón)
- ☐ chocolate
- ☐ zumo de frutas
- ☐ _____

2 Ahora escribe la letra correspondiente.

1 té ☐
2 café con leche ☐
3 zumo de naranja ☐
4 magdalenas ☐
5 cereales ☐
6 leche ☐
7 huevo ☐
8 queso ☐
9 pan con tomate y aceite ☐

Escuchar

3 🔘31 Escucha a estas cuatro personas de diferentes países hablar de su desayuno y completa la tabla.

	NACIONALIDAD	DESAYUNO
1 Philip	*alemán*	*pan con mantequilla y salami y un huevo, o muesli con yogur, y té o café*
2 Claudia		
3 Elizabeth		
4 Manuel		

4 En grupos. Cada uno cuenta qué desayuna normalmente y qué los domingos.

> *Yo, normalmente, solo tomo un café con leche y una magdalena, pero los domingos tomo un bocadillo de jamón y zumo de naranja, además del café con leche, claro.*

Vocabulario

Cafetería Teide

Desayunos
(Hasta las 12)

Meriendas
(Desde las 17 hasta las 19)

Continental 1,75 euros
*Café + bollería o tostada
con mantequilla y mermelada*

Madrileño 2,10 euros
Churros con chocolate

Europeo 2,35 euros
*Sándwich mixto caliente
+ café*

Andaluz 2 euros
*Tostada de pan con tomate y aceite
de oliva + café o refresco*

Escuchar

5 Ordena el siguiente diálogo.

Camarera:	Buenos días, ¿qué desean?	☐
Hijo:	Yo solo quiero un zumo.	☐
Madre:	Yo quiero un desayuno andaluz, ¿y tú, hijo?	☐
Hijo:	No, mamá, solo quiero un zumo de naranja.	☐
Madre:	Toma algo más: un bollo o una tostada.	☐
Madre:	Bueno, pues un andaluz y un zumo de naranja.	☐
Camarera:	Muy bien.	☐

6 🔊32 Escucha y comprueba.

Hablar

7 En grupos de tres. Fíjate en la carta de la Cafetería Teide y practica otras conversaciones. Uno es el camarero y los otros dos van a desayunar o merendar.

- ■ *¿Qué desean?*
- ● *Un desayuno continental, por favor.*
- ▼ *Yo, un café con leche y una tostada con mantequilla y mermelada.*

Pronunciación y ortografía

g / gu

1 🔊33 Escucha y repite.

gato agua gota guerra guion

¿Qué sonido se repite en todas las palabras?

> El sonido /g/ se escribe **g** antes de **a, o** y se escribe ***gu*** antes de **e, i**.

2 Completa con *g* o *gu*.

1 __uapo
2 ci__arrillos
3 __itarra
4 __afas

5 pa__ar
6 __erra
7 __uatemala
8 __oma

3 🔊34 Escucha y repite.

- ¿Sabes cuál es la comida más importante para los españoles?
- ¿Sabes a qué hora cenan en España?
- ¿Sabes a qué hora cierran las tiendas?

Leer

1 Lee este texto.

COMIDAS Y HORARIOS

El desayuno de los españoles normalmente es un café con leche acompañado de galletas, cereales, pan tostado o bollos. Muchas personas toman el desayuno en un bar o en una cafetería. En esos casos es muy popular el café o el chocolate con churros.

La comida se hace normalmente más tarde que en otros países: entre las dos y las cuatro de la tarde. Es la comida principal del día y muchos restaurantes tienen menús bastante baratos.

La cena también se hace más tarde que en otros países, entre las ocho y las diez de la noche aproximadamente.

La mayoría de las tiendas y los negocios están abiertos por las mañanas desde las diez hasta las dos de la tarde, y desde las cinco hasta las ocho. Sin embargo, en los últimos años hay muchas tiendas que abren durante todo el día.

2 Ahora contesta verdadero (V) o falso (F).

1 Los españoles nunca desayunan en los bares. ☐
2 La mayoría de los españoles come fuera de casa. ☐
3 El horario de las comidas de los españoles es igual que el de los demás países europeos. ☐
4 Los españoles cenan bastante tarde. ☐
5 La mayoría de los negocios españoles no abren por la tarde. ☐
6 Hay muchas tiendas que no cierran a mediodía. ☐

Hablar

3 Comenta con tu compañero.

1 ¿A qué hora se levanta la gente en tu país?
2 ¿A qué hora se acuesta?
3 ¿Cuál es el desayuno típico?
4 ¿Cuál es la comida más importante del día?
5 ¿A qué hora cenan?
6 ¿Qué horario tienen las tiendas?

Escuchar

4 🔊35 Adriana es argentina y nos habla de la vida en Buenos Aires. Escucha y contesta a las preguntas.

1 ¿A qué hora se levantan en Buenos Aires?
2 ¿A qué hora almuerzan* normalmente?
3 ¿Qué horario tienen las tiendas?
4 ¿Abren los bancos por la tarde?
5 ¿A qué hora cenan?
6 ¿Estudian los niños por la mañana y por la tarde?

* En Argentina el almuerzo equivale a la comida en España (el almuerzo en España es una comida ligera a media mañana, entre el desayuno y la comida)

Escribir

5 Escribe un párrafo sobre tu rutina diaria. Para ello, utiliza los verbos del recuadro.

> levantarse • ducharse • desayunar
> empezar • terminar • comer • volver
> cenar • acostarse • salir

Yo _me levanto_ a las _____. _Me ducho_ _____. _Salgo_ de casa _____.

Escuchar

6 🔊36 Escucha y completa.

Susana [1] _se levanta_ normalmente a las siete, [2] ____ _____, se viste, [3] _____ algo rápido y sale de casa a las [4] _____.
Su trabajo empieza a las nueve. Primero va a la compra y después prepara la [5] _____ para unas treinta personas.

¿Sabes a qué se dedica?

Es [6] _____.

Emilio [7] ____ _____ tarde porque no trabaja por la mañana. Desayuna un café con leche y dos [8] _____ mientras lee el periódico. Come pronto porque [9] _____ de casa a las tres.
Va a la [10] _____ en tren. Sus clases [11] _____ a las cuatro y terminan a las ocho de la tarde.

¿Sabes a qué se dedica?

Es [12] _____.

Jaime se levanta [13] _____ temprano porque prepara el [14] _____ de sus hijos y los lleva al colegio. Después va en [15] _____ a su trabajo, que está a las afueras de la ciudad. [16] _____ en unos grandes almacenes atendiendo a los clientes. Su [17] _____ es de nueve de la mañana a cinco de la tarde.
Cuando sale del trabajo, recoge a los [18] _____ y los lleva a casa.

¿Sabes a qué se dedica?

Es [19] _____.

Hablar

Alumno A (alumno B, ver «En parejas»)

7 Pregunta a B y completa la siguiente ficha.

NOMBRE:	_____
EDAD:	_____
TRABAJO:	_____
PAÍS:	_____
CIUDAD:	_____
LUGAR DE TRABAJO:	_____
TRANSPORTE:	_____
FAMILIA:	_____

8 Responde a las preguntas de B.

NOMBRE:	Elena Boschmonar
EDAD:	28 años
TRABAJO:	Azafata
PAÍS:	Uruguay
CIUDAD:	Montevideo
LUGAR DE TRABAJO:	Aerolíneas
TRANSPORTE:	Autobús de la empresa
FAMILIA:	Soltera. Vive con sus padres

1 Relaciona.

1 ¿A qué te dedicas?
2 ¿Qué horario tienes?
3 ¿Tienes algún día libre?
4 ¿Dónde trabajas?
5 ¿Cómo vas al trabajo?
6 ¿Estás casado?
7 ¿Cuántos años tienes?

a Soy bombero.
b En el Ayuntamiento.
c Sí, los domingos.
d No, estoy soltero.
e Trabajo de 9 a 5.
f 37.
g Voy en tren.

2 Escribe el verbo.

1 empezar (él): *empieza*
2 volver (yo): _____
3 ir (nosotros): _____
4 empezar (vosotros): _____
5 ir (ellos): _____
6 volver (usted): _____
7 volver (tú): _____

3 Completa con el verbo entre paréntesis en presente de indicativo.

1 Pepe *se ducha* con agua fría. (ducharse)
2 Celia ____ _____ a las once y media. (acostarse)
3 ▪ ¿Tú ____ _____ todos los días? (afeitarse)
   ● No, solo los domingos.
4 Yo no ____ _____ en la piscina, prefiero la playa. (bañarse)
5 Mi hija tiene seis años y ya ____ _____ sola. (vestirse)
6 ¿A qué hora ____ _____ vosotros los domingos? (acostarse)
7 Luis y Rosa ____ _____ muy temprano. (levantarse)
8 ¿A qué hora ____ _____ tú? (levantarse)
9 Yo ____ _____ por la noche. (ducharse)

4 Completa con la preposición adecuada (*a, de, desde, por, hasta*).

1 Yo empiezo a trabajar *a* las ocho *de* la mañana.
2 José no trabaja _____ la tarde.
3 Paloma trabaja _____ las ocho _____ las tres.
4 Los domingos _____ la mañana voy al parque.
5 Los sábados _____ la noche voy _____ la discoteca.
6 Mi marido vuelve _____ casa _____ las ocho _____ la tarde.
7 Mi hija va _____ la escuela _____ la mañana y _____ la tarde.

5 Ordena el siguiente diálogo.

[1] ▪ Buenos días, ¿qué desean?
[ ] ◆ No, no, no me gusta.
[ ] ◆ Yo un zumo de naranja y un sándwich mixto.
[ ] ● ¿No quieres café?
[ ] ● Yo quiero un café con leche y una tostada, ¿y tú?
[ ] ▪ Muy bien.

6 Completa con el verbo entre paréntesis en presente de indicativo.

Los horarios de los españoles (1) _____ (ser) diferentes a los de otros países, tanto en la ciudad como en el campo. La mayoría (2) _____ (levantarse) entre las siete y las ocho de la mañana y (3) _____ (acostarse) entre las doce de la noche y la una de la madrugada. Muchos de ellos dicen que no (4) _____ (dormir) lo necesario porque apenas superan las seis horas de sueño.

En las grandes ciudades la distancia entre la casa y el trabajo (5) _____ (ser) bastante grande, por eso la mayoría (6) _____ (ir) al trabajo en transporte público (metro o autobús). En general, los españoles (7) _____ (perder) entre noventa y ciento veinte minutos al día solo para ir al trabajo y volver a casa.

Los niños españoles (8) _____ (tener) muchas veces los mismos problemas que sus padres porque también (9) _____ (acostarse) más tarde y (10) _____ (dormir) menos horas de las necesarias. Los colegios españoles normalmente (11) _____ (empezar) a las nueve de la mañana, (12) _____ (tener) una pausa para comer a las trece horas y, por la tarde, (13) _____ (terminar) las clases a las cinco.

¿Qué sabes?

	☺	☺	☹
· Hablar de rutinas.	☐	☐	☐
· Hablar de horarios.	☐	☐	☐
· Pedir un desayuno.	☐	☐	☐
· Hablar de profesiones y del lugar de trabajo.	☐	☐	☐
· Los verbos reflexivos.	☐	☐	☐
· Las preposiciones *por / de / a / hasta / desde*.	☐	☐	☐

La casa

- ·· Describir las partes de una casa
- ·· Nombres de los muebles y electrodomésticos
- ·· Indicar el lugar y la existencia
- ·· Hacer una reserva en un hotel
- ·· **Cultura**: Tipos de vivienda en España

4

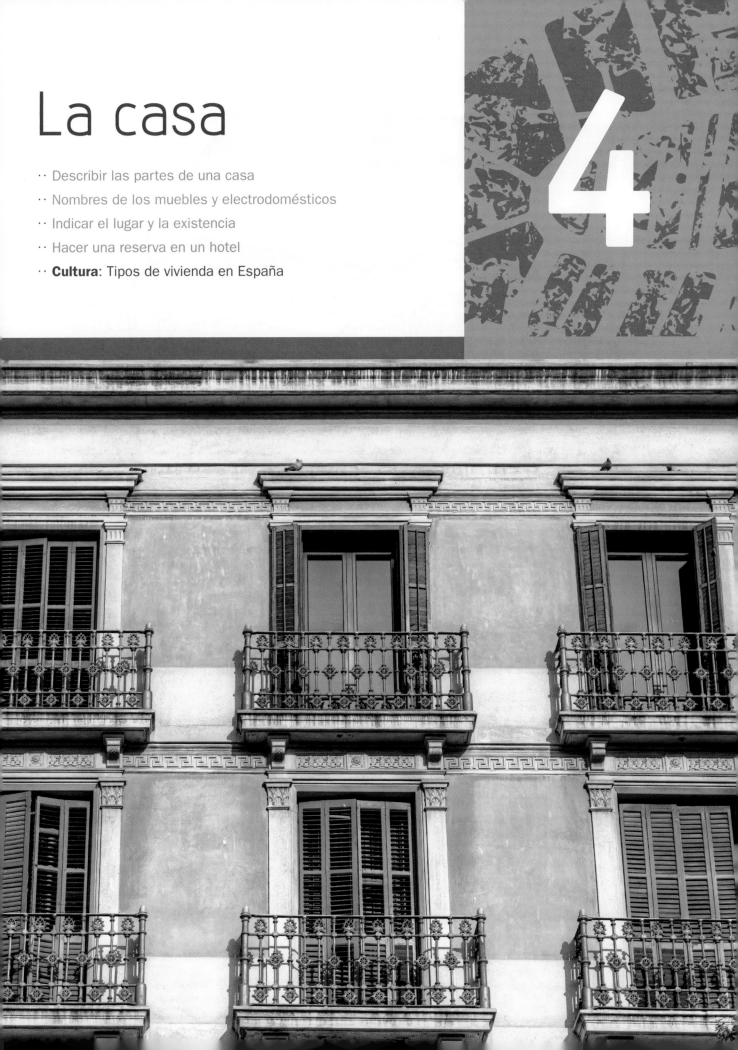

Vocabulario

1 ¿Dónde vives?

☐ En un piso.
☐ En un chalé adosado.
☐ En un estudio.
☐ En un loft.
☐ En un ático.
☐ _____

2 🔘37 Lee y escucha.

Rosa y Miguel tienen una tienda de ropa en el centro de Madrid. Tienen dos hijos y viven fuera de la ciudad en un chalé adosado con dos plantas.

En la planta baja hay un recibidor, una cocina con un pequeño comedor, un salón grande y un aseo.

En la planta de arriba hay tres dormitorios y un cuarto de baño. La casa tiene también un jardín pequeño.

3 Lee las frases y escribe verdadero (V) o falso (F).

1 Rosa y Miguel trabajan fuera de Madrid.	F
2 Viven al lado de su tienda.	☐
3 La cocina está en la planta baja.	☐
4 El salón es muy grande.	☐
5 La casa tiene un garaje.	☐
6 En la planta baja hay tres dormitorios.	☐
7 Los dormitorios están en el piso de arriba.	☐
8 No hay jardín.	☐
9 Hay un pequeño aseo en la planta baja.	☐
10 El salón está en la planta de arriba.	☐

4 🔘38 Completa la siguiente conversación de Rosa con su amiga Laura. Después, escucha y comprueba.

Laura: ¿Cuántas [1] _____ tiene tu casa?
Rosa: Dos. Es un chalé adosado.
Laura: ¿Dónde está el [2] _____?
Rosa: En la planta de arriba. Y en la planta baja hay un pequeño aseo.
Laura: ¿Tiene [3] _____?
Rosa: Sí, uno pequeño, al lado de la cocina.
Laura: ¿Cuántos [4] _____ tiene?
Rosa: Tres, están todos en la planta de arriba.
Laura: ¿Tenéis [5] _____?
Rosa: No, aparcamos en la calle.

5 🔊39 Escucha a Manuel hablar de su casa. Contesta a las preguntas.

1 ¿Cómo es el piso de Manu?
2 ¿Cuántos dormitorios tiene?
3 ¿Dónde está el cuarto de baño?
4 ¿Tiene terraza? ¿Cómo es?

6 En parejas. Habla con tu compañero sobre tu casa: cuántas habitaciones tiene, dónde están… Dibuja en tu cuaderno el plano.

7 Escribe la descripción de la casa de tu compañero y utiliza el vocabulario del recuadro.

> salón • comedor • cocina • jardín
> cuarto de baño • dormitorio • garaje

*La casa de _____ es
pequeña / grande. Tiene _____
dormitorios.*

Gramática

8 🔊40 Escucha y repite.

NÚMEROS ORDINALES			
1.º / 1.ª	primero/a	6.º / 6.ª	sexto/a
2.º / 2.ª	segundo/a	7.º / 7.ª	séptimo/a
3.º / 3.ª	tercero/a	8.º / 8.ª	octavo/a
4.º / 4.ª	cuarto/a	9.º / 9.ª	noveno/a
5.º / 5.ª	quinto/a	10.º / 10.ª	décimo/a

Comunicación

Los ordinales **primero** y **tercero** pierden la -o delante de un nombre masculino singular.

*piso primero / primer piso
piso tercero / tercer piso*

■ *¿Es la primera vez que estudias en esta facultad?*
● *No… Es el tercer año que repito este curso.*

■ *Vivo en el primer piso.*
● *Y yo en el tercero.*

9 Completa las frases con un adjetivo del recuadro.

> primera • tercera • quinta • segundo • ~~primer~~

1 El ascensor está en el *primer* piso.
2 ■ ¿Luis, tú qué estudias?
  ● Estoy en _____ de Económicas.
3 ¡Qué impresionante! Es la _____ vez que veo el mar.
4 Nosotras somos tres hermanas, yo soy la _____ .
5 El departamento de contabilidad está en la _____ planta.

10 🔊41 Escucha y completa.

	PISO	PUERTA
1 Sr. González	4.º	derecha
2 Sra. Rodríguez		
3 Srta. Herrero		
4 Sr. Acedo		
5 Sr. de la Fuente		
6 Sres. Barroso		

11 Pregunta y contesta a cuatro compañeros, según el modelo.

■ *¿En qué piso vives?*
● *En el cuarto derecha.*

a vitrocerámica   e armario   i mesa
b lavavajillas   f frigorífico   j silla
c fregadero   g horno
d lavadora   h microondas

a sofá   d librería   g lámpara
b sillón   e equipo de música   h cojín
c mesita   f televisión (TV)   i alfombra

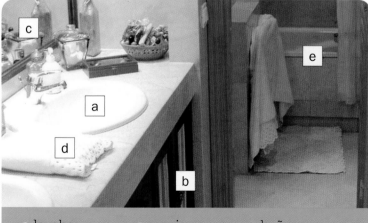

a lavabo   c espejo   e bañera
b armario   d toalla

Vocabulario

1 Fíjate en las fotos y completa con las palabras de los recuadros.

Esta es mi casa

Mi cocina es grande y luminosa y tenemos un (1) _frigorífico_ nuevo. Al lado hay un (2) _____ y debajo de este hay un (3) _____. Hay muchos (4) _____ y una (5) _____ con (6) _____ para desayunar.

En el salón-comedor tenemos un (7) _sofá_ muy cómodo y dos (8) _____ pequeños. Los libros están en una (9) _____ de madera que hay junto a una planta. En el centro del salón hay una (10) _____ y una (11) _____ blanca.

El cuarto de baño es bastante grande también. Hay una (12) _bañera_ y un armario. El (13) _____ está encima del (14) _____.

2 Completa las frases con la forma correcta de los verbos del recuadro.

| escuchar • guardar • ver • lavarse |
| ducharse • dormir • calentar |
| comer • ~~hacer~~ • leer |

1 En la cocina tú _haces_ la comida.
2 En el cuarto de baño tú ___ _____.
3 En el salón tú _____ la televisión.
4 En el comedor tú _____.
5 En el dormitorio tú _____.
6 En el salón tú _____ música.
7 En los armarios de la cocina tú _____ los platos y las tazas.
8 En el cuarto de baño tú ___ _____ los dientes.
9 En el salón tú _____ los libros de lectura.
10 En el microondas tú _____ la comida.

Gramática

ARTÍCULOS

Determinados: el / la / los / las

- Para algo que conocemos.
  *¿Dónde está **el** gato?*

Indeterminados: un / una / unos / unas

- Para algo que mencionamos por primera vez.
  *Hay **un** gato en el jardín.*

3 Señala el artículo más adecuado.

1 *El / Un* ordenador está en mi dormitorio.
2 En mi clase hay *un / el* mapa del mundo.
3 ¿Hay *la / una* película buena en la tele?
4 *Los / Unos* libros están en mi mochila.
5 En el patio hay *unos / los* niños.
6 *Las / Unas* llaves están en la mesa de la cocina.
7 *La / Una* bañera está en el cuarto de baño.
8 En la cocina hay *el / un* fregadero.

HAY Y ESTÁ(N)

HAY + un, una, unos, unas + nombre
*En el cuarto de baño **hay** <u>una toalla</u>.*

HAY + muchos/as, pocos/as, algunos/as... + nombre
Hay <u>muchos armarios</u> en la cocina.

HAY + dos, tres, cuatro ... + nombre
*En el salón **hay** <u>dos sillones</u>.*

HAY + nombre
*¿**Hay** <u>café</u> en la cocina?*

el, la, los, las + nombre + ESTÁ(N)
*<u>El café</u> **está** en el armario de la cocina.*

ESTÁ(N) + preposición
*El espejo **está** <u>encima</u> del lavabo.*

ESTÁ + nombre propio
- *¿**Está** <u>Juan</u>?*
- *No, está en casa de sus abuelos.*

4 Completa las frases con *hay / está / están*.

1 Perdone, ¿<u>hay</u> un supermercado cerca de aquí?
2 Por favor, ¿dónde _____ los cines Ideal?
3 Mañana no _____ clase, es fiesta.
4 No _____ agua en la botella.
5 El comedor _____ al lado de la cocina.
6 ¿Dónde _____ las llaves?
7 ¿_____ Jesús en la oficina?
8 ¿_____ leche en la nevera?

5 Describe qué hay en tu cocina, tu cuarto de baño y tu salón. Compara la descripción con la de tu compañero.

6 🔊42 Escucha la información sobre las casas en venta y completa la tabla.

	metros	dormitorios	baños
1			
2			
3			

7 Observa la fotografía durante treinta segundos.

Ahora cierra el libro y escribe qué cosas hay en el salón y dónde están. Compara tus resultados con los de tus compañeros. ¿Quién tiene más aciertos?

> *Hay una planta. Está encima de la mesita.*

Vocabulario

1 Relaciona las siguientes palabras con los símbolos de las instalaciones del hotel.

1 piscina   e
2 habitación individual   ☐
3 habitación doble   ☐
4 restaurante   ☐
5 tarjetas de crédito   ☐
6 garaje   ☐

2 🔊 43 Escucha y completa el siguiente diálogo.

Recepcionista: Parador de Córdoba, ¿dígame?
Carlos: Buenas tardes. ¿Puede decirme si hay habitaciones libres para el próximo fin de semana?
Recepcionista: Sí. ¿Qué desea, una habitación [1] _____ o [2] _____ ?
Carlos: Una doble, por favor. ¿Qué precio tiene?
Recepcionista: [3] _____ por noche más IVA.
Carlos: De acuerdo. Hágame la reserva, por favor.
Recepcionista: ¿Cuántas noches?
Carlos: [4] _____ y [5] _____, si es posible.
Recepcionista: No hay problema.
Carlos: ¿Hay [6] _____?
Recepcionista: Sí, señor, hay una.
Carlos: ¿Admiten tarjetas de crédito?
Recepcionista: Sí, por supuesto.

3 Practica este diálogo con tu compañero.

4 🔊 44 Escucha el final del diálogo anterior y completa la ficha de reserva.

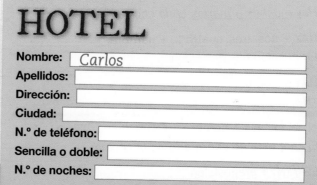

HOTEL

Nombre: *Carlos*
Apellidos:
Dirección:
Ciudad:
N.º de teléfono:
Sencilla o doble:
N.º de noches:

Leer

5 🔊 45 Lee y escucha.

Los patios

Los patios son lugares comunes para encontrarse, para jugar, para charlar, para descansar.

Hay muchos tipos de patios: el patio del colegio, donde los niños pasan el recreo; el patio andaluz, en el sur de España, lleno de macetas con flores, que en verano protege del calor y es un lugar de descanso y de conversación.

En las ciudades tenemos el patio interior, donde la gente tiende la ropa y habla con los vecinos de enfrente.

En Hispanoamérica muchas casas coloniales conservan bellos patios llenos de plantas tropicales que ayudan a pasar las horas más calurosas del día.

En la ciudad andaluza de Córdoba, el segundo fin de semana de mayo se celebra el Festival de los Patios. Los vecinos abren sus casas, y vecinos y turistas pueden visitar sus hermosos patios.

6 ¿Verdadero (V) o falso (F)?

1 En los colegios hay un patio. ☑V
2 En las ciudades no hay patios. ☐
3 En los patios coloniales hay plantas tropicales. ☐
4 Córdoba está en el norte de España. ☐
5 El Festival de los Patios de Córdoba es el 1 de mayo. ☐
6 Los turistas siempre pueden visitar los patios cordobeses. ☐

Pronunciación y ortografía

c / qu

1 🔊 46 Escucha y repite.

> **queso** cuarto **cuanto**
> **quinto** **casa** **comedor**

2 ¿Qué sonido se repite en todas las palabras?

> El sonido /k/ se escribe **qu** antes de **e, i**
> y se escribe **c** antes de **a, o, u**.

3 Completa con *qu* o *c*.

1 __uando
2 __ién
3 __uatro
4 tran__ilo
5 __ocina
6 __erer
7 __ímica
8 __omer

9 médi__o
10 E__uador
11 pe__eño
12 __inientos
13 __ampo
14 a__ostarse
15 pelu__ero
16 __uince

A

B

C

D

Hablar

1 ¿En qué lugar puedes encontrar las viviendas que aparecen en las fotos? Coméntalo con tu compañero.

1 En un pueblo. ☐   3 En la montaña. ☐
2 En una ciudad. ☐   4 En la playa. ☐

Leer

2 Lee los textos y relaciónalos con las fotos.

¿En el norte o en el sur?

1 En el sur de España, Andalucía, las casas son blancas y con terrazas. Muchas tienen un patio y están decoradas con plantas y flores. ☐

2 En el norte, la mayoría de las casas son de piedra, con gruesos muros para protegerlas del frío y tejados inclinados para evitar la acumulación de nieve y agua. La mayoría tiene una huerta para cultivar los productos de la tierra. ☐

3 En la costa mediterránea hay muchas viviendas destinadas al turismo: pequeñas urbanizaciones de chalés y apartamentos y grandes hoteles se mezclan con las viviendas tradicionales. ☐

4 Una gran parte de la población vive en las ciudades. En ellas encontramos bloques de pisos y apartamentos. Las urbanizaciones de chalés adosados son cada vez más frecuentes en las afueras de la ciudad. ☐

3 Completa las frases.

1 Andalucía está _____.
2 En los patios andaluces hay _____.
3 En el norte de España muchas casas _____.
4 En la costa mediterránea hay _____.
5 En las ciudades mucha gente _____.

4 Contesta a las siguientes preguntas.

1 ¿En qué zona de España muchas casas tienen patio?
2 ¿De qué material son las casas del norte de España?
3 ¿Dónde hay muchos apartamentos, chalés y hoteles?
4 ¿Dónde vive la mayoría de la población?
5 ¿Dónde se encuentran los chalés adosados?

Hablar

5 Imagina que estás de vacaciones en alguna de las diferentes zonas de España. Contesta a las preguntas de tu compañero.

1 ¿En qué parte de España estás?
2 ¿En qué tipo de casa?
3 Describe la casa.

Escribir

6 Escribe un correo electrónico a tu familia o a algún amigo y describe la casa en la que pasas tus vacaciones. Utiliza las ideas de la actividad anterior.

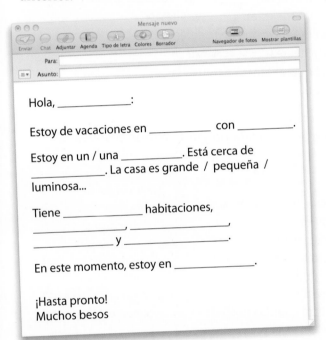

Escuchar

7 Escucha la entrevista con Patricia y elige la opción correcta.

1 ¿Con quién pasa Patricia las vacaciones?
  a) Con su marido y sus hijos.
  b) Con su amigo Juan y su mujer.
  c) Con su marido, su amigo Juan y su mujer.

2 ¿Dónde se aloja?
  a) En un hotel.
  b) En un *camping*.
  c) En su casa.

3 Su casa es:
  a) un chalé.
  b) un apartamento.
  c) un piso.

4 ¿Dónde pasa las vacaciones?
  a) En la montaña.
  b) En la playa.
  c) En un crucero en el mar.

5 Su casa tiene:
  a) tres dormitorios y dos baños.
  b) dos baños y dos dormitorios.
  c) tres dormitorios y un baño.

6 También tiene:
  a) garaje y terraza.
  b) jardín y garaje.
  c) jardín y terraza.

Hablar

Alumno A (alumno B, ver «En parejas»)

8 Pregunta a B la información que falta en el anuncio del Hotel Miramar.

1 ¿En qué planta están: *el restaurante, la recepción, la peluquería, el garaje?*
2 Pregunta el precio de la habitación individual: *¿Cuánto cuesta …?*
3 Pregunta el horario del desayuno: *¿A qué hora se puede desayunar?*

9 Responde a las preguntas de B.

Hotel *Miramar*

Quinta planta: Cafetería
Cuarta planta: _____
Tercera planta: Sauna y gimnasio
Segunda planta: _____

Primera planta: Salón de conferencias
Planta Baja: _____
Sótano: _____

Precios
Habitación individual: _____
Habitación doble: 145 €

Comidas
Desayunos: _____
Comidas: de 13 a 15 h
Cenas: de 20 a 23 h

1 ¿En qué parte de la casa están normalmente las siguientes cosas?

1 cama: _en el dormitorio_
2 microondas: _____
3 sillones: _____
4 equipo de música: _____
5 espejo: _____
6 lavavajillas: _____
7 bañera: _____
8 televisión: _____

2 ¿Qué hay en cada habitación?

1 salón-comedor	sillones,
2 cocina	
3 dormitorio	
4 cuarto de baño	

3 Completa la siguiente serie de ordinales.

Primero, _____ , **tercero**, _____ , _____ , **sexto**, _____ , **octavo**, **noveno**, _____ .

4 Elige la forma correcta.

1 En la clase *hay / están* muchos estudiantes.
2 En mi casa la televisión no *hay / está* en el salón.
3 *Hay / Está* una cafetería aquí cerca.
4 ¿Dónde *hay / están* las llaves?
5 En la nevera *hay / está* carne.
6 La información *hay / está* en internet.
7 ¿Dónde *hay / está* el bolígrafo rojo?

5 Completa con *un / una / unos / unas / el / la / los / las.*

1 Esta noche no salimos. Nos quedamos en casa y ponemos _una_ película de vídeo.
2 En ____ cocina hay cosas para comer. Podemos hacer ____ bocadillos.
3 ■ ¿Tienes queso?
 ● Sí, hay ____ paquete en ____ nevera.
4 ■ ¿Hay jamón?
 ● No, pero tengo ____ anchoas muy ricas.
5 ■ ¿Ponemos ____ poco de tomate?
 ● Sí, aquí hay ____ tomate bastante grande.
6 ■ ¿Dónde están ____ servilletas?
 ● En ____ cajón de la derecha.
7 ■ ¿Quieres ____ cerveza?
 ● No, prefiero ____ refresco.
8 Aquí están ____ vasos pequeños.

6 Relaciona cada pregunta con su respuesta.

1 ¿Qué tipo de habitación desea?
2 Buenas tardes, ¿hay habitaciones libres?
3 ¿Admiten tarjetas de crédito?
4 ¿Para cuántas noches?
5 ¿Cuál es el precio de la habitación?

a Para el fin de semana.
b Sí, por supuesto.
c Una doble.
d Con desayuno, 90 euros.
e Sí, tenemos una individual y dos dobles.

7 Ordena en tu cuaderno el diálogo del ejercicio anterior.

¿Qué sabes?

☺ ☺ ☹

· Describir las partes de la casa. ☐ ☐ ☐
· Los números ordinales del 1.º al 10.º. ☐ ☐ ☐
· La diferencia entre *hay* y *está*. ☐ ☐ ☐
· Reservar una habitación en un hotel. ☐ ☐ ☐
· Escribir sobre las vacaciones. ☐ ☐ ☐

Comer

5

1

2

3

Vocabulario

1 ¿Conoces algún plato español? Escribe los nombres junto a la fotografía correspondiente.

gazpacho • tortilla de patatas
arroz a la cubana

2 🔊48 Observa el menú del restaurante La Morenita, después escucha el diálogo y completa la tabla.

	TERESA	JUAN
primer plato	*ensalada mixta*	
segundo plato		
bebida		
postre		

3 Mira la carta del menú y elige qué quieres comer de primer plato, segundo plato, bebida y postre. Luego, en grupos de tres, practica varias veces. Uno hace de camarero y los otros, de clientes.

Comunicación

■ *¿Qué van a tomar de primero?*

● *Yo de primero quiero…*

▲ *Pues yo…*

■ *¿Y de segundo?*
(…)

■ *¿Qué quieren para beber?*
(…)

■ *¿Y de postre?*
(…)

● *¿Me trae la cuenta, por favor?*

■ *Sí, ahora mismo.*

Mesón restaurante
La Morenita
Patio cordobés

Primeros
• Sopa de fideos
• Paella
• Judías verdes con jamón
• Ensalada mixta
• Gazpacho

Segundos
• Carne con tomate
• Lubina al horno
• Huevos con chorizo
• Filete de pollo a la plancha

12 €
incluido pan, bebida y café

Postres
• Helado de vainilla, chocolate o fresa
• Natillas
• Arroz con leche

Bebidas
• Vino de la casa
• Refresco
• Cerveza
• Agua mineral

Cardenal González, 220 - Tel. 957 48 70 99
Córdoba   www.lamorenita.es

4 Relaciona.

1 taza ☐   7 cuchara   ☐
2 tenedor ☐   8 vaso   ☐
3 cucharilla ☐   9 servilleta ☐
4 copa ☐   10 jarrón   ☐
5 cuchillo ☐   11 plato   ☐
6 mantel ☐   12 jarra   ☐

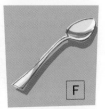

A B C D E F G H I J K L

5 Completa con la palabra adecuada.

1 una <u>copa</u> de vino
2 una _____ de café
3 una _____ para la sopa
4 un _____ de agua
5 un _____ de flores
6 una _____ de agua
7 un _____ para la sopa
8 un _____ para la mesa

Hablar

6 Practica con tu compañero.

▪ *¿Me trae una servilleta, por favor?*

● *Sí, ahora mismo.*

Leer

7 🔊 49 Lee y escucha.

Hoy comemos fuera

En España, comer es algo que nos gusta compartir con amigos, familiares, compañeros de trabajo o estudio. Para la mayoría de los españoles es más importante la compañía que el tipo de restaurante. Al escoger un restaurante preocupa la higiene, la calidad de los alimentos y la dieta equilibrada. En un país como España, con un clima agradable, de largos días con luz, el comer o cenar fuera de casa es un hábito extendido.
Es durante los días festivos cuando más se visitan bares y restaurantes.

8 Di si estas afirmaciones son verdaderas (V) o falsas (F).

1 A los españoles les gusta comer solos. ☐ F
2 Cuando comen fuera de casa les gusta hacerlo con familiares y amigos. ☐
3 Para los españoles lo más importante es el tipo de restaurante. ☐
4 Los restaurantes están más llenos los días laborales. ☐
5 Los españoles con frecuencia cenan fuera de casa. ☐

Hablar

9 Responde a estas preguntas y luego pregunta a tu compañero.

1 ¿Te gusta comer fuera de casa?
2 ¿Qué comes habitualmente fuera de casa: bocadillos, tapas, comidas completas, comida rápida (hamburguesa, salchichas…)?
3 ¿Cuántas veces al mes sales a comer o cenar?
4 ¿Meriendas todos los días? ¿Qué meriendas?

Vocabulario

1 ¿Te gusta el cine? ¿Qué tipo de películas te gustan? Coméntalo con tus compañeros.

a) las comedias

b) los dramas

c) los musicales

d) las películas románticas

e) las películas policíacas

f) las películas de terror

g) las películas de ciencia-ficción

h) las películas de aventuras

■ *A mí me gustan las películas de terror y de ciencia-ficción.* ☺
● *Pues a mí no me gustan las películas de terror.* ☹

2 Relaciona las siguientes actividades con los dibujos.

1 bailar ☐
2 montar en bicicleta ☐
3 andar ☐
4 ir de compras ☐
5 escribir un *blog* ☐
6 pintar ☐
7 navegar por internet ☐
8 nadar ☐
9 jugar al fútbol ☐
10 escuchar música ☐
11 leer ☐
12 viajar ☐

3 🎧50 Escucha a Elena hablar de sus gustos y de los de su marido. Señala Sí o No.

	ELENA	LUIS
el cine		
andar por el campo		
ir de compras		
navegar por internet		
leer		
el fútbol		
la música		

Gramática

VERBO *GUSTAR*		
(a mí)	**me**	
(a ti)	**te**	
(a él / ella / Ud.)	**le**	gusta(n)
(a nosotros/as)	**nos**	
(a vosotros/as)	**os**	
(a ellos / ellas / Uds.)	**les**	
A Elena le gusta viajar.		
A Jaime le gustan los deportes.		
A nosotros no nos gusta el fútbol.		

4 Completa las frases con un pronombre (*me, te, le…*) y *gusta* o *gustan*.

1 A María *le gusta* mucho nadar.
2 A mi marido _____ _____ ir al cine.
3 A mí no _____ _____ las películas de terror.
4 A los españoles _____ _____ mucho salir y hablar con los amigos.
5 A nosotros _____ _____ los animales.
6 ¿A vosotros _____ _____ la música tecno?
7 ¿A Ud. _____ _____ la paella?
8 ¿A ti ___ _____ los deportes de riesgo?
9 A mis padres no ___ _____ el teatro, prefieren el cine.
10 A Jorge no ___ _____ nada estudiar.

+ Me **encanta** escuchar música.
  Me gusta **mucho** cocinar.
  Me gusta **bastante** leer.
  No me gustan **mucho** los deportes.
  No me gusta bailar.
− **No** me gusta **nada** ir de compras.

5 Escribe tres frases sobre tus gustos.

Me gusta mucho...

● *Me encanta el cine.* ☺
■ *A mí también.* ☺
▲ *Pues a mí no.* ☹
● *No me gusta montar en bicicleta.* ☹
■ *A mí tampoco.* ☹
▲ *Pues a mí sí.* ☺

6 Pregunta a dos compañeros sobre sus gustos. Utiliza el vocabulario de la actividad 2.

■ *¿Os gusta el cine?*
● *A mí no mucho, me gusta más leer.*
▲ *A mí tampoco.*

7 Escribe unas frases con las respuestas de tus compañeros.

A Peter no le gusta mucho el cine, pero le gusta / encanta leer.
A Nadia no le gusta nada andar, prefiere ir a la discoteca.

Leer

8 Lee los anuncios de la derecha y responde a las preguntas.

1 ¿Quién estudia en la universidad?
2 ¿A quién le gusta la fotografía?
3 ¿Quién es de Argentina?
4 ¿A quiénes les gustan los videojuegos?
5 ¿Cómo se llama el madrileño?
6 ¿Quién va a la playa habitualmente?

9 Escribe un anuncio en una hoja, pero sin poner tu nombre, y dáselo a tu profesor. Tenéis que descubrir de quién son los anuncios que el profesor os enseña.

Me llamo **Marisol**, tengo 26 años y estoy soltera. Estudio Economía y trabajo en un gimnasio de mi barrio. Me gusta viajar, conocer sitios nuevos y chatear. Busco amigos para viajar juntos por España. **Sevilla.**

Me llamo **Miguel**, tengo 25 años. Estudio Artes Gráficas en un instituto. Me encanta jugar al fútbol, jugar con videojuegos, ir a la discoteca… Busco chicos y chicas con aficiones similares. **Madrid.**

Me llamo **Tiago**, soy brasileño, de Río de Janeiro. Soy profesor de surf. Me gusta ir a la playa, navegar por internet, jugar con videojuegos… También me gusta ver partidos de baloncesto en la tele. ¿Por qué no me escribes? **Río de Janeiro.**

Me llamo **Olga**, tengo 32 años y soy periodista Trabajo en el periódico local de mi pueblo. Me gusta el cine, salir de copas, bailar tangos y hacer fotografías de las ciudades que visito. Escríbeme. **Buenos Aires.**

Vocabulario

1 ¿Te gusta cocinar? ¿Qué sabes hacer?

2 Completa la lista de ingredientes para hacer un batido de plátano con las palabras del recuadro.

azúcar • hielo • limón • leche • vainilla • plátanos

Batido de plátano

Ingredientes:

3 _____

1 vaso de _____

1/4 de taza de _____

1/4 de taza de zumo de _____

1/2 cucharadita de _____

8 cubitos de _____

3 Ordena las instrucciones para su preparación.

a Añade los cubitos de hielo y mézclalos con los otros ingredientes. ☐

b Pela los plátanos y córtalos en rodajas. ☐1

c Reparte la mezcla en cuatro vasos. ☐

d Mezcla los plátanos, la leche, el azúcar, el zumo de limón y la vainilla en una batidora. ☐

e Invita a tus amigos. ☐

4 🔊51 Escucha y comprueba.

Gramática

IMPERATIVO			
	cortar	comer	abrir
tú	corta	come	abre
usted	corte	coma	abra

El **imperativo** se utiliza para dar órdenes, dar instrucciones, pedir un favor y recomendar.

5 Completa las siguientes instrucciones para llevar una vida sana. Utiliza los verbos del recuadro en imperativo.

caminar • tomar • descansar
comer • evitar • ~~beber~~

Si quieres llevar una vida sana, sigue estas instrucciones.

Todos los días

1 ___Bebe___ más de un litro de agua.

2 _____ tres piezas de fruta.

3 _____ durante media hora.

4 _____ más de siete horas.

5 _____ fumar.

6 _____ bebidas sin alcohol.

6 Escribe en forma de órdenes (*tú* y *usted*) y practica en voz alta.

1 Hablar más bajo.
   Habla más bajo, por favor. (tú)
   Hable más bajo, por favor. (usted)

2 Escribir tu / su nombre.
3 Terminar el trabajo.
4 Abrir la puerta.
5 Cerrar la ventana.
6 Escuchar lo que digo.
7 Tomar más verduras.
8 Ordenar tu / su cuarto.
9 Añadir azúcar al zumo.
10 Limpiar la mesa.

7 Escribe en tu cuaderno la receta de tu ensalada preferida. Después, explícasela a tu compañero.

Escuchar

8 ¿De dónde crees que son originalmente estos productos?

¿Productos de América?

Muchos de los alimentos que se comen hoy en el mundo proceden de América: el maíz, el cacao, el aguacate... Pero también hay productos que se consumen en América y que son de origen europeo: la uva, la naranja, el limón... ¿De dónde son originarios estos productos?

1 la piña
- ☐ Hawái
- ☐ Cuba y Puerto Rico

2 el cacahuete (maní)
- ☐ Georgia (Estados Unidos)
- ☐ Bolivia y Perú

3 el tomate
- ☐ México
- ☐ Italia

4 el plátano
- ☐ Ecuador
- ☐ África

5 el café
- ☐ África
- ☐ Brasil

6 la patata
- ☐ Perú y Ecuador
- ☐ Irlanda

9 🔊52 Escucha y comprueba.

Pronunciación y ortografía

b / v

1 🔊53 Escucha y repite.

Isabel vivir **vino** bueno **Ávila** viajar **botella** abuelo **hablar** muy bien **beber**

La *b* y la *v* se pronuncian igual.

2 🔊54 Escucha y repite.

1 ¿Dónde vive Isabel?
2 Cuba es una isla preciosa.
3 Vicente es abogado y trabaja en Sevilla.
4 Las bebidas están en la nevera.
5 Este vino es muy bueno.
6 Valeriano viaja mucho en avión.
7 Beatriz es de Venezuela.
8 Esta bicicleta es muy barata.
9 En Valencia no hay bastantes ambulancias.
10 La abuela de Bibiana está muy bien.

3 Completa con *b* o *v*.

1 Yo ___i___o en ___arcelona.
2 Este ___atido tiene ___ainilla.
3 Camarero, un ___aso de agua, por fa___or.
4 A Isa___el le gusta ___iajar y ___ailar tangos.
5 ___e___er agua es muy ___ueno.
6 ¿Este ___erano ___as de ___acaciones?
7 La ___otella está ___acía.
8 El ___anco a___re a las nue___e.

4 🔊55 Escucha y repite.

5 🔊56 Escucha y subraya la palabra que oyes.

1 pala / bala
2 poca / boca
3 parra / barra
4 peso / beso
5 pino / vino

6 pera / vera
7 paca / vaca
8 pisa / visa
9 pata / bata
10 pez / vez

Leer

1 Lee estos anuncios de los restaurantes y después contesta a las preguntas.

1 ¿En qué estación de metro está el restaurante peruano?
2 ¿En qué restaurante podemos celebrar una reunión con nuestra familia o de negocios?
3 ¿Qué tipo de comida ofrece el restaurante Vida natural?
4 ¿Dónde podemos comer carne argentina?
5 ¿Dónde podemos tomar tapas?
6 ¿Dónde podemos comer pescado?
7 ¿Qué restaurantes ofrecen aparcacoches?
8 ¿Cuánto cuesta el menú en Casa Pepe?
9 ¿Dónde podemos tomar pizza?
10 ¿Qué restaurante tiene platos asturianos?

RESTAURANTE PERUANO
LA LLAMA

Probablemente la mejor comida peruana en Madrid

sabrosos
platos
peruanos

San Francisco, 12 (Detrás Hotel Sol) Metro Sol
Teléfonos: 91 654 20 82 / 91 654 20 83 • 28050 Madrid
www.restaurante_lallama.com

La Estancia
Asador restaurante

Único sabor criollo en España

Carnes elaboradas al estilo autóctono de la campiña argentina

**Cabrito Carnes Argentinas Lechón
Carnes gallegas Pescados a la brasa**

Aparcacoches

C/ Petunias, 66 Tel.: 93 730 20 39
Barcelona   www.asadorlaestancia.com

Vida natural
Restaurante vegetariano
Cocina vegetariana con productos ecológicos de la región

Nuestras especialidades:
sopas, ensaladas, pasta, pizzas y gran variedad de postres.

C/ Constitución, 112 - Tel.: 986 25 32 95 (Pontevedra)
www.vidanatural.es

RESTAURANTE
la *Alpujarra*

• Pescaditos fritos
• Pescados al horno y a la sal
• Carnes rojas

Pza. Granada, 4 Tel.: 958 00 34 20
Granada
(Aparcacoches)
www.rest_laalpujarra.es

EL PÁDEL
Cocina mediterránea

• Menú degustación
• Pinchos
• Tapas
• Menús diarios para empresas
• Salones para reuniones familiares y de negocios

Parking a 50 metros
C/ Marquesa de Toledo, 5 (Segovia)
Tel.: 921 34 05 22
www.rest_elpadel.es

Menú diario:
10 €

CASA PEPE
**Pollo asado - Queso de cabrales
Chorizo a la sidra - Callos caseros
Fabada asturiana**

C/ Infanta, 54 - Tel.: 949 31 50 92
Guadalajara
www.casapepe.com

Escuchar

2 🔘57 Mira los mapas, escucha y relaciona.

1 México
2 Perú
3 Argentina
4 Colombia y Venezuela
5 Galicia
6 Valencia
7 Andalucía
8 Asturias

a paella
b cebiche
c arepas
d fabada
e carne asada
f gazpacho
g guacamole
h pescado y marisco

Escribir

3 Escribe un párrafo sobre la comida típica de tu país o ciudad.

En mi ciudad, los platos más típicos son: …
Este plato está elaborado con estos ingredientes: …

Hablar

Alumno A (alumno B, ver «En parejas»)

4 Pregunta a B sobre sus gustos.

¿Te gusta el chocolate?
¿Te gustan las piñas?

	MUCHO	BASTANTE	NO MUCHO	NADA
el chocolate				
las piñas				
el cordero asado				
el café con leche				
las patatas				
la carne				
el queso				
la fruta				
las ensaladas				

5 Responde a B las preguntas sobre tus gustos.

Sí, mucho. / Sí, bastante. / No, no mucho. / No, nada.

Hispanoamérica

México

Venezuela

Colombia

Perú

Argentina

España

Asturias
Galicia

Comunidad
Valenciana

Andalucía

1 Con estos ingredientes vamos a elaborar un menú. ¿Cuáles son los ingredientes principales de los siguientes platos?

huevos • ~~tomates~~ • arroz • pollo • leche
gambas • pepinos • calamares • azúcar
aceite • vinagre • pimientos

MENÚ

1. plato
GAZPACHO: <u>tomates</u>, _____,
_____, _____,
_____.

2.º plato
PAELLA: _____,
_____, _____,
_____.

Postre
FLAN: _____, _____,
_____.

2 Elabora un menú con platos típicos de tu país y haz la lista de ingredientes que necesitas para su elaboración.

3 Escribe el pronombre correcto (*me, te, le, nos, os, les*).

1 A ellos <u>les</u> gusta la música clásica.
2 A nosotros _____ gusta salir de noche.
3 A su hermana _____ gusta la paella.
4 A mí no _____ gustan los toros.
5 ¿A ti _____ gusta el fútbol?
6 ¿A vosotros _____ gustan las gambas?
7 A Luisa no _____ gusta viajar.

4 Haz frases como en el ejemplo.

1 Rosa / no gustar / animales
  A Rosa no le gustan los animales.
2 Ellos / gustar / salir
3 Nosotros / gustar / ver la tele
4 Yo / no gustar / fútbol
5 ¿Tú / gustar / flan?
6 Pepe / no gustar / la fruta
7 ¿Vosotros / gustar / nadar?

5 Escribe en imperativo las órdenes que da Maribel a su hijo.

1 ¡*Baja* la tele! (bajar)
2 ¡_____ más verdura! (comer)
3 ¡_____ la ventana de tu dormitorio! (abrir)
4 ¡_____ una nota para tu profesor! (escribir)
5 ¡_____ cuando te hablo! (escuchar)
6 ¡_____ a tu hermana! (ayudar)
7 ¡_____ más leche! (beber)

6 Relaciona cada pregunta con su respuesta.

1 ¿Qué desea para beber? ☑ d
2 ¿Y de segundo? ☐
3 ¿Me deja la carta, por favor? ☐
4 ¿Y de postre? ☐
5 ¿Qué quiere el señor de primero? ☐
6 ¿Desea algo más? ☐

a Sí, ahora mismo. Un momento.
b Una sopa de fideos, por favor.
c Un helado de vainilla.
d Agua mineral.
e No, muchas gracias.
f Pollo con patatas.

7 Ahora ordena en tu cuaderno el diálogo anterior.

¿Qué sabes?

· Pedir en un restaurante.
· Hablar de gustos.
· Hablar del tiempo libre.
· Comprender y dar instrucciones sencillas.

El barrio

6

- ·· Pedir información para viajar en transporte público
- ·· Dar instrucciones
- ·· Pedir favores
- ·· Describir el barrio donde vivimos
- ·· **Cultura:** Ciudades españolas

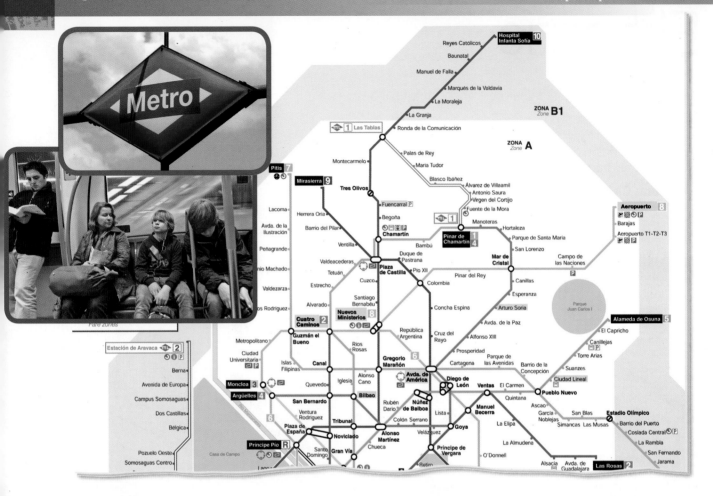

Escuchar

1 Mira el dibujo y responde. ¿Qué están haciendo Sergio y Beatriz?

a Están llamando a un taxi.
b Están comprando un billete de metro.
c Están sacando su coche del aparcamiento.

2 Completa la conversación con las expresiones del recuadro.

> ¿Cuánto es? • cómo se va • Puede darme
> décima estación • dos billetes de metro

Sergio: Perdone, queremos (1) _____, por favor.
Taquillero: ¿Sencillos o de diez viajes?
Sergio: Sencillos. (2) _____
Taquillero: 10 euros.
Sergio: Aquí tiene. Perdone, ¿puede decirme (3) _____ de Aeropuerto a Goya?
Taquillero: Pues desde aquí es muy fácil: tome usted la línea 8 hasta Mar de Cristal y cambie a la línea 4 dirección Argüelles. La (4) _____ es Goya.
Sergio: Muchas gracias. ¿(5) _____ un plano del metro?
Taquillero: Sí, claro, tome.

3 🔘58 Escucha y comprueba.

4 🔘58 Escucha otra vez y marca el recorrido en el plano del metro de Madrid.

5 Lee de nuevo el diálogo de la actividad 2 y completa el siguiente cuadro.

FORMAL (USTED)
■ (1) _____ ¿cómo se va de Aeropuerto a Goya?
● (2) _____ la línea 8 hasta Mar de Cristal, allí (3) _____ a la línea 4 dirección Argüelles.
INFORMAL (TÚ)
■ Perdona, ¿cómo voy / se va de Aeropuerto a Goya?
● Toma la línea 8 hasta Mar de Cristal, allí cambia a la línea 4 dirección Argüelles.

6 Observa la diferencia entre las formas *tú* y *usted*.

Hablar

7 Mira otra vez el plano, fíjate en las estaciones destacadas en amarillo y practica con tu compañero.

- De Aeropuerto a Arturo Soria
- De Cuatro Caminos a Fuencarral
- De Nuevos Ministerios a Ciudad Lineal
- De Bilbao a Fuencarral
- De Avenida de América a Aeropuerto

- ■ *Perdona, ¿cómo se va de Aeropuerto a Arturo Soria?*
- ● *Toma la línea 8 hasta Mar de Cristal, allí cambia a la línea 4 dirección Argüelles. Es la tercera parada.*

Leer

8 Lee el texto y responde a las preguntas.

Madrid en Metro

El metro de Madrid tiene unos 290 kilómetros. En total hay 12 líneas y 300 estaciones. El horario de servicio al público es de seis de la mañana a una y media de la madrugada, todos los días del año.

Durante las horas de cierre del metro existe un servicio de autobuses nocturnos que salen de la plaza de Cibeles.
Hay dos tipos de billetes, además del abono transportes: el billete sencillo, que solo tiene un viaje, y el metrobús o billete de diez viajes, que también puede utilizarse en el autobús.

Los billetes se pueden comprar en las taquillas o en las máquinas del metro. El metrobús también se puede comprar en quioscos y estancos.

www.ctm-madrid.es
www.metrodemadrid.es

1 Son las seis y media, tienes que ir al trabajo, ¿está abierto ya el metro? ¿Desde qué hora?
2 Son las dos de la madrugada, ¿puedes volver a casa en metro? ¿Por qué? ¿Puedes volver en autobús?
3 ¿Cuántas veces puedes usar el billete sencillo?
4 ¿Cómo se llama el billete de diez viajes?
5 ¿Puedes usar el metrobús en el autobús?
6 ¿Dónde se compra el metrobús?

Gramática

1 🔊 **59** Escucha y relaciona los dibujos con las frases.

1 ■ Carlos, siéntate en tu sitio, por favor.
  ● Voy. `j`

2 ■ Venga a mi oficina, quiero hablar con usted.
  ● Ahora mismo. ☐

3 ■ Pon la televisión, empieza el partido.
  ● Vale. ☐

4 ■ Cierra la ventana, por favor, tengo frío.
  ● Sí, claro. ☐

5 ■ Tome la primera a la derecha y después
  siga recto.
  ● Muchas gracias. ☐

6 ■ Tuerce a la derecha, esa es la calle.
  ● Ah, sí, tienes razón. ☐

7 ■ Haz los deberes antes de cenar.
  ● Vale, mamá. ☐

8 ■ Por favor, siéntese. Ahora lo atiende
  el doctor.
  ● Bien, gracias. ☐

9 ■ ¿Dígame?
  ● ¿Está el señor López? ☐

10 ■ Alejandro, contesta al teléfono, por favor.
  ● Vale. ☐

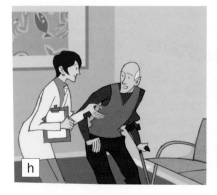

IMPERATIVO IRREGULAR			
hacer	poner	venir	seguir
haz	pon	ven	sigue
haga	ponga	venga	siga
torcer	cerrar	sentarse	decir
tuerce	cierra	siéntate	di
tuerza	cierre	siéntese	diga

2 Completa con el verbo en imperativo.

1 El hospital está muy cerca, (torcer, tú) *tuerce* a la derecha por esa calle y luego (seguir, tú) _____ todo recto.

2 (Hacer) _____ tú la ensalada, mientras yo pongo la mesa.

3 ¡Carlos! (Venir, tú) _____ a tu habitación ahora mismo.

4 (Cerrar, tú) _____ la puerta, por favor, hay mucho ruido.

5 Pedro, (decir, tú) _____ la verdad. No me gustan las mentiras.

6 (Sentarse, usted) _____ un momento, ahora vuelvo.

7 Señor Ramírez, (poner) _____ el informe en la carpeta roja.

8 (Hacer, usted) _____ el trabajo este martes, por favor.

3 Completa con los verbos del recuadro.

> hacer • sentarse • poner • ~~pasar~~ • cerrar

Jefe: Señor Hernández, ¿puede venir a mi oficina, por favor?

Señor Hernández: Sí, claro.

[...]

Señor Hernández: ¿Se puede?

Jefe: Sí, sí, (1) *pase* y (2) _____ la puerta, por favor... (3) _____. Tengo una reunión en el banco el próximo lunes y necesito la información de su departamento.

Señor Hernández: No hay problema, está todo preparado.

Jefe: Bien, (4) _____ el informe antes del lunes y (5) _____ todos los datos de este año.

4 🔊60 Escucha y comprueba.

Comunicación

+ DIRECTO	– DIRECTO
Ven un momento.	¿Puedes venir un momento?
Haga ya la comida.	¿Puede hacer ya la comida?

5 Transforma las frases como en el ejemplo.

1 Venga a mi oficina.
  ¿Puede venir a mi oficina?
2 Pon la televisión, empieza la película.
3 Cierre la ventana, por favor.
4 Hoy haz tú la cena.
5 Dime la hora, por favor.
6 Salga a la pizarra, por favor.
7 Pásame la sal. Está al fondo del armario.
8 Enciende el ordenador. Hay mucha información en internet.
9 Despiérteme a las 8, por favor.
10 Llame a Luis la semana próxima.

Escribir

6 Piensa en un compañero sentado lejos de ti en la clase y escribe una petición en un papel. Luego léelo en voz alta.

Para Svieta:
Déjame tu diccionario, por favor.
    Olga.

Puedes pedirle:

> Abrir / Cerrar la ventana.

> Prestar dinero / un bolígrafo / un lápiz / un diccionario.

> Sentarse más cerca de ti.

> Encender / Apagar la luz.

> Esperar a la salida de clase.

Leer

1 ¿Cómo es tu barrio? ¿Es tranquilo o ruidoso? ¿Está cerca de tu trabajo o del lugar donde estudias español? ¿O está lejos?

2 Lee los mensajes.

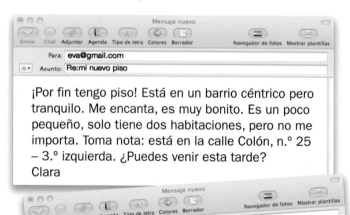

¡Por fin tengo piso! Está en un barrio céntrico pero tranquilo. Me encanta, es muy bonito. Es un poco pequeño, solo tiene dos habitaciones, pero no me importa. Toma nota: está en la calle Colón, n.º 25 – 3.º izquierda. ¿Puedes venir esta tarde?
Clara

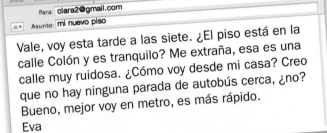

Vale, voy esta tarde a las siete. ¿El piso está en la calle Colón y es tranquilo? Me extraña, esa es una calle muy ruidosa. ¿Cómo voy desde mi casa? Creo que no hay ninguna parada de autobús cerca, ¿no? Bueno, mejor voy en metro, es más rápido.
Eva

3 Contesta a las preguntas.

1 ¿Cómo es el piso de Clara?
2 ¿Dónde está?
3 ¿Qué piensa Eva de la calle Colón?
4 ¿Cómo va a ir Eva a visitar a Clara?

Gramática

VERBO *SER*	
es / son	grande(s) – pequeño(s) tranquilo(s) – ruidoso(s) rápido(s) – lento(s)
es	bueno / malo

VERBO *ESTAR*	
está / están	abierto(s) – cerrado(s) a la izquierda a la derecha cerca – lejos en la calle… enfrente de…
está	bien / mal

4 Subraya la forma adecuada.

1 El piso *es* / *está* en un barrio céntrico y *es* / *está* pequeño, solo tiene dos habitaciones.
2 Su casa *es* / *está* en la calle Goya, enfrente de la estación del metro.
3 El metro *es* / *está* más rápido que el autobús.
4 Fumar no *es* / *está* bueno.
5 El hospital *es* / *está* lejos de mi casa, en un barrio que *es* / *está* muy tranquilo porque *es* / *está* a las afueras de la ciudad.
6 Este ejercicio *es* / *está* mal.
7 Esta escuela *es* / *está* al lado de la parada del autobús.
8 Mi casa no *es* / *está* muy grande.
9 ¿*Son* / *Están* tus hijos en el colegio?
10 El banco *está* / *es* enfrente de mi oficina. Por las tardes no *es* / *está* abierto.

5 Haz frases con los elementos de cada columna.

Los coches	es	tranquilo
Esta calle	está	baratos
Los billetes de metro	están	lejos
La parada de autobús	son	ruidosa
La estación de metro		cerca de mi casa
Las calles		muy tranquila
Mi barrio		en el garaje
		estrechas

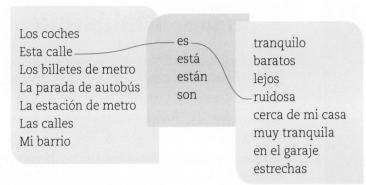

Hablar

6 En parejas. Habla con tu compañero sobre tu barrio.

- ¿Te gusta?
- ¿Es tranquilo o animado?
- ¿Tiene mucho tráfico?
- ¿Está bien comunicado (autobús, metro, etc.)?
- ¿Tiene tiendas?

Pronunciación y ortografía

r / rr

1 🔊 **61** Escucha y repite.

rey **arroz** **perro** **reloj** **rojo** **arriba** **caro**
pero **diario** **soltera** **para**

> El sonido /rr/ (fuerte) se escribe simple *(r)* a principio de palabra y doble *(rr)* en medio de dos vocales. El sonido /r/ (suave) se escribe siempre simple *(r)*.

2 🔊 **62** Escucha y completa con *r* o *rr*.

1 ___oma
2 Inglate___a
3 Pe___ú
4 carte___o
5 compañe___o

6 ___osa
7 piza___a
8 te___aza
9 arma___io
10 ___uido

3 Dicta a tu compañero estos trabalenguas.

El perro de san Roque no tiene rabo porque Ramón Rodríguez se lo ha cortado.

Erre con erre, guitarra; erre con erre, barril; rápido ruedan las ruedas del ferrocarril.

El barrio de **Malasaña**

1 Este barrio de Madrid es famoso por su ambiente alternativo y su vida nocturna. Es tan popular como el barrio de Camden Town de Londres, el East Village de Nueva York o el Barrio Alto de Lisboa.

2 Está situado entre las paradas de metro de Chueca y San Bernardo.

3 Por las noches, las calles de Malasaña, así como sus numerosos bares, *pubs* y restaurantes, se llenan de gente. Por eso, muchos vecinos del barrio se quejan del ruido y la suciedad que originan los visitantes.

4 El barrio debe su nombre a la joven costurera Manuela Malasaña, asesinada por las tropas napoleónicas durante la defensa de la ciudad de Madrid el 2 de mayo de 1808.

5 En el centro del barrio se sitúa la Plaza del Dos de Mayo, donde durante el día juegan los niños de la zona y por las noches se reúnen jóvenes de toda la ciudad.

Leer

1 Lee el texto «El barrio de Malasaña» y relaciona los párrafos 1-5 con los siguientes temas.

a vida nocturna ☐
b barrios famosos ☐
c día a día en el barrio ☐
d su historia ☐
e localización ☐

2 ¿Verdadero o falso?

1 Malasaña es un barrio tranquilo. ☐
2 No podemos ir a los restaurantes de Malasaña en metro. ☐
3 Todos los vecinos de Malasaña se quejan del ruido. ☐
4 La plaza del Dos de Mayo debe su nombre a la batalla de los madrileños contra los franceses en 1808. ☐
5 Los niños juegan por las noches en la plaza del Dos de Mayo. ☐

Escuchar

3 🎧·**63** Escucha y completa la conversación sobre Palma de Mallorca entre Andrés y Pilar.

1 Pilar está muy _____ en Palma.
2 Palma de Mallorca es una ciudad _____ y _____.
3 Está al lado del _____.
4 Tiene calles _____ y una _____.
5 Pilar se mueve por la ciudad en _____ y en _____.
6 Habitualmente el tiempo es _____.
7 Pilar vive con _____.
8 Algunos fines de semana Pilar _____.
9 Otros fines de semana va con sus amigos a conocer _____ y _____.
10 Andrés no va ahora a Palma de Mallorca porque _____.

Escribir

4 Lee el texto y observa el uso de y, *pero, porque.*

Santiago de Compostela

Santiago de Compostela es una ciudad situada en el noroeste de España. Tiene una población de unos 100 000 habitantes. Es una ciudad muy turística.

Me gusta Santiago porque es una ciudad muy acogedora y con muchas cosas interesantes para conocer. Lo que más me gusta es el barrio antiguo, donde está la catedral románica, rodeada de plazas medievales con agradables terrazas y calles porticadas llenas de tiendas, bares y restaurantes. No tiene metro, pero tiene una buena red de autobuses.

Puedes venir a esta ciudad, después de recorrer el Camino de Santiago, andando, en bicicleta o a caballo. Pero puedes llegar más rápido en avión porque tiene un aeropuerto moderno, al que llegan aviones de todo el mundo.

5 Completa las siguientes frases con y, *pero, porque.*

1 Me gustan sus restaurantes _____ sus tiendas.
2 Tiene autobuses _____ no tiene metro.
3 Voy a llevar el paraguas _____ llueve mucho.
4 Mi ciudad es pequeña _____ tranquila.
5 Madrid tiene un río _____ no tiene playa.
6 Este barrio es pequeño _____ tiene muchas tiendas.
7 Me gusta Madrid _____ es muy grande.

6 Escribe una descripción de una ciudad. Puedes utilizar las frases del recuadro.

- Es una ciudad situada en el norte / sur / oeste / este de…
- Tiene una población de…
- Lo que más me gusta es…
- Hay muchos / pocos músicos, teatros, cines, discotecas…
- Es (muy) tranquila / pequeña / grande…

Hablar

7 En grupos de tres, cada alumno elige una profesión del recuadro. Los otros dos compañeros elaboran una lista de consejos para ser un buen profesional, utilizando imperativos.

deportista • profesor/a • médica
peluquero/a • taxista • bailarín/a

Para ser un buen deportista:
- *haz ejercicio todos los días*
- *come pasta todos los días*
- *bebe mucha agua*
- *duerme ocho horas diarias*
- *…*

1 Completa esta nota que Juan escribe para un compañero del trabajo. Utiliza los verbos del recuadro.

guardar • ~~hacer~~ • conectar
apagar • cerrar

Carlos:
Me marcho dentro de diez minutos. El informe está en mi mesa, por favor (1) __haz__ las fotocopias y (2)_____ todo en el primer cajón. Después (3)_____ el despacho con llave y (4)_____ la alarma. Ah, antes de salir, (5)_____ todas las luces.
Gracias por todo,
    Juan

2 Relaciona los adjetivos contrarios.

1 ruidoso	a antiguo
2 bueno	b caro
3 barato	c tranquilo
4 bonito	d pequeño
5 rápido	e malo
6 nuevo	f viejo
7 grande	g lento
8 moderno	h feo

3 Completa las frases con *ser* o *estar*.

1 Mi piso nuevo *es* bastante grande.
2 Esa oficina _____ bastante lejos de aquí.
3 Las fotocopias no _____ bien.
4 La catedral _____ en el centro.
5 Mi barrio _____ antiguo.
6 Este restaurante _____ muy ruidoso, no me gusta nada.
7 Las llaves _____ en el cajón.
8 Federico no _____ en su casa.
9 Luisa _____ muy amable.
10 Este barrio _____ muy céntrico.

4 Lee este correo y contesta verdadero (V) o falso (F).

○○○   Vacaciones

Enviar Chat Adjuntar Agenda Tipo de letra Colores Borrador

Para: Gloria@hotmail.com
Cc:
Asunto: Vacaciones
Cuenta: YOLANDA <Yolanda@wanadoo.es>

Querida Gloria:
Te escribo desde La Habana. Esta ciudad es fantástica. Mi hotel está en un barrio precioso que se llama El Vedado. Se puede pasear tranquilamente por sus calles, hay mercadillos de artesanía, algunas tiendas y restaurantes, y está al lado del mar. La mayoría de las casas son de una o dos plantas y de muchos colores: azules, amarillas, de color rosa… Otro barrio interesante es La Habana Vieja, que es la zona más antigua. Tiene algunos edificios (la catedral, el hotel Inglaterra, el Capitolio) muy bien conservados. Las calles son más estrechas y hay bastante tráfico, pero es muy agradable pasear por allí, tomar un helado y sentarse en cualquiera de las plazas.
¡Tengo muchas fotos!
Besos,
Yolanda

1 El hotel de Yolanda está en La Habana Vieja. ☐
2 El Vedado está al lado del mar. ☐
3 En El Vedado hay muchos edificios altos. ☐
4 La catedral está en La Habana Vieja. ☐
5 En la zona antigua no hay tráfico. ☐

5 Escribe un párrafo sobre tu barrio.

¿Es grande / pequeño / no muy grande?

¿Tiene mucho / poco tráfico?

¿Hay muchas / pocas / bastantes tiendas?

¿Cómo son los edificios: nuevos / antiguos?

¿Qué sabes?

☺ ☺ ☹

· Preguntar cómo ir en metro de un lugar a otro.   ☐ ☐ ☐
· Dar instrucciones y pedir favores.   ☐ ☐ ☐
· Describir un barrio.   ☐ ☐ ☐
· La diferencia entre *ser* y *estar*.   ☐ ☐ ☐
· Escribir sobre una ciudad.   ☐ ☐ ☐

Salir con los amigos

7

·· Hablar por teléfono

·· Concertar una cita

·· Hablar de acciones en desarrollo

·· Descripciones físicas y de carácter

·· **Cultura:** El tiempo libre de los jóvenes españoles e hispanoamericanos

Hablar

1 ¿Te gusta salir con los amigos? ¿Adónde vas? Coméntalo con tus compañeros.

al fútbol   a la discoteca
al cine   a casa de otros amigos

Cuando salgo con mis amigos voy a...

2 🔊 64 Lee y escucha.

Madre: ¿Sí, dígame?
Pedro: ¿Está Antonio?
Madre: Sí, ¿de parte de quién?
Pedro: Soy Pedro.
Madre: Enseguida se pone.
(...)
Antonio: ¿Pedro?
Pedro: ¡Hola, Antonio! ¿Qué haces?
Antonio: Nada, estoy viendo la tele.
Pedro: ¿Vamos al cine esta tarde?
Antonio: Venga, vale, ¿y qué ponen?
Pedro: Podemos ver la última película de Almodóvar, ¿no?
Antonio: ¡Estupendo! ¿Cómo quedamos?
Pedro: ¿A las siete en la puerta del metro?
Antonio: No, mejor a las ocho. ¿De acuerdo?
Pedro: Vale. ¡Hasta luego!

3 Ahora contesta a las preguntas.

1 ¿Qué van a hacer Antonio y Pedro?
2 ¿Dónde quedan?
3 ¿A qué hora?

4 Completa los diálogos. Utiliza las expresiones de los recuadros.

Lo siento • Te parece bien
Vienes conmigo • no puedo

■ ¿Sí?
● ¿Está Alicia?
■ Sí, soy yo.
● ¡Hola! Soy Begoña.
■ ¡Hola! ¿Qué hay?
● Voy a salir de compras esta tarde. ¿(1) _____?
■ (2) _____ , hoy (3) _____ , tengo mucho trabajo. Mejor mañana.
● Bueno, vale. ¿A qué hora? ¿(4) _____ a las seis?
■ Sí, de acuerdo.
● Hasta mañana.

¿Te parece bien? • lo siento • ¿por qué no te vienes?

■ ¿Diga?
● Hola, Ángel, soy Rosa.
■ ¿Qué tal?
● Muy bien. Te llamo porque Luis y yo vamos a ir el sábado a Segovia, (5) _____
■ ¿El sábado? No puedo, (6) _____ , es el cumpleaños de mi madre y voy a comer a su casa. Pero podemos quedar después. ¿Por qué no venís a casa a cenar?
● ¿A cenar el sábado? Vale, se lo digo a Luis y, si podemos, luego te llamo. (7) _____
■ Estupendo. Espero tu llamada.
● Hasta luego.
■ Hasta luego.

5 🔊 65 Escucha y comprueba.

6 Señala en los diálogos de la actividad 4 las expresiones para aceptar una propuesta y completa el cuadro.

INVITAR	ACEPTAR
¿Quedamos mañana?	Bueno, vale.
¿Te parece bien a las seis?	
¿Por qué no venís a casa a cenar?	
¿Te parece bien?	

Comunicación
Rechazar una propuesta

– Lo siento, no puedo, tengo mucho trabajo.

– No puedo, ¿te parece bien mañana?

– No, mejor a las ocho.

Hablar

7 Imagina que vives en Madrid. Practica con tus compañeros con estos datos.

PROPUESTA	¿CUÁNDO?
a ir al teatro	mañana
b comer	el sábado
c tomar una copa	esta noche
d jugar al billar	esta tarde
e ir al cine	este domingo

¿DÓNDE?	¿HORA?
a Plaza Mayor	18:00 h
b Mesón Madrid	14:30 h
c Cine Ideal	23:15 h
d Metro Callao	20:30 h
e Cine Princesa	17:45 h

- ¿Vamos al teatro mañana?
- Vale. ¿Dónde quedamos?
- En la plaza Mayor. ¿Te parece bien?
- Sí, ¿a qué hora?
- A las seis.
- Vale. ¡Hasta luego!
- ¡Hasta luego!

8 Ordena la siguiente conversación telefónica.

- No está en este momento. ¿Quiere dejarle un recado? ☐
- Muy bien, le dejo una nota. ☐
- Inmobiliaria Miramar. Buenos días. ☐
- Muchas gracias. Adiós. ☐
- Adiós. ☐
- Sí, por favor, dígale que la señora García va mañana a las once y media para hablar con él. ☐
- Buenos días. ¿Puedo hablar con el señor Álvarez? ☐

9 🔘66 Escucha y comprueba.

Comunicación
Dejar recados

- No está en este momento. ¿Quiere dejarle un recado?
- Sí, por favor, dígale que…

Hablar

10 Practica con tu compañero las siguientes conversaciones telefónicas.

Estudiante A:
1 Llamas a Pepe para ir al cine.
2 Llamas a Julia para quedar para ir al cine.
3 Llamas a Borja y quedas para ir al cine.

Estudiante B:
1 Eres el padre de Pepe, y Pepe no está en su casa.
2 Eres Julia, no puedes ir al cine.
3 Eres Borja, te apetece ir al cine y quedas con tu compañero.

Gramática

1 Mira el dibujo y señala si las siguientes frases son verdaderas (V) o falsas (F).

1 El chico del bañador amarillo está duchándose. ☑
2 El señor con gafas de sol está leyendo el periódico. ☐
3 La señora del bañador verde está abriendo la sombrilla. ☐
4 Los chicos de la toalla blanca están jugando a las cartas. ☐
5 La joven del sombrero rojo está paseando. ☐
6 Una señora está durmiendo sobre la tumbona. ☐
7 Dos señoras están hablando en la orilla. ☐
8 Un grupo de chicas está jugando a la pelota. ☐
9 La chica del bañador rosa está secándose el pelo. ☐
10 La señora pelirroja está peinándose. ☐

ESTAR + GERUNDIO	
estoy	
estás	
está	hablando
estamos	
estáis	
están	

Infinitivo	Gerundio
llorar	llorando
comer	comiendo
escribir	escribiendo

GERUNDIOS IRREGULARES	
leer	leyendo
dormir	durmiendo

2 Mira los dibujos y di qué están haciendo los personajes. Fíjate en el ejemplo.

1 dormir / escuchar
No está durmiendo, está escuchando música.

2 escribir / pintar

3 hablar / cantar

4 estudiar / ver la tele

5 leer / navegar en internet

6 discutir / hablar

ESTAR + GERUNDIO (VERBOS REFLEXIVOS)
Estoy lavándo**me**. / **Me** estoy lavando.
Estás lavándo**te**. / **Te** estás lavando.
Está lavándo**se**. / **Se** está lavando.
Estamos lavándo**nos**. / **Nos** estamos lavando.
Estáis lavándo**os**. / **Os** estáis lavando.
Están lavándo**se**. / **Se** están lavando.

3 Completa las frases con el pronombre reflexivo adecuado.

1 ■ Rosa, ¿qué estás haciendo?
 ● ¿Ahora mismo? Estoy peinándo*me* porque voy a salir.

2 ■ ¡Luis, al teléfono!
 ● ¡No puedo, estoy duchándo____!

3 ■ Niños, ¿qué hacéis?
 ● ¡Nada, mamá, ____ estamos lavando las manos!

4 ■ ¡Qué ruido hacen los vecinos!
 ● Sí, están levantándo____ ahora porque salen de viaje.

5 ■ ¡Hola! ¿Está Roberto?
 ● Sí, pero está afeitándo____ , llama más tarde.

6 ■ ¿Y Clara? ¿Dónde está?
 ● En el baño, está duchándo____.

7 ■ Joana, ¿qué haces?
 ● ____ estoy pintando para salir.

8 Pero hija, ¿todavía ____ estás vistiendo? Vas a llegar tarde al colegio.

9 ■ ¿Está libre el baño?
 ● No, Jordi ____ está bañando.

10 ■ ¿Qué haces, Laura?
 ● ____ estoy lavando los dientes, enseguida acabo.

4 🔊67 Escucha y comprueba.

Pronunciación y ortografía

Entonación exclamativa

1 🔊68 Escucha y repite.

¡Vale! ¡Hasta luego! ¡Qué bien!
¡Qué va! ¡Qué bonito!
¡Es horrible! ¡Estupendo!

2 🔊69 Escucha las siguientes frases y reacciona con una de las exclamaciones anteriores.

1 *¡Qué va!* _____   5 _____
2 _____   6 _____
3 _____   7 _____
4 _____

3 🔊70 Ahora, escucha y comprueba.

Vocabulario

1 Señala en estos personajes las siguientes características físicas.

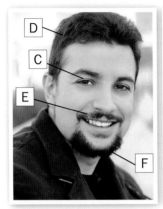 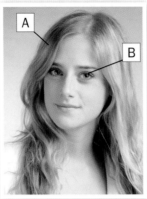

1 pelo largo y rubio ☐
2 pelo corto y moreno ☐
3 ojos claros ☐
4 ojos oscuros ☐
5 bigote ☐
6 barba ☐

2 🔊71 Ahora completa con las características físicas anteriores las siguientes descripciones de los personajes del ejercicio 1. Después, escucha y comprueba.

1 Tiene el _____ largo y rubio. Tiene los _____ verdes. ¡No tiene _____!
2 Tiene los _____ oscuros. Tiene el _____ corto y la _____ negra.

Comunicación

es	joven ≠ mayor alto/a ≠ bajo/a delgado/a ≠ gordo/a calvo
tiene	el pelo largo / corto / rubio / moreno / castaño el pelo liso / rizado los ojos azules / marrones / oscuros ≠ claros
lleva/ tiene	gafas / barba / bigote

4 Describe a estas dos personas. ¿Sabes quiénes son?

1

2

3 🔊72 Escucha las descripciones y relaciónalas con las siguientes fotografías.

A
B
C
D

5 Piensa en un compañero de clase y toma nota sobre su físico sin escribir su nombre.

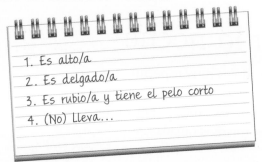

1. Es alto/a
2. Es delgado/a
3. Es rubio/a y tiene el pelo corto
4. (No) Lleva...

6 Utiliza esas notas para describir a esa persona en voz alta. ¿Saben tus compañeros quién es?

Vocabulario

7 Relaciona.

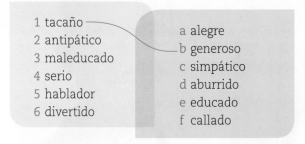

1 tacaño
2 antipático
3 maleducado
4 serio
5 hablador
6 divertido

a alegre
b generoso
c simpático
d aburrido
e educado
f callado

8 ¿Qué palabra utilizas para describir el carácter de estas personas?

1 Nunca gasta dinero.
2 Nunca habla.
3 Siempre está hablando.
4 Siempre está sonriendo.
5 Actúa con mucha educación.
6 Hace muchos regalos.

9 Completa el párrafo con los verbos del recuadro.

gusta • gustan (x2) • ~~es~~ • favorita • odia • generosas

Dolores Fuentes es periodista. Ella dice que (1) _es_ simpática, alegre y muy habladora. Le gustan las personas (2) _____. En su tiempo libre le (3) _____ mucho pasear por la playa y mirar el mar. Su comida (4) _____ es el cocido madrileño, que normalmente toma con una copa de vino tinto.
Dos de sus aficiones son: el cine y la música clásica. Le (5) _____ mucho las películas antiguas, su favorita es *Tiempos modernos*, de Charlie Chaplin.
(6) _____ las guerras y tampoco le (7) _____ nada las personas antipáticas y maleducadas.

Hablar

10 Primero lee las preguntas y luego haz la encuesta a tu compañero. Utiliza el vocabulario que has aprendido.

1 ¿Cómo eres tú? *Simpático y hablador.*
2 ¿Cómo te gustan las personas?
3 ¿Qué tipo de personas no te gustan?
4 ¿Qué prefieres hacer en tu tiempo libre?
5 ¿Cuál es tu comida preferida?
6 ¿Cuál es tu bebida preferida?
7 ¿Cuál es tu deporte favorito?
8 ¿Qué tipo de música prefieres?
9 ¿Cuál es tu película favorita?

Escribir

11 Escribe un párrafo parecido al de la actividad 9 sobre tu compañero.

Fátima es simpática y generosa.
Le gustan las personas alegres...

Escuchar

12 🔊 ¿Conoces la canción *Guantanamera?* Escúchala. Anota todas las frases que entiendas y, con tus compañeros, intenta escribirla.

Los sábados por la noche

Para los jóvenes la noche del sábado es muy especial.
No tienen que estudiar, no tienen que trabajar, no tienen que aprender
los verbos irregulares... Entonces, ¿qué hacen los sábados por la noche?
Depende. No todos tienen los mismos gustos.

Tomás
dieciocho años, Costa Rica

Conozco a muchas chicas de mi edad, pero normalmente prefiero salir con mis amigos. Hay muchas cosas que nos gusta hacer juntos. Cuando tenemos suficiente dinero vamos al cine o a una cafetería. Si no, vamos a la casa de otro amigo y escuchamos música.

Carolina
diecisiete años, Perú

Yo no salgo mucho porque mis padres son muy estrictos. Casi nunca me dan permiso para salir de noche. Así que me quedo en casa viendo la televisión.

Rafael
veintitrés años, Alicante

Yo siempre salgo con mi novia y mis amigos. Normalmente vamos al cine y a tomar algo. A veces nos reunimos en casa de alguien y jugamos con los videojuegos.

Leer

1 Lee el texto anterior y señala verdadero (V) o falso (F).

1 Los jóvenes tienen que estudiar los sábados por la noche. ☐
2 No todos los jóvenes tienen los mismos gustos. ☐
3 Tomás, algunas veces, va al cine. ☐
4 Carolina se queda en casa, viendo la televisión. ☐
5 Rafael sale solo con sus amigos. ☐

Hablar

2 En grupos de cuatro, habla con tus compañeros.

- ¿Sales a menudo los sábados por la noche?
- ¿Con quién sales?
- ¿Adónde te gusta ir?
- ¿Sales los domingos?
- ¿Sales solo/a o con tus amigos?

Escuchar

3  Un programa de radio quiere saber qué hacen los madrileños los fines de semana. Escucha las dos entrevistas y marca con una cruz quién hace las siguientes actividades.

	ELLA	ÉL
1 Los sábados por la tarde va al cine.	☐	☐
2 Los sábados por la mañana juega al fútbol.	☐	☐
3 Los viernes por la noche sale con sus amigas.	☐	☐
4 Los viernes por la noche va al cine.	☐	☐
5 Los domingos va al Rastro o visita una exposición.	☐	☐
6 El domingo duerme casi todo el día.	☐	☐

Escribir

4 Señala las actividades de tiempo libre que haces normalmente.

ir al cine / teatro ☐   bailar ☐   ver la tele ☐

cenar fuera de casa ☐   salir con los amigos ☐   leer ☐

ver una película en internet ☐   practicar algún deporte ☐

jugar con los videojuegos ☐   invitar a amigos a mi casa ☐

tocar un instrumento de música ☐   conectarme a internet ☐

5 ¿Cuáles de ellas haces los días laborables y cuáles los fines de semana?

DÍAS LABORABLES	FINES DE SEMANA

6 ¿Con quién las haces?

con mi familia
con mis compañeros
con mis amigos
yo solo

7 Con toda la información anterior, escribe un texto sobre las actividades que realizas en tu tiempo libre. Utiliza las palabras del recuadro.

> los días laborables • siempre
> los fines de semana • normalmente
> nunca • además • también

1 Mira la sección de espectáculos del periódico y busca la siguiente información.

ESPECTÁCULOS				
	TELEVISIÓN	CINE	TEATRO	MÚSICA
viernes	La 2, 22 h: Documental *Exiliados*.	Cine Ideal, 22.30 h: *La piel que habito,* de Pedro Almodóvar.	Teatro Lope de Vega, 23 h: *El fantasma de la Ópera* (musical).	Palacio de Vistalegre, 21.30 h: *Nabucco*, de Verdi.
sábado	Canal+, 22.30 h: *Katmandú, un espejo en el cielo,* de Icíar Bollaín.	Cinema Azul, 20 h: *Chico & Rita*, de Javier Mariscal y Fernando Trueba.	Teatro Albéniz, 22.30 h: *La Gaviota,* de Chejov.	Casa Patas, 24 h: *Concierto flamenco.*
domingo	Antena 3, 20.30 h: *Fútbol*, Real Madrid-Barcelona.	Cine Princesa, 20.15 h: *Güelcom*, de Yago Blanco.	Teatro Fígaro, 22.30 h: *Bodas de sangre*, de García Lorca.	Palacio de Congresos, 21 h: Concierto de David Bisbal.

a ¿Qué ponen en la tele el viernes?

b ¿Dónde ponen *El fantasma de la Ópera*?

c ¿Qué podemos ver en Casa Patas?

d ¿A qué hora empieza la película de Icíar Bollaín?

e ¿Qué equipos juegan al fútbol el domingo por la tarde?

f ¿Qué película podemos ver el domingo?

g ¿Qué obra ponen en el Teatro Fígaro?

h ¿Quién canta el domingo en el Palacio de Congresos?

2 Lee esta conversación y completa.

▪ El hermano de Luisa me gusta mucho, siempre está sonriendo y puedo hablar con él de todo.

● Es verdad. Luisa dice que hace regalos a todo el mundo y que tiene muchos amigos.

▪ Sin embargo su novio es completamente distinto, no le gusta nada gastar dinero y tampoco habla mucho.

● Sí, es muy serio, pero siempre se comporta con mucha educación y a ella eso le gusta.

El hermano de Luisa es (1) _____, (2) _____ y (3) _____.
El novio de Luisa es (4) _____, (5) _____ y (6) _____.

3 Describe lo que están haciendo los personajes del dibujo. Utiliza los verbos del recuadro.

~~reír~~ • comer • discutir • escuchar • hablar

Ana se está riendo.

De vacaciones

8

- ·· Preguntar e indicar cómo se va a un lugar
- ·· Hablar del pasado (ayer)
- ·· Hablar del tiempo meteorológico
- ·· Los meses y las estaciones del año
- ·· **Cultura**: De vacaciones por España

■ *Preguntar e indicar cómo se va a un lugar*

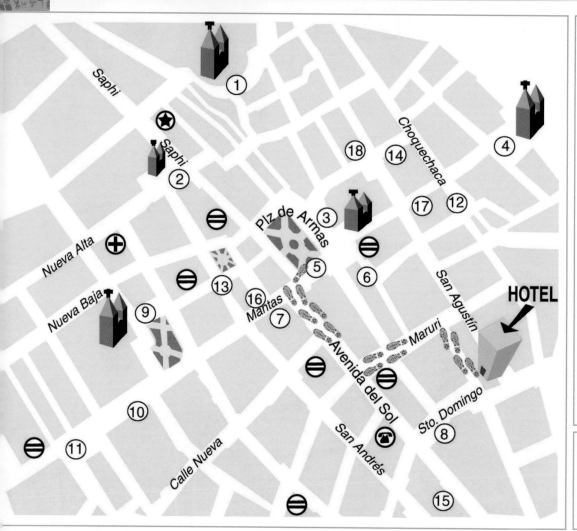

1	San Cristóbal
2	Santa Teresa
3	Catedral
4	San Blas
5	La Compañía
6	Santa Catalina
7	La Merced
8	Santo Domingo
9	San Francisco
10	Santa Clara
11	San Pedro
12	Piedra de los 12 Ángulos
13	Casa de Garcilaso
14	Monasterio de Nazarenas
15	Centro de Arte Nativo
16	Oficina de Correos
17	Museo de Arte
18	Museo Arqueológico

⊖ Farmacia
☎ Central telefónica
⊕ Posta sanitaria*
★ Estación de policía

*Dispensario

Hablar

1 Mira el plano de Cuzco y encuentra:

una farmacia   una posta sanitaria

la iglesia de San Francisco

la oficina de correos   el Museo de Arte

2 Escribe frases como en el ejemplo.

Hay una farmacia en la calle…
La iglesia de San Francisco está en la calle…

Comunicación

| sigue (siga) todo recto | gira (gire) a la izquierda | gira (gire) a la derecha | toma (tome) la 2.ª a la derecha |

3 Luis está en el hotel y quiere ir a la plaza de Armas. Lee y escucha el diálogo. Sigue el recorrido en el plano.

Luis: Buenos días, perdone, ¿puede decirme cómo se va a la plaza de Armas?

Recepcionista: Sí, ¡cómo no! Es muy sencillo. Al salir del hotel gire a la derecha y siga todo recto hasta el final de la calle. Entonces gire a la izquierda. Siga recto y tome la tercera calle a la derecha, la avenida del Sol, y al final de la avenida, a la derecha, se encuentra la plaza de Armas.

Luis: Entonces, salgo a la derecha, giro a la izquierda y en la avenida del Sol giro a la derecha. La plaza está al final de la calle, a la derecha, ¿no es así?

Recepcionista: Así es, señor. En quince minutos puede estar allí.

Luis: Muchas gracias. ¡Hasta luego!

4 Mira el plano y completa los diálogos.

1 Desde el hotel:

- ■ Perdone, ¿puede decirme dónde está la farmacia más cercana?
- ● _____ la calle Santo Domingo, gire la primera _____ y, después, la primera _____.

2 Desde la iglesia de San Francisco:

- ■ Por favor, ¿puede decirme cómo se va a la iglesia de Santa Teresa?
- ● Gire _____, después tome la segunda calle _____, la calle Nueva Alta, y al final de la calle, _____, está la iglesia de Santa Teresa.

5 🔊 76 **Escucha y comprueba.**

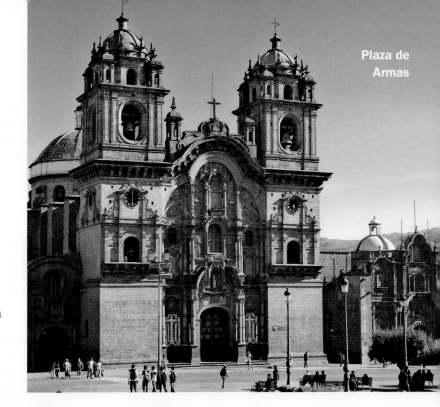

Plaza de Armas

6 Estáis en la iglesia de Santa Teresa. Mirando el plano de Cuzco, haz las siguientes preguntas a tu compañero. Luego él te hará otras.

1 Perdone, por favor, ¿para ir a la catedral?
2 ¿Puede decirme cómo se va a la plaza de Armas, por favor?
3 ¿La iglesia de San Francisco, por favor?
4 Disculpe, ¿la posta sanitaria, por favor?

Vocabulario

7 Mira los dibujos y escribe la letra correspondiente.

1 medicinas   c
2 fruta y carne   ☐
3 periódico   ☐
4 sellos y tabaco   ☐
5 cartas   ☐
6 policía   ☐

a

b

c

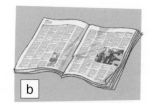

d

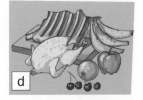

e

f

8 Relaciona los establecimientos con el vocabulario anterior.

1 correos   ☐

2 quiosco   ☐

3 farmacia   ☐

4 mercado   ☐

5 estanco   ☐

6 comisaría   ☐

Gramática

1 ¿Adónde fuiste el sábado?

- ■ Yo *fui a...*
- ● Yo *no salí, me quedé en casa.*

2 ¿Qué hizo la doctora Ramírez ayer?
Relaciona las frases con las imágenes.

1 Salió de casa a las ocho de la mañana. 　 d
2 Empezó a trabajar a las ocho y media. 　☐
3 Comió en la cafetería del hospital. 　☐
4 Terminó de trabajar a las cinco de la tarde. 　☐
5 Por la tarde, fue al supermercado. 　☐
6 Compró algo de fruta para la cena. 　☐

PRETÉRITO INDEFINIDO			
Verbos regulares			
	trabajar	comer	salir
yo	trabaj**é**	com**í**	sal**í**
tú	trabaj**aste**	com**iste**	sal**iste**
él / ella / Ud.	trabaj**ó**	com**ió**	sal**ió**
nosotros/as	trabaj**amos**	com**imos**	sal**imos**
vosotros/as	trabaj**asteis**	com**isteis**	sal**isteis**
ellos / ellas / Uds.	trabaj**aron**	com**ieron**	sal**ieron**

3 Escribe las siguientes frases en pretérito indefinido.

1 Ayer / no leer / el periódico. (yo)
　Ayer no leí el periódico.
2 El lunes / Juan y yo / comer / en un restaurante nuevo.
3 Anoche / cenar / con María. (nosotros)
4 Mis amigos / no trabajar / el sábado por la noche.
5 ¿Comprar / ayer / el periódico? (tú)
6 Eduardo / llevar / al niño al colegio.
7 ¿Salir / el viernes por la noche? (vosotros)
8 La semana pasada / conocer / a los padres de Juan. (yo)
9 ¿Llamar / a Juan / ayer? (tú)
10 El sábado pasado / ver / una película. (nosotros)

4 Completa las frases con la forma correcta de los verbos del recuadro.

comer • nacer • salir • cambiar • viajar

1 ■ ¿Dónde _____ (tú)?
　● En Córdoba.
2 Ayer _____ (nosotros) en un restaurante peruano.
3 El año pasado _____ (yo) en avión por primera vez.
4 ■ ¿Cuándo _____ (vosotros) de casa?
　● A las ocho de la mañana.
5 El mes pasado _____ (ellos) de coche.

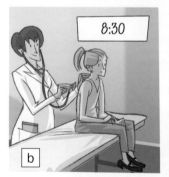

a — 18:30

b — 8:30　　c — 14:00

d — 8:00

e — 18:00

f — 17:00

5 ¿Qué hizo Rosa ayer? Completa los huecos con el pretérito indefinido de los verbos.

> acabar • cenar • visitar
> pasar • llegar • ~~atender~~ • invitar

Ayer, como todos los días, me levanté a las siete de la mañana y me preparé para ir a trabajar. Al llegar al hospital, como todos los días, (1) _atendí_ a los enfermos de la consulta y (2)_____ a los pacientes de las habitaciones. A las cinco de la tarde, como todos los días, (3)_____ de trabajar y (4)_____ por el supermercado a comprar algo para la cena. A las seis de la tarde (5)_____ por fin a casa, muy cansada, como todos los días. Pero ayer fue diferente: mi marido me (6)_____ a un concierto y después (7)_____ en mi restaurante favorito.

6 🔊77 Escucha y comprueba.

PRETÉRITO INDEFINIDO
Verbos irregulares

	ir / ser	estar
yo	fui	estuve
tú	fuiste	estuviste
él / ella / Ud.	fue	estuvo
nosotros/as	fuimos	estuvimos
vosotros/as	fuisteis	estuvisteis
ellos / ellas / Uds.	fueron	estuvieron

7 Elige la forma correcta.

1 Juan y María *estuvieron / fueron* en el parque ayer.
2 Mi hermano *estuvo / fue* el capitán del equipo el año pasado.
3 ¿*Fuiste / Estuviste* a la oficina de correos ayer?
4 Ayer *fue / estuvo* mi cumpleaños.
5 ¿Dónde *estuvieron / fueron* los últimos Juegos Olímpicos?

Escuchar

8 🔊78 Soledad y Federico son dos ejecutivos. Escúchalos y completa el cuadro con las ciudades en las que estuvieron la semana pasada.

	Soledad	Federico
lunes		
martes		
miércoles		
jueves		
viernes		

- Lima
- Madrid
- Buenos Aires
- Río de Janeiro
- Caracas

Hablar

9 Completa las preguntas con el pretérito indefinido.

1 ¿A qué hora (levantarse) _te levantaste_ ayer?
2 ¿A qué hora (empezar) _____ a trabajar?
3 ¿A qué hora (salir) _____?
4 ¿Dónde (ir) _____ a comer?
5 ¿Con quién (comer) _____?
6 ¿Dónde (estar) _____ después de comer?
7 ¿Cuándo (llegar) _____ a casa?
8 ¿Qué (cenar) _____?
9 ¿Qué (ver) _____ en la televisión?
10 ¿A qué hora (acostarse) _____?

10 Haz las preguntas anteriores a tu compañero y escribe lo que te dice.

Ayer mi compañero se levantó a las...

Pronunciación y ortografía

Acentuación

1 🔊79 Escucha y señala lo que oyes.

1 a) Llevo gafas. ☐
  b) Llevó gafas. ☐
2 a) Como mucho. ☐
  b) Comió mucho. ☐
3 a) ¿Abro la puerta? ☐
  b) ¿Abrió la puerta? ☐
4 a) ¿Hablo más alto? ☐
  b) ¿Habló más alto? ☐
5 a) Entro a las ocho. ☐
  b) Entró a las ocho. ☐
6 a) Trabajo por la mañana. ☐
  b) Trabajó por la mañana. ☐
7 a) Estudio Geografía. ☐
  b) Estudió Geografía. ☐

2 🔊79 Escucha otra vez y repite.

Vocabulario

1 Relaciona las siguientes expresiones con las fotos.

HOY		AYER	
1	hace frío	hizo frío	a
2	hace calor	hizo calor	
3	hace viento	hizo viento	
4	está nublado	estuvo nublado	
5	llueve	llovió	
6	nieva	nevó	

2 Contesta a las siguientes preguntas.

1 ¿Qué tiempo hace hoy?
2 ¿Qué tiempo hizo ayer?
3 ¿Hizo frío el fin de semana pasado?
4 ¿Qué tal tiempo hace en tu país en primavera / verano / otoño / invierno?
5 ¿Qué tiempo te gusta más? *Me gusta cuando…*

Comunicación

primavera   verano   otoño   **invierno**

3 Completa el siguiente calendario con el tiempo que suele hacer en tu ciudad en los distintos meses del año.

enero		julio	
febrero		agosto	
marzo		septiembre	
abril		octubre	
mayo		noviembre	
junio		diciembre	

Hablar

4 Pregunta a tu compañero.

1 ¿Cuándo es tu cumpleaños?
   Mi cumpleaños es el…
2 ¿Cuándo es el cumpleaños de tu madre?
3 ¿Cuándo es el cumpleaños de tu padre?
4 ¿Cuándo es el cumpleaños de tu mejor amigo?

Escuchar

5 Completa el texto con las palabras del recuadro.

> veces • mucho • hace (x2) • primavera
> altas • enero • noviembre • julio

En Toledo, durante los meses de invierno (diciembre, (1) _____ y febrero) (2) _____ mucho frío y algunas (3) _____ nieva. Durante la (4) _____ (marzo, abril y mayo), suben las temperaturas y empieza a hacer buen tiempo. En verano (junio, (5) _____ y agosto), hace (6) _____ calor: todos los días hace mucho sol y las temperaturas son muy (7) _____. En otoño (septiembre, octubre y (8) _____), los días son más cortos, el cielo está nublado y a veces llueve y (9) _____ viento.

6 🔘80 Ahora escucha y comprueba.

Escribir

7 Escribe un párrafo sobre el tiempo en tu país.

8 🔘81 Escucha el informe meteorológico y completa la tabla.

	BRASIL	CARIBE	MÉXICO
tiempo			
temperatura			

Leer

9 Lee el texto de México y contesta a las preguntas.

¿En qué festividades…
1 … reciben regalos los niños?
2 … las celebraciones duran dos semanas?
3 … se encienden velas?
4 … se utilizan trajes regionales?
5 … se baila en las calles?
6 … se representa la muerte de Jesucristo?

Ven a disfrutar de tus vacaciones en

México y participa
con nosotros en nuestras fiestas tradicionales

Carnaval: Los festejos de Carnaval se celebran en febrero. Empiezan el viernes y terminan el martes de la semana siguiente. Durante estos días la gente baila en las calles, en los hoteles y en las casas de la ciudad, en un ambiente muy alegre. Las mujeres se visten con hermosos trajes regionales y bailan sus danzas tradicionales.

Semana Santa: La Semana Santa se celebra en marzo o en abril. Los habitantes de los pueblos hacen procesiones, llevan velas y ofrecen flores. También se realizan representaciones de los principales hechos de la pasión y muerte de Jesucristo.

Día de los Muertos: El 1 de noviembre pueblos enteros van a las tumbas de sus muertos, llevándoles dulces, comida y flores. El espectáculo es impresionante por la noche cuando se encienden las velas en los cementerios.

Fiestas de Navidad y Año Nuevo: Estas fiestas empiezan el 24 de diciembre y terminan el 6 de enero, cuando los tres Reyes Magos dejan juguetes y golosinas en los zapatos de los niños.

Vacaciones en ESPAÑA

Hay tantas cosas que ver en España que es difícil seleccionar las más interesantes. Si empezamos por el noroeste, podemos visitar Galicia y allí pararnos a ver Santiago de Compostela y su catedral. Siguiendo por la costa cantábrica, el viajero descubre paisajes inolvidables de praderas suaves y pequeñas playas entre acantilados. Desde el País Vasco nos dirigimos a Cataluña, que mira al Mediterráneo. La ciudad catalana más importante es Barcelona, puerto de mar y punto de partida y llegada de barcos de todo el mundo. Podemos seguir nuestro viaje por la costa mediterránea para disfrutar de las ciudades y playas que llegan hasta Almería y Málaga, en Andalucía. También la comunidad andaluza merece una atención especial por los restos de cultura árabe que se pueden ver en Córdoba, Sevilla y Granada, especialmente. Desde Córdoba podemos ir a Madrid, atravesando la Mancha, la tierra de Don Quijote, el héroe de Cervantes. Aquí acaba nuestro viaje por esta vez, pero aún nos quedan por ver muchos otros paisajes y ciudades.

Leer

1 Con tu compañero elabora una lista de ciudades y monumentos españoles.

2 🔊 82 Lee el texto «Vacaciones en España» y después escucha.

3 Señala verdadero (V) o falso (F).

1 La catedral de Santiago está en Galicia. ☐
2 Barcelona está en la costa cantábrica. ☐
3 En Córdoba hay restos árabes. ☐
4 Almería no tiene playa. ☐
5 La Mancha está al sur de Madrid. ☐

4 Señala en el mapa el recorrido del viaje propuesto en el texto.

Escribir

5 Lee el blog de Sara. ¿Dónde estuvo de vacaciones? ¿Con quién fue? ¿Qué tiempo suele hacer en esa zona de España?

EL BLOG DE SARA

La Semana Santa pasada fui con mis amigos a Granada, en el sur de España. El viaje fue muy interesante. Es una ciudad de origen árabe. Visitamos La Alhambra. Sus edificios y jardines forman el conjunto más importante de arte musulmán en Europa. Por la noche cenamos en el barrio del Sacromonte y vimos un espectáculo flamenco. Al día siguiente subimos a Sierra Nevada. Pasamos el día esquiando con un tiempo estupendo. Otro día estuvimos en la costa. Sus habitantes dicen que allí hace sol más de 320 días al año. Nos bañamos en las playas de Almuñécar y comimos un arroz buenísimo en un restaurante junto al mar. Fueron unos días estupendos. Os recomiendo a todos este viaje.

ENTRADAS
- Enero (2)
- Febrero (6)
- Marzo (2)
- Abril (1)
- Mayo (3)
- Junio (2)

DÓNDE
- comer
- museos
- teatros
- hoteles

BLOGS RELACIONADOS
- contacto

6 Prepara unas notas sobre tus últimas vacaciones.

- ¿Dónde estuviste?
- ¿Con quién viajaste?
- ¿Qué actividades realizaste?
- ¿Qué sitios visitaste?
- ¿Qué comiste?
- ¿Qué tiempo hace en esa zona?

7 Ahora escribe una descripción del lugar donde pasaste tus últimas vacaciones.

Escuchar

8 🎧 83 Escucha este programa de radio sobre Barcelona. ¿Las frases siguientes son verdaderas (V) o falsas (F)? Corrige las falsas.

1 Barcelona está en el interior de España. ☐
2 Montserrat Caballé es una cantante de rock. ☐
3 Montserrat Caballé grabó con Freddie Mercury la canción «Barcelona». ☐
4 Podemos ver las mejores obras de Miró en Palma de Mallorca. ☐
5 Joan Manuel Serrat es muy conocido en los países de habla hispana. ☐
6 Arancha Sánchez Vicario ganó una vez el torneo de tenis de Roland Garros. ☐

Hablar

Alumno A (alumno B, ver «En parejas»)

9 Tú y tu compañero os encontráis en la esquina de la calle Argentina con la calle Ecuador. Pregunta a B cómo se va a los siguientes lugares.

> el colegio • el estanco • el supermercado
> el hotel • el restaurante

■ *¿Puedes decirme cómo se va al colegio?*
● *Ve por la calle Argentina y toma la primera a la derecha, la calle Mayor. Sigue recto y, después de cruzar la calle Colombia, a la izquierda, junto a la parada del autobús, está el colegio.*

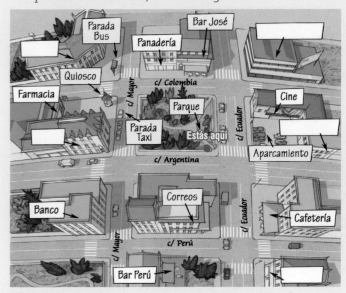

10 Tú y tu compañero os encontráis en la esquina de la calle Argentina con la calle Ecuador. Escucha a B y dile cómo se va a los lugares que te pregunta.

11 Encuentra en la clase a alguien que hizo ayer estas cosas. Pregunta a varios compañeros.

1 Se levantó antes de las ocho.
  ¿Te levantaste antes de las ocho?
2 Desayunó café con leche.
  ¿Desayunaste café con leche?
3 Fue al supermercado.
  ¿Fuiste al supermercado?
4 Comió fuera de su casa.
5 Fue al gimnasio.
6 Vio una película.
7 Navegó por internet.
8 Habló por teléfono con sus padres.
9 Cenó una ensalada.
10 Se acostó antes de las once.

1 ¿Dónde se puede(n) encontrar…

1 … sellos? _En el estanco_.
2 … revistas? _____
3 … aspirinas? _____
4 … carne y pescado? _____
5 … un médico? _____
6 … un policía? _____

2 ¿Verdadero (V) o falso (F)?

1 En el desierto llueve mucho. ☐ F
2 Cuando hace calor, no llevo abrigo. ☐
3 Siempre nieva en verano. ☐
4 En otoño caen las hojas de los árboles. ☐
5 Cuando hace mucho viento, es difícil abrir el paraguas. ☐
6 Cuando llueve, está nublado. ☐

3 Ordena los párrafos de la postal que Carolina escribe a Rosa.

Querida Rosa:

☐ a) Después ellos fueron a la plaza Mayor a tomar un aperitivo y yo me fui de compras con Ana, mi compañera de piso.

☐ b) Segovia es una ciudad preciosa. Ayer estuve allí de excursión con unos amigos.

☐ c) Al final del día, Ana y yo hicimos unas fotos del acueducto. El tiempo se pasó muy rápido, pero fueron unas horas inolvidables.

☐ d) Por la mañana visitamos la catedral y el alcázar.

☐ e) Por la tarde, todos bajamos al río. Dimos un paseo muy agradable.
¡Hasta pronto!
Carolina

CORREOS   ESPAÑA
SEGOVIA
CONSIGNE EN SUS ENVÍOS EL CÓDIGO POSTAL   2,49€

Rosa García Iglesias
c/ Príncipe, 15 – 1.º izda.
28080 Madrid

4 Completa el siguiente texto con el pretérito indefinido de los verbos.

Ayer me (1) _levanté_ (levantar) a las seis y media de la mañana. Mi marido y yo (2) _____ (desayunar) juntos y después él se (3) _____ (ir) a trabajar en tren y yo me (4) _____ (ir) en coche. Mis hijos (5) _____ (estar) en el colegio hasta las tres. Luego, todos (6) _____ (comer) juntos. Por la tarde, mi marido (7) _____ (preparar) la cena y yo (8) _____ (ayudar) a mi hijo pequeño con los deberes. A las once nos (9) _____ (ir) todos a dormir.

5 🔊 84 **Escucha a Sara, Lucía y Carlos hablando de sus últimas vacaciones y completa el cuadro.**

1 ¿Dónde estuvieron?
2 ¿Qué transporte utilizaron?
3 ¿Con quién estuvieron?
4 ¿Cuánto tiempo estuvieron?

Sara
| 1 |
| 2 |
| 3 |
| 4 |

Lucía
| 1 |
| 2 |
| 3 |
| 4 |

Carlos
| 1 |
| 2 |
| 3 |
| 4 |

¿Qué sabes?

☺ ☺ ☹

	☺	😐	☹
· Preguntar e indicar cómo se va a un lugar.	☐	☐	☐
· Nombres de establecimientos.	☐	☐	☐
· Hablar del pasado.	☐	☐	☐
· Hablar del tiempo meteorológico.	☐	☐	☐
· Los meses y las estaciones del año.	☐	☐	☐

Compras

Hablar

1 Pregunta a tus compañeros.

1 ¿Te gusta ir de compras?
2 ¿Dónde compras, en tiendas pequeñas o en centros comerciales?

2 Celia y Álvaro van de compras. Completa el diálogo con las palabras del recuadro.

> cuánto cuestan • No están mal
> Gracias • preciosos

Celia: Mira estos zapatos, Álvaro, son (1) _____.
Álvaro: (2) _____, pero a mí me gustan más aquellos marrones.
Celia: Oiga, ¿(3) _____ estos zapatos negros?
Dependiente: Noventa euros.
Celia: ¿Y aquellos marrones?
Dependiente: Ciento quince euros.
Celia: ¿Ciento quince euros? (4) _____, tengo que pensarlo.

> a mí tampoco • talla • Vale • qué te parece • me la llevo

Álvaro: Celia, ¿(5) _____ esta camisa para mí?
Celia: Bien, ¿cuánto cuesta?
Álvaro: Solo sesenta euros. Voy a probármela.
Celia: (6) _____.
(…)
Celia: A ver… pues no te queda bien, ¿eh?
Álvaro: No, no, (7) _____ me gusta.
Celia: Toma, pruébate esta chaqueta, es muy bonita.
Álvaro: A ver… Pues sí, parece que me queda bien, ¿no?
Celia: Muy bien, es tu (8) _____.
Álvaro: ¿Cuánto cuesta?
Celia: Ciento veinte euros, es un poco cara.
Álvaro: Bueno, pero me gusta mucho, (9) _____.

> me lo llevo • En efectivo • ¿Cómo me queda?

Celia: Mira, ¿qué te parece este gorro? (10) _____
Álvaro: Bien, muy bien.
Celia: Pues (11) _____, solo cuesta cinco euros.
(…)
Dependiente: Una chaqueta y un gorro de lana… Muy bien, son ciento veinticinco euros. ¿Pagan en efectivo o con tarjeta?
Álvaro: (12) _____.

3 🔊85 **Escucha y comprueba.**

Comunicación

Pedir opinión sobre ropa

- ¿Cómo me queda esta falda?
- (No) Te queda bien / mal.
- Pues yo creo que me queda muy larga / corta / ancha / estrecha.
- ¿No te la llevas?

4 En parejas. Practica con tu compañero la conversación anterior: uno es el vendedor y el otro es el cliente. Podéis comprar un bolso, unos vaqueros, un anillo, unos zapatos, una camisa, una chaqueta, un gorro...

Gramática

PRONOMBRES DE OBJETO DIRECTO (3.ª PERSONA)

- ¿Conoces a Ismael?
- No, no **lo** conozco.

- ¿Conoces a mi mujer?
- No, no **la** conozco.

- ¿Conoces a los vecinos de arriba?
- No, no **los** conozco.

- ¿Conoces a mis hermanas?
- No, no **las** conozco.

Lo compro (el jersey)
La compro (la chaqueta)
Los compro (los pantalones)
Las compro (las gafas)

- El pronombre va detrás del imperativo: *pruéba-te**lo***
- Puede ir delante o detrás de perífrasis de infinitivo o gerundio:
  *Quiero comprar**lo**. / **Lo** quiero comprar.*
  *Estoy probándome**lo**. / Me **lo** estoy probando.*

5 Responde afirmativamente, usando el pronombre de objeto directo.

1 ¿Te gusta esta camisa?
  Sí, *me la llevo.*
2 ¿Te gustan estos zapatos?
3 ¿Te gusta esta falda?
4 ¿Te gustan estos pantalones?
5 ¿Te gusta este anillo?
6 ¿Te gusta la cartera negra de piel?

6 Completa las frases con los pronombres *lo, la, los, las.*

1 Me gusta mucho este jersey, me <u>lo</u> llevo.
2 ¿Sabes dónde están mis gafas? No _____ veo.
3 ■ ¿Quién es ese?
  ● No lo sé, no _____ conozco.
  ■ ¿Y aquella morena?
  ● Tampoco _____ conozco.
4 ■ Y tus amigos Pepa y Jaime, ¿qué tal están?
  ● No sé, hace tiempo que no _____ veo.
5 ■ ¿Te quedan bien los vaqueros?
  ● Sí, me _____ llevo.
6 ■ Ahí está Rosa, ¿____ invitas a un café?
  ● Vale.

PRONOMBRES PERSONALES DE OBJETO DIRECTO

	singular		plural
yo	me	nosotros/as	nos
tú	te	vosotros/as	os
él	lo / le	ellos	los / les
ella	la	ellas	las
Ud.	la / lo / le	Uds.	las / los / les

*Yo **te** quiero, ¿tú **me** quieres?*
*¿Ismael **os** quiere?*

7 Construye frases con los pronombres.

1 Yo / invitar / a ti
  Yo *te invito.*
2 ¿Tú / invitar / a mí?
3 Ellos / invitar / a nosotros
4 Nosotros / invitamos / a ellas
5 ¿Vosotros / invitar / a mí?
6 Ella / invitar / a Belén y Jorge
7 Mario / invitar / a vosotros
8 Diego / invitar / a ti
9 ¿Uds. / invitar / a Irene?
10 Alberto / no invitar / a mí

Vocabulario

1 Responde.

a ¿De qué color llevas hoy la camiseta / camisa?   b ¿De qué color son los autobuses en tu ciudad?

rojo   amarillo   verde

azul   rosa

naranja   marrón   negro

morado   blanco

2 Mira el dibujo, ¿a qué persona corresponde cada una de las descripciones?

Bárbara   Charlie   Javier

Ignacio

Marta

1 Lleva un vestido verde y unos zapatos blancos.
2 Lleva unos pantalones rojos, una camisa blanca y unas playeras amarillas.
3 Lleva una camisa azul, muy elegante, y una corbata blanca. También lleva un traje oscuro.
4 Lleva unos pantalones verdes, una camiseta roja y un collar a juego con los pendientes.
5 Lleva unos vaqueros, una camisa de lunares y unas zapatillas marrones.

3 🔊86 Escucha y comprueba.

ADJETIVOS			
singular		plural	
masculino	**femenino**	**masculino**	**femenino**
blanco	blanca	blancos	blancas
verde	verde	verdes	verdes
azul	azul	azules	azules

Hay colores que son nombres de plantas, flores y frutos que normalmente no cambian en género ni en número:

pantalones **rosa**   zapatos (de color) **naranja**

Hablar

4 Elige dos compañeros y describe qué ropa llevan. Lee el texto en voz alta. El resto de la clase tiene que adivinar quiénes son.

5 Responde al cuestionario «Tu ropa y tú».

Tu ropa y tú

1 ¿Cómo prefieres la ropa?
a Cómoda. ○
b Elegante. ○
c Moderna. ○

2 ¿Con quién vas a comprarla?
a Con mi madre. ○
b Solo/a. ○
c Con un amigo/a. ○

3 ¿Cuándo compras ropa?
a Todos los meses. ○
b Una vez al año. ○
c Cuando necesito algo. ○

4 Si vas a una entrevista de trabajo, ¿qué te pones?
a Algo formal: un traje, por ejemplo. ○
b Algo cómodo: pantalones vaqueros. ○
c Algo informal, pero elegante: una falda bonita / una americana moderna. ○

5 Cuando vas a la fiesta de cumpleaños de un/a amigo/a, ¿qué llevas?
a Algo cómodo: camiseta y vaqueros. ○
b Algo elegante: un vestido largo / camisa y pantalón negros. ○
c Me da igual: lo primero que encuentro. ○

6 ¿Qué color es el más elegante?
a Negro ○   c Blanco ○
b Rojo ○   d Otro: _____

7 ¿Cuál es tu color preferido para la ropa? _____

6 Compara tus respuestas con las de tu compañero.

7 Relaciona los adjetivos contrarios.

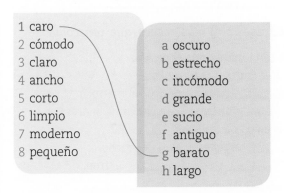

1 caro
2 cómodo
3 claro
4 ancho
5 corto
6 limpio
7 moderno
8 pequeño

a oscuro
b estrecho
c incómodo
d grande
e sucio
f antiguo
g barato
h largo

Escribir

8 Escribe cinco frases utilizando los adjetivos anteriores. Fíjate en el modelo.

Rosa lleva una falda larga.

9 En parejas. Lee las frases anteriores a tu compañero, que tiene que decidir si las frases son correctas o no.

Pronunciación y ortografía

g / j

/x/	ja, je, ji, jo, ju
	ge, gi

/g/	ga, go, gu
	gue, gui

1 🔊 87 Escucha y repite.

jamón jugar rojo julio joven
gimnasia jefe jirafa geranio
genio gato goma agua guerra
guitarra guapo águila
Guadalajara gota

2 🔊 88 Escucha y señala lo que oyes.

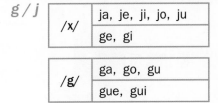

GUSTO / JUSTO   HAGO / AJO   GABÓN / JABÓN
PAGAR / PAJAR   HIGO / HIJO

TOLEDO

BUENOS AIRES

Vocabulario

1 ¿Vives en un pueblo o en una ciudad? Subraya los adjetivos que describen tu pueblo o ciudad.

> moderno/a • ruidoso/a • tranquilo/a • grande • antiguo/a
> limpio/a • pequeño/a • interesante • aburrido/a

2 Mira las fotos de Buenos Aires y Toledo, lee las frases y señala si las afirmaciones son verdaderas (V) o falsas (F).

1 Buenos Aires es más antigua que Toledo. ☐
2 Toledo es más pequeña que Buenos Aires. ☐
3 Las calles de Buenos Aires son más anchas que las calles de Toledo. ☐
4 Toledo es más ruidosa que Buenos Aires. ☐
5 Buenos Aires está más contaminada que Toledo. ☐
6 Los edificios de Buenos Aires son tan modernos como los de Toledo. ☐

Gramática

COMPARATIVOS
más + adjetivo + que   *Juan es **más simpático que** Pedro.*
menos + adjetivo + que   *Pedro es **menos simpático que** Juan.*
tan + adjetivo + como   *Juan (no) es **tan alto como** Pedro.*

3 Completa las frases con *más, menos, que, tan, como.*

1 Tu coche no es <u>tan</u> rápido <u>como</u> el de Ana.
2 Ese vestido es más caro _____ este.
3 El taxi no es _____ barato _____ el metro.
4 ¿Vuestra casa es tan grande _____ la de mis padres?
5 ¿Te gustan más estos pantalones _____ esos?
6 El avión es _____ rápido _____ el coche.
7 La bicicleta es _____ ruidosa _____ el tren.

COMPARATIVOS IRREGULARES	
bueno	**mejor / mejores + que** *Esta película es **mejor que** esa.*
malo	**peor / peores + que** *Esos pasteles son **peores que** estos.*
grande	**mayor / mayores + que** *Yo soy **mayor que** ella.*
pequeño	**menor / menores + que** *Cinco es **menor que** ocho.*

4 Completa el diálogo con los comparativos *peor(es), mejor(es)*.

Luis: Voy a preparar mi maleta para el viaje, a ver... ¿qué llevo? Mira, estos zapatos están bien, ¿no?

Carla: No, para ir a la montaña, las botas son (1) _____ que los zapatos.

Luis: Tienes razón. ¿Llevo los vaqueros?

Carla: No, para el frío son (2) _____ los pantalones de pana.

Luis: Bueno, llevo los dos y ya está.

Carla: ¿Por qué llevas la maleta azul?

Luis: Pues porque es (3) _____ que la gris, tiene ruedas.

Carla: Yo prefiero la gris, caben más cosas. Toma el paraguas, guárdalo.

Luis: ¿El rojo? No, este es (4) _____ que el negro.

Carla: Lo siento, el negro ya está en mi maleta.

5 🔊89 Escucha y comprueba.

6 Observa la imagen y elige la opción correcta.

Clarita 4 años · Carlos 40 años · Carlitos 7 años · Clara 42 años

1 Carlos es *mayor / menor* que Clara.
2 Clara es *mayor / menor* que Carlos.
3 Clarita es *mayor / menor* que Carlitos.
4 Carlitos es *mayor / menor* que Clarita.

7 Relaciona. Hay más de una opción.

1 música
2 playas
3 canción
4 comida
5 montaña
6 persona
7 restaurante

a rica
b clásica
c inteligente
d alta
e caro
f desiertas
g bonita

8 Escribe frases, comparando.

1 El tren y el avión. (*rápido / lento*)
   El avión es más rápido que el tren.
2 Nueva York y París. (*grande / pequeño*)
3 Los coches y las motos. (*seguros / inseguros*)
4 Vivir en el campo y vivir en la ciudad. (*aburrido / divertido*)
5 La comida casera y la comida rápida. (*buena / mala*)
6 En verano y en invierno. (*bueno / malo*)

Hablar

9 Pregunta a tu compañero por las respuestas de la actividad anterior.

■ *¿Qué ciudad es más grande, Nueva York o París?*
● *Nueva York es más grande que París.*

Gramática

DEMOSTRATIVOS (ADJETIVOS Y PRONOMBRES)			
singular		plural	
masculino	**femenino**	**masculino**	**femenino**
este	esta	estos	estas
ese	esa	esos	esas
aquel	aquella	aquellos	aquellas

PRONOMBRES DEMOSTRATIVOS (NEUTROS)		
esto	eso	aquello

aquellos zapatos
estos zapatos
esos zapatos

10 Subraya el demostrativo adecuado.

1 ¿Te gustan *estos* / *estas* gafas de sol?
2 ¿Cuánto cuesta *este* / *esto* anillo?
3 ¿De quién es *esta* / *esto*?
4 ¿De quién es *esta* / *este* cartera?
5 Luis, trae *aquel* / *aquello* bolso.
6 ¿Qué es *aquellos* / *aquello*?
7 Dame *esa* / *ese* caja de ahí.
8 *Eso* / *Esos* no me gusta.

Escuchar

1 🔊90 María y Jordi nos cuentan cómo es su ciudad favorita. Escucha y completa los textos.

A María le gusta vivir en una ciudad (1) _____ porque tiene (2) _____ oferta cultural y de ocio. Sin embargo, no le gusta el ruido ni la (3) _____. Piensa que, para tener una ciudad más limpia, lo mejor es usar transporte (4) _____.

Jordi prefiere vivir en una ciudad pequeña porque tiene más (5) _____ y sus hijos viven más en contacto con la (6) _____. Seguro que cambia de ciudad en el (7) _____ si sus hijos van a la (8) _____.

Hablar

2 Habla con tu compañero sobre cómo es la ciudad que te gusta.

> moderna • antigua • tranquila • ruidosa
> grande • pequeña • bien comunicada
> turística • limpia • segura

> parques • espectáculos • transporte público
> playa • contaminación • museos
> bibliotecas • vida nocturna

- ■ *A mí me gustan las ciudades turísticas porque siempre hay mucha gente y tienen muchos lugares interesantes y mucha vida nocturna.*
- ● *Pues yo prefiero las ciudades tranquilas...*

- ■ *En España a mí me gusta Barcelona, por ejemplo...*
- ● *Pues a mí me gusta más una ciudad como Santander.*

Escribir

3 Escribe un texto de unas 100 palabras sobre cómo es tu ciudad favorita. Utiliza todo el vocabulario que ya conoces.

Leer

4 Antes de leer el texto de la página siguiente contesta a las preguntas.

1 ¿Conoces algún cuadro o pintor español o hispanoamericano?
2 ¿Conoces algún museo famoso en España o en algún país hispanoamericano?

5 Mira los cuadros de la página siguiente y relaciona los títulos con sus autores.

1 *Guernica*
2 *La Pradera de San Isidro*
3 *La jungla*
4 *Muchacha de espaldas*
5 *Murales de la Alameda*

a Wifredo Lam (1902-1982)
b Pablo Picasso (1881-1973)
c Diego Rivera (1886-1957)
d Salvador Dalí (1904-1989)
e Francisco de Goya (1746-1828)

Breve historia del
Guernica
de **Picasso**

En 1937, en plena Guerra Civil española, el gobierno de la República española encargó a Pablo Picasso un cuadro para exponerlo en el pabellón de España de la Exposición Universal de París. En esos días se produjo un ataque de la aviación nazi contra Guernica, un pueblo de Euskadi, en el norte de España. El pueblo quedó prácticamente destruido y hubo muchos muertos.

Picasso pintó su cuadro para reflejar el dolor y el sufrimiento de la gente en la guerra. Durante la II Guerra Mundial el *Guernica* fue trasladado al Museo de Arte Moderno de Nueva York (MOMA).

En 1981, ya con un gobierno democrático, el cuadro llegó a España, como era el deseo de Picasso.

Actualmente se expone en el Museo Nacional de Arte Contemporáneo Reina Sofía, de la capital española, y cada año lo ven millones de personas.

6 Lee el texto.

7 ¿Verdadero (V) o falso (F)?

1 El gobierno español encargó un cuadro a Picasso. ⊠ V

2 En París se celebró una Exposición Universal. ☐

3 En París hubo un bombardeo. ☐

4 Picasso pintó el cuadro en Guernica. ☐

5 El cuadro estuvo en Nueva York más de treinta años. ☐

6 Picasso quería que el cuadro estuviera en Nueva York. ☐

7 Ahora el cuadro está en Madrid. ☐

8 Comenta con tus compañeros.

• ¿Te gusta la pintura?
• ¿Qué cuadro te gusta más?
• ¿Cuál te gusta menos?
• ¿Vas a museos con frecuencia?

1 Completa las descripciones con los adjetivos del recuadro.

negro • negros • ~~marrones~~
blanca • marrón

Rafael viene hoy muy elegante. Lleva unos pantalones (1) _marrones_, una camisa (2) _____ y una corbata a rayas. La chaqueta es (3) _____, del mismo color que los pantalones. Los zapatos son (4) _____ y lleva un sombrero también (5) _____.

moderno • negras • negros
azul • roja • negra

Marina viene hoy a clase con ropa deportiva. Lleva unos pantalones de color (6) _____, una camiseta (7) _____ con un estampado muy (8) _____, unos calcetines (9) _____, unas zapatillas deportivas (10) _____ y, en el pelo, una cinta también (11) _____.

2 Relaciona.

1 Buenos días, ¿puedo ayudarle? ☐ f
2 ¿Puedo probarme estos pantalones? ☐
3 ¿Cómo paga, con tarjeta o en efectivo? ☐
4 Álvaro, ¿te gustan estos zapatos? ☐
5 ¿No tiene otro más barato? ☐
6 ¿Cómo le queda la falda? ☐

a Bien, me la llevo.
b No mucho, me gustan más aquellos.
c Sí, claro, allí están los probadores.
d Con tarjeta.
e Sí, este solo cuesta treinta euros.
f Sí, ¿cuánto cuestan estas gafas?

3 Completa con los pronombres *lo, la, los, las*.

Julia: ¿Qué llevas en esa bolsa?
Cristina: Los regalos de Navidad.
Julia: ¿Puedo (1) ver_los_?
Cristina: Bueno: estos paquetes son para los abuelos.
Julia: ¿Y esas cajas blancas?
Cristina: Son para mamá y papá.
Julia: ¿Puedo (2) abrir_____?
Cristina: No, es una sorpresa.
Julia: ¿Y ese coche rojo? ¿Es para Raúl?
Cristina: Sí, tengo que (3) envolver_____ primero. ¿Tienes papel de regalo?
Julia: Sí, (4) _____ tengo en el primer cajón de la mesa. ¿Para quién es esta raqueta? ¿Para mí?
Cristina: No, es para Raúl, (5) _____ voy a envolver también.
Julia: ¿Y para mí?
Cristina: Es este paquete, ¿(6) _____ quieres ver ahora? ¿No prefieres esperar?
Julia: No, ahora, (7) ábre_____, por favor.
Cristina: No, mejor ábre_____ tú.
Julia: ¡Un cinturón negro! Me encanta. ¿Puedo (8) ponérme_____ hoy?

4 Selecciona la opción correcta.

1 ■ ¿Qué es *esto / este*?
  ● Es un cuaderno, ¿te gusta?
2 ■ ¿Quién es *eso / ese* chico?
  ● Es mi hermano *mayor / más grande*.
3 ■ ¡Mira! Están robando una moto del garaje.
  ● ¿Cuál?
  ■ *Esta / Aquella* moto del fondo, la azul.
4 ■ ¿Cuánto valen *estas / aquellas* bolsas de caramelos, las de allí?
  ● Tres euros, pero *estas / esas* otras de aquí son *más / menos* baratas, valen dos euros.

5 Escribe el adjetivo contrario.

1 antiguo _____   3 tranquilo _____   5 barato _____
2 sucio _____   4 claro _____   6 largo _____

¿Qué sabes?

☺ ☺ ☹

· Ir de compras.   ☐ ☐ ☐
· Describir la ropa.   ☐ ☐ ☐
· Concordancia de nombres y adjetivos de color.   ☐ ☐ ☐
· Hacer comparaciones.   ☐ ☐ ☐
· Algunas obras de pintores hispanos.   ☐ ☐ ☐

Salud y enfermedad

10

Vocabulario

1 ¿Vas mucho al médico? ¿Cuándo? ¿En verano, en invierno, en primavera...?

2 Mira la imagen, escucha y repite.

rodilla · pie · pierna · espalda · pecho · hombro · oreja · brazo · cuello · cara · mano · dedo

3 Escucha, fíjate en las fotos y relaciona cada personaje con su problema de salud.

1 A Pedro		a los oídos
2 A Daniel		b el estómago
3 A Carmen	le duele	c la espalda
4 A Julia	le duelen	d la cabeza
5 A Victoria	tiene	e la garganta
6 Ana		f las muelas
7 A Ricardo		g fiebre

Ana

Julia

Victoria

Pedro

Daniel

Ricardo

Carmen

Leer

4 🎧 93 Escucha y luego lee los siguientes diálogos.

Sara: ¡Hola, Ángel!, ¿qué tal estás?
Ángel: No muy bien.
Sara: ¿Qué te pasa?
Ángel: Tengo una gripe muy fuerte.
Sara: ¿Y qué tomas cuando estás así?
Ángel: De momento, nada.
Sara: ¿Por qué no te tomas una aspirina con un vaso de leche con miel y te vas a la cama?
Ángel: Sí, creo que es lo mejor.

5 Ahora contesta a las preguntas.

1 ¿Qué le pasa a Ángel?
2 ¿Qué le aconseja Sara?
3 ¿Qué le pasa a Luisa?
4 ¿Qué le aconseja Raúl?

Gramática

VERBO *DOLER*		
(a mí)	me	
(a ti)	te	
(a él / ella / Ud.)	le	**duele** la cabeza
(a nosotros/as)	nos	**duelen** los oídos
(a vosotros/as)	os	
(a ellos / ellas / Uds.)	les	

6 Completa con el pronombre y la forma adecuada del verbo *doler*.

1 A mi hermano *le duelen* las piernas.
2 A mí _____ las muelas.
3 Carmen y Chus son peluqueras y _____ la espalda.
4 ¿A ti _____ algo?
5 ¡No hagáis tanto ruido! Al abuelo y a mí _____ la cabeza.
6 ¿A usted no _____ el estómago con esa comida tan fuerte?

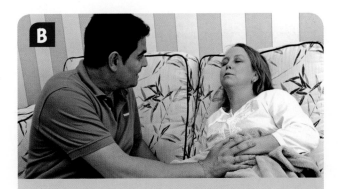

Raúl: ¡Qué mala cara tienes! ¿Qué te pasa?
Luisa: Me duele muchísimo el estómago.
Raúl: ¿Por qué no vas al médico?
Luisa: Sí, voy a ir mañana.
Raúl: Mira, tómate un té y acuéstate sin cenar.
Luisa: Sí, creo que es lo mejor.

7 Relaciona estos problemas de salud con su remedio.

1 dolor de cabeza —— a tomar una aspirina
2 dolor de garganta   b ir al masajista
3 dolor de espalda   c ir al médico
4 dolor de muelas   d ir al dentista
5 fiebre   e tomar miel con limón
6 dolor de oídos   f acostarse y descansar

Escuchar

8 🎧 94 Escucha y completa las siguientes conversaciones.

● El paciente n.º 1 tiene *la gripe*.
   Consejo del médico: tomar _____ y _____.

● Al paciente n.º 2 le duele _____.
   Consejo del médico: tomar _____ y _____.

● Al paciente n.º 3 le duele _____.
   Consejo del médico: no tomar _____ ni _____, comer _____ y _____, y tomar _____.

Hablar

9 En parejas, practica diálogos como en el ejemplo, dando consejos para los problemas de salud de tu compañero (mira la actividad 7).

▪ *¿Qué te pasa?*
● *Me duele la cabeza.*
▪ *¿Por qué no tomas una aspirina?*

Antes…

Ahora…

Gramática

1 «Antes la gente era más feliz que ahora». ¿Estás de acuerdo?

No estoy de acuerdo porque antes no había televisión.

2 🔊95 Escucha y después lee el siguiente texto.

Elena y Emilio ya son padres. Su vida cambió cuando, de repente, se encontraron con… dos bebés en los brazos.

Elena: Antes de ser padres teníamos una vida social muy activa: viajábamos, íbamos al cine, salíamos con los amigos, teníamos mucho tiempo libre. Emilio jugaba al *hockey*, yo estudiaba alemán…

Emilio: Ahora todo es distinto. Dedicamos todo nuestro tiempo a Álvaro y Adrián, que son maravillosos.

3 ¿Verdadero (V) o falso (F)?

1 Elena y Emilio tienen un bebé. ☐
2 Antes viajaban mucho. ☐
3 Emilio no practicaba deportes. ☐
4 Emilio estudiaba idiomas. ☐
5 Ahora están muy ocupados con sus hijos. ☐

PRETÉRITO IMPERFECTO
Verbos regulares

	viajar	tener	salir
yo	viaj**aba**	ten**ía**	sal**ía**
tú	viaj**abas**	ten**ías**	sal**ías**
él / ella / Ud.	viaj**aba**	ten**ía**	sal**ía**
nosotros/as	viaj**ábamos**	ten**íamos**	sal**íamos**
vosotros/as	viaj**abais**	ten**íais**	sal**íais**
ellos / ellas / Uds.	viaj**aban**	ten**ían**	sal**ían**

4 Elige la forma correcta del verbo.

1 Antes Elena y Emilio no *tenían / tienen* hijos.
2 Cuando no tenían hijos, Elena y Emilio *viajan / viajaban* por todo el mundo.
3 Ahora Elena no *estudiaba / estudia* alemán.
4 Emilio ya no *juega / jugaba* al *hockey*.
5 Antes de ser padres, *salían / salen* los fines de semana con sus amigos.
6 Antes les *gustan / gustaba* mucho el cine.

PRETÉRITO IMPERFECTO
Verbos irregulares

	ir	ser	ver
yo	iba	era	veía
tú	ibas	eras	veías
él / ella / Ud.	iba	era	veía
nosotros/as	íbamos	éramos	veíamos
vosotros/as	ibais	erais	veíais
ellos / ellas / Uds.	iban	eran	veían

5 Completa el siguiente texto sobre la vida de Emilio.

Yo antes (1) *era* jugador de un equipo de *hockey*. (2) _____ (entrenar) tres días a la semana. Los domingos mis compañeros y yo (3) _____ (jugar) un partido de liga. Cada dos semanas nos (4) _____ (ir) en autocar al campo del equipo contrario. A veces, Elena me (5) _____ (acompañar) y después de los partidos (6) _____ (ir) a cenar todos juntos. Todo (7) _____ (ser) estupendo. Pero ahora es más divertido porque somos cuatro.

Hablar

6 ¿Cómo era tu vida cuando tenías diez o doce años? En parejas, pregunta y responde a tu compañero.

1 ¿Cómo era tu colegio?
2 ¿A qué hora entrabas y a qué hora salías?
3 ¿Qué hacías cuando salías del colegio?
4 ¿Comías en el colegio o en tu casa?
5 ¿Qué hacías los domingos por la mañana?, ¿y por la tarde?
6 ¿Cómo era tu profesor o profesora favorito/a?
7 ¿Qué hacías durante las vacaciones de verano?
8 ¿Cómo se llamaba tu mejor amigo/a?
9 ¿Qué deporte practicabas?
10 ¿Cuál era tu asignatura favorita? ¿Por qué?

Escuchar

8 🔊96 Escucha la historia de Martina y elige la respuesta correcta.

1 Martina tiene:
   a casi cien años.
   b menos de ochenta años.

2 Cuando era pequeña, vivía:
   a con sus padres.
   b con sus hermanos y su madre.

3 Trabajaba en el campo:
   a cuando era una niña.
   b después de terminar sus estudios.

4 Trabajaba:
   a ocho horas diarias.
   b doce horas diarias.

5 A los diecinueve años tenía:
   a dos hijos.
   b un hijo.

6 Los sábados y domingos:
   a compraba en el mercadillo.
   b trabajaba en el mercadillo.

7 ¡A Federico le tocó la lotería! Comenta con tu compañero cómo era su vida antes de ser millonario. Utiliza los verbos del recuadro.

tener • desayunar • regalar • navegar • comer • ~~vivir~~

Antes no vivía en un chalé.

Leer

1 Lee este correo y completa las frases.

○○○   Voy a trabajar en un hotel

Enviar   Chat   Adjuntar   Dirección   Tipo de letra   Colores   Borrador

Para: fernando@mail.com

Cc:

Asunto: Voy a trabajar en un hotel

Cuenta: Santiago <santiago@yahoo.es>

¡Hola, Fernando!

¡Por fin terminó el curso! Tengo muchos planes para este verano: en julio voy a trabajar en un hotel en Cádiz durante un mes, porque quiero ahorrar dinero para viajar por Europa. Quiero ir a Londres con María, vamos a estudiar un poco de inglés. A la vuelta, vamos a visitar París con mi hermano, que está allí estudiando francés. Como ves, tengo un verano muy ocupado. Y tú, ¿qué vas a hacer? Cuéntame.

Un abrazo,

Santiago

1 Santiago _____ muchos planes para este verano.

2 En julio _____ a trabajar en un hotel.

3 Después _____ por Europa.

4 Santiago y María _____ a ir a Londres.

5 Después de Londres _____ visitar París.

2 Relaciona los planes de Santiago con las siguientes situaciones, como en el ejemplo.

1 Santiago va a trabajar en un hotel.   [c]

2 Va a viajar por Europa.   ☐

3 Él y María van a ir a Londres.   ☐

4 Van a visitar París.   ☐

5 Su hermano está en París.   ☐

a   Quiere aprender francés.

b   Quieren mejorar su inglés.

c   Quiere ahorrar dinero.

d   Tiene un mes de vacaciones.

e   Quiere estar unos días con su hermano.

Santiago va a trabajar en un hotel porque quiere ahorrar dinero.

3 ¿Qué van a hacer? Fíjate en las fotos y utiliza los verbos del recuadro.

ver una obra de teatro • comprar un coche besarse • tener un hijo • casarse • ~~bañarse~~

3

2

1 *Van a bañarse.*

4

5

6

Hablar

4 En parejas, di lo que vas a hacer este fin de semana. Utiliza las siguientes ideas:

levantarme tarde	hacer deporte	reunirme con amigos	ir a pasear

limpiar la casa	salir a cenar	leer el periódico	ver la televisión

5 ¿Qué va a hacer Federico con el dinero que ganó en la lotería? Relaciona las preguntas con las respuestas.

1 ¡Felicidades, Federico! ¿Cómo te sientes? ☐
2 ¿Vas a organizar una fiesta? ☐
3 ¿Qué es lo primero que te vas a comprar? ☐
4 ¿Te vas a comprar un barco? ☐
5 ¿Te vas a ir de vacaciones? ☐
6 ¿Qué le vas a regalar a tu mujer? ☐

a No, no sé navegar.
b Sí, voy a dar una vuelta alrededor del mundo.
c Muchas joyas.
d ¡De maravilla! ¡Como nunca!
e Sí, con todos mis amigos.
f Una casa muy grande en el campo.

Escribir

6 Imagina que eres periodista. Escribe una pequeña noticia sobre los planes de Federico.

Federico tiene grandes planes para el futuro.
Dice que va a...
Dice que no va a...

Pronunciación y ortografía

1 🔊97 Escucha las siguientes palabras y escríbelas en el lugar correspondiente según el acento.

alemán café teléfono cantante
árbol canción examen estudiar
ordenador ventana periódico
móvil pintura música

Reglas de acentuación

a Las palabras agudas llevan tilde cuando terminan en vocal, *n* o *s*.
b Las palabras llanas llevan tilde cuando terminan en consonante diferente de *n* o *s*.
c Las palabras esdrújulas llevan tilde siempre.

2 🔊98 Escucha y escribe las tildes que faltan.

1 Andres me llamo por telefono para saludarme.
2 Barbara trabaja en una empresa de informatica en Mexico.
3 Yo estudie decoracion en Milan.
4 Antes Raul vivia cerca de aqui, pero ahora esta viviendo en Valencia.
5 Aqui hace mas calor que alli.
6 Ella es mas guapa que el.
7 Los telefonos moviles son muy comodos.
8 Esta casa es mas centrica que tu piso.

ESDRÚJULAS
te**lé**fono

LLANAS
can**tan**te

AGUDAS
ale**mán**

Leer

1 Lee el texto y relaciona los títulos 1-6 con los párrafos A-F.

1	El imperio inca.	A
2	Constructores de carreteras.	☐
3	Casas sencillas.	☐
4	Un pueblo religioso.	☐
5	Campesinos y artesanos.	☐
6	La ciudad imperial.	☐

A En el siglo xv, los incas, antes de la llegada de los españoles a Perú, vivían en la montaña, en el corazón de los Andes. Hablaban una lengua llamada quechua y tenían un gran imperio.

B Cuzco, la capital del imperio, se levantaba a 3 200 m de altitud. Estaba rodeada de montañas y protegida por una fortaleza. Para los incas, Cuzco era el centro del mundo.

C Los incas creían en dioses como el Sol, la Luna y el Trueno. Pero también adoraban montañas, lagos o plantas.

D Las casas eran de piedra, con tejados de hierba seca y una sola habitación. Dentro, los incas comían en cuclillas. Por la noche dormían envueltos en mantas.

E Los incas construyeron una importante red de caminos empedrados. En las laderas abruptas tallaban escalones en la roca. Y para cruzar los precipicios, hacían puentes colgantes con cuerdas vegetales.

F Se calcula que en el imperio vivían ocho millones de personas. Los campesinos cultivaban la tierra y cuidaban rebaños de llamas. Los artesanos fabricaban objetos de cerámica y tejidos.

2 Corrige las siguientes afirmaciones.

1 Los incas hablaban español.
  Los incas hablaban quechua.
2 Los campesinos vivían del comercio.
3 Los incas adoraban a un solo dios.
4 Vivían en grandes casas de madera.
5 En la época de los incas, no había vías de comunicación.
6 Cuzco está al nivel del mar.

Escribir

3 Lee el blog de Carlos sobre su viaje a los Pirineos. ¿Qué expresan los verbos en azul? ¿Y los verbos en verde?

PIRINEOS

Viernes, 1 de julio

La semana que viene me voy a ir de vacaciones con tres amigos. Vamos a estar en un *camping* en los Pirineos. Me voy a llevar mi ordenador portátil para continuar con mi blog.

Viernes, 8 de julio

Ayer montamos la tienda de campaña junto a un río. Hacía mucho calor y nos dimos un baño. Voy a hacer muchas fotos porque las vistas de las montañas son espectaculares. Mañana vamos a navegar en canoa por el río.

Sábado, 9 de julio

Ayer nos lo pasamos muy bien con la canoa, pero el agua estaba muy fría. Me caí al agua varias veces. Hoy vamos a hacer una marcha por la montaña. Me voy a llevar la brújula y el botiquín.

4 Escribe un blog sobre un viaje. No olvides utilizar los tiempos apropiados.

- Piensa en los detalles del viaje: ¿dónde?, ¿cuándo?, ¿con quién?, ¿qué vas a llevar?...
- Describe el tiempo y el lugar.
- ¿Qué actividades vas a hacer?
- ¿Qué hiciste el primer día?
- ¿Cómo fueron las actividades del segundo día?

Escuchar

5 Escucha la entrevista con la alpinista Elisa Urrutia y contesta a las preguntas.

1 ¿Va a hacer Elisa alguna escalada la próxima temporada?
2 ¿Por qué Elisa necesita un poco de descanso?
3 ¿Qué trabajo va a realizar en el centro de alpinismo?
4 ¿Qué acontecimiento importante sucedió en su vida el año pasado?
5 ¿Qué acontecimiento importante va a suceder en su vida el otoño próximo?

Hablar

Alumno A (alumno B, ver «En parejas»)

6 Imagina que te toca la lotería. Prepara respuestas para la entrevista que te hará B.

a ¿Con quién lo vas a celebrar?
b ¿Qué vas a comprar?
c ¿Dónde vas a ir de vacaciones?
d ¿Con quién vas a ir?
e ¿Qué vas a hacer a la vuelta del viaje?

7 Prepara preguntas para entrevistar a B, que se va a ir a estudiar a otro país. Puedes añadir otras preguntas.

a A qué país / ir
b Qué / estudiar
c Dónde / alojar
d Con quién / vivir
e En qué / trabajar

1 Relaciona.

1 Estos zapatos son nuevos, por eso   `c`
2 Juan lleva dos pendientes   ☐
3 Los futbolistas cuidan especialmente   ☐
4 Uso guantes   ☐
5 Ana lleva varios anillos   ☐
6 Cuando cojo mucho peso,   ☐

a me duelen los brazos.
b sus piernas.
c me duelen los pies.
d porque tengo frío en las manos.
e en cada oreja.
f en los dedos.

2 Completa el texto con el pretérito imperfecto de los verbos entre paréntesis.

Marisa y Alfredo se casaron la semana pasada. Ahora viven juntos en Madrid, pero antes de conocerse, cuando ellos (1) _eran_ (ser) jóvenes, los dos (2) _____ (vivir) en distintas ciudades. Marisa (3) _____ (trabajar) con un grupo de teatro infantil y (4) _____ (estudiar) en la universidad. Alfredo (5) _____ (hacer) películas con un grupo de aficionados y (6) _____ (escribir) magníficos guiones. Un día, cuando los dos (7) _____ (ir) a un festival de cine, se conocieron y, desde entonces, ya no se separan nunca.

3 Subraya el verbo más adecuado.

1 Ayer **fui** / *iba* a ver a Jacinto.
2 Cuando Luis **tenía** / *tuvo* diez años, *jugaba* / *jugó* al fútbol todos los sábados.
3 Antes me *gustaba* / *gustó* la música rock, pero ahora me *gustaba* / *gusta* la música romántica.
4 Elena y Emilio antes no *tuvieron* / *tenían* hijos y ahora tienen dos.
5 Elena y Emilio *iban* / *fueron* a París en el año 2002.
6 Mi marido *jugó* / *jugaba* al baloncesto cuando *era* / *fue* joven.
7 Yo no fumo, pero antes *fumé* / *fumaba* mucho.
8 Mi hermana de pequeña *era* / *fue* rubia.
9 ¿*Viste* / *Veías* a Sara el sábado pasado?
10 Ayer me *acostaba* / *acosté* muy tarde.

4 Escribe las preguntas sobre planes para el próximo fin de semana.

1 ¿Tú / estudiar?
   ¿Vas a estudiar?
2 ¿Vosotros / ir al cine?
3 ¿Lorenzo / escuchar música?
4 ¿Tu novio / comprar ropa?
5 ¿Tú / navegar por internet?
6 ¿Vosotros / hacer los ejercicios de español?
7 ¿Ellos / ir al fútbol?
8 ¿Tus padres / ir a la ópera?
9 ¿Tú / viajar en barco?
10 ¿Nosotros / quedar con Alba?

5 🔊100 Escucha al grupo de música Los Escorpiones hablando con su mánager y contesta a las preguntas.

1 ¿Cuándo va a estar el nuevo disco de Los Escorpiones en el mercado?
2 ¿Cuándo van a empezar la gira?
3 ¿Van a hacer su propia página web?
4 ¿Qué van a hacer en septiembre?
5 ¿Quién va a cantar con ellos en el concierto?

¿Qué sabes?

☺   😐   ☹

· Las partes del cuerpo.   ☐ ☐ ☐
· Hablar de enfermedades (verbo *doler*).   ☐ ☐ ☐
· Hablar de hábitos en el pasado.   ☐ ☐ ☐
· Expresar planes e intenciones (*ir a* + infinitivo).   ☐ ☐ ☐
· Las reglas de acentuación.   ☐ ☐ ☐

Biografías

Leer

1 Comenta con tus compañeros.

¿Te gustan los concursos de la televisión?
¿Cuál es el concurso más famoso en tu país?
¿Qué personajes o lugares de las fotografías conoces?

2 Lee y contesta el cuestionario.

1 ¿Dónde se encuentra la pirámide del Sol?   ☐
  a Egipto   b La India   c México

2 ¿Quién fue el primer hombre que pisó la Luna?   ☐
  a Armstrong   b Collins   c Nixon

3 ¿Qué novela dio fama a Cervantes?   ☐
  a *Los miserables*   b *El Quijote*   c *Romeo y Julieta*

4 ¿Cuál es la capital de Dinamarca?   ☐
  a Copenhague   b Estocolmo   c París

5 ¿Cuándo llegó Colón a América?   ☐
  a En 1789   b En 1942   c En 1492

6 ¿De qué país fue presidente Nelson Mandela?   ☐
  a India   b Marruecos   c Sudáfrica

7 ¿Cuándo se formó el grupo de los Beatles?   ☐
  a En los 50.   b En los 60.   c En los 70.

8 ¿Qué selección de fútbol ganó el Mundial de 2010?   ☐
  a Alemania   b Holanda   c España

9 ¿Cuándo fueron los primeros Juegos Olímpicos?   ☐
  a 776 a.C.   b 1935   c 2000

10 ¿En qué año empezaron los europeos a utilizar el euro? ☐
  a En 1999   b En 2000   c En 2002

3 🔊101 Escucha y comprueba. ¿Quién tiene más aciertos?

Gramática

¿Qué o cuál?

- Se utiliza *qué + verbo* para dar a elegir entre varias cosas diferentes:
  ¿Qué prefieres, una camisa o unos pantalones?

- Para dar a elegir entre varias cosas del mismo tipo se utiliza:
  - *qué + nombre*
  ¿Qué camisa prefieres, esta o esa?
  - *cuál + verbo*
  ¿Cuál prefieres, esta o esa?

Cuánto/a/os/as

- *cuánto + verbo*
  ¿Cuánto es? / ¿Cuánto cuesta?

- *cuánto/a/os/as + nombre + verbo*
  ¿Cuántos hijos tienes?
  ¿Cuántas horas entrenas?
  ¿Cuánta azúcar quieres?
  ¿Cuánto dinero llevas?

4 Ordena las preguntas siguientes. Después, contéstalas.

1 ¿ver / televisión / qué / en / te / la / gusta?
  ¿Qué te gusta ver en la televisión?
2 ¿amigos / tus / adónde / con / los domingos / vas?
3 ¿practicas / deporte / qué?
4 ¿tu / cuál / actriz / es / favorita?
5 ¿tu / es / cuál / favorito / escritor?
6 ¿duermes / horas / por / cuántas / noche / la?
7 ¿carne / prefieres, / qué / la / pescado / o / el?
8 ¿hay / clase / en / cuántos / tu / compañeros?
9 ¿bebes / día / cuánta / al / agua?
10 ¿qué / arroz / prefieres, / pan / o?

5 Completa con *Qué* o *Cuál*.

1 ¡Cuántos vestidos tienes! ¿_____ es tu preferido?
2 ¿_____ es más grande, un tiburón o una ballena?
3 ¿_____ es tu deporte favorito?
4 ¿De _____ país es tu compañero?
5 ¿_____ día es tu cumpleaños?
6 ¡Qué casa tan grande! ¿_____ es tu habitación?
7 ¿A _____ hora llega el avión?
8 ¿_____ prefieres: carne o pescado?
9 ¿_____ te gusta hacer los fines de semana?
10 ¿_____ es más barata: la silla de madera o la de plástico?

6 Completa las preguntas siguientes con un pronombre interrogativo. Luego, relaciónalas con sus respuestas.

cuándo • cuál • cuántas • dónde • quién
cuánto • cómo • quién • qué • a qué hora

1 ¿<u>Cómo</u> vienes a clase? ☐
2 ¿A _____ llamaste por teléfono? ☐
3 ¿_____ te acuestas? ☐
4 ¿_____ están los niños? ☐
5 ¿_____ compraste? ☐
6 ¿_____ le debo? ☐
7 ¿_____ te gusta más? ☐
8 ¿De _____ es esto? ☐
9 ¿_____ manzanas hay? ☐
10 ¿_____ te vas de vacaciones? ☐

a El rojo.
b De Juan.
c A María.
d Andando.
e No hay muchas.
f A las once y media.
g En su cuarto.
h Veinte euros.
i El mes que viene.
j Un libro para mí.

7 Estas son las respuestas del ciclista Carlos Hernández. Escribe las preguntas.

1 *¿Dónde vives?*
  Vivo en Toledo.
2 Me levanto a las seis de la mañana.
3 Entreno todos los días, menos uno.
4 Mi día de descanso es el lunes.
5 Bebo tres litros de agua al día.
6 Como mucha pasta y alimentos energéticos.

Escuchar

8 🔊102 Escucha la entrevista radiofónica y comprueba.

9 Imagina que tu compañero es un deportista famoso y hazle la entrevista del ejercicio anterior.

Leer

1 ¿Qué sabes de Carlos Gardel?

1 Fue un famoso escritor. ☐
2 Fue un famoso cantante. ☐
3 Fue un famoso poeta. ☐

2 🔊 103 Lee y escucha la biografía de Carlos Gardel y responde a la pregunta anterior.

Carlos Gardel

"NACÍ EN BUENOS AIRES, ARGENTINA, a los dos años y medio de edad", respondía Carlos Gardel a las preguntas sobre su nacimiento.

Probablemente nació en Toulouse, Francia, el 11 de noviembre de 1890, pero desde muy pequeño vivió en el barrio porteño de Buenos Aires.

Empezó a cantar en el coro escolar y en las calles de su barrio, donde trabajaba en diversos oficios.

En 1913 él y su compañero José Razzano cantaron en el cabaré más lujoso y caro de Buenos Aires, el Armenoville, y tuvieron tanto éxito que el público los sacó a hombros por las calles. Entonces el propietario del cabaré les hizo un contrato con un sueldo increíble para el dúo.

En 1917, el poeta Pascual Contursi compuso el primer tango-canción, titulado *Mi noche triste*. Carlos Gardel la grabó poco después, y se convirtió así en el primer cantor de tango-canción. Gardel fue el inventor de una manera de cantar el tango. A partir de este momento, su fama creció; en su repertorio había canciones criollas, zambas, valses, pasodobles, etcétera.

Durante los años 20, Gardel viajó a Europa. Durante los años 30 hizo varias películas: *Luces de Buenos Aires, Espérame, El día que me quieras…*

Junto al poeta Alfredo Le Pera, Gardel compuso canciones tan conocidas como *Mi Buenos Aires querido* y *Volver*, y con ellas conquistó al público de Europa y América. Nunca se casó.

El 24 de junio de 1935, durante una gira por Latinoamérica, murió en un accidente de avión en Medellín. Y nació el mito.

3 Formula las preguntas y busca las respuestas en el texto.

1 ¿Dónde / nacer / Carlos Gardel?
  ¿Dónde nació Carlos Gardel?
2 ¿Dónde / empezar a cantar?
3 ¿Quién / ser / su compañero de canto?
4 ¿Qué / inventar / Gardel?
5 ¿Qué / hacer / en los años 20?
6 ¿Qué / hacer / en los años 30?
7 ¿Cuáles / ser / sus canciones más conocidas?
8 ¿Cuándo / casarse?
9 ¿Cuándo / morir?
10 ¿Cómo / morir?

Gramática

- El **pretérito indefinido** se usa especialmente en las biografías con marcadores temporales concretos:

  *Carlos Gardel **nació** el 11 de noviembre de 1890.*

- También se usa el **pretérito indefinido** cuando hablamos de un periodo de tiempo cerrado:

  *Durante los años 20, Gardel **viajó** a Europa.*

4 Escribe frases verdaderas y falsas utilizando el pretérito indefinido de los verbos de A y las palabras de B y C. Luego juega con tu compañero a un ¿verdadero o falso? Puedes inventar otras.

A	B	C
comer	50 €	el verano pasado
encontrar	unos zapatos	hace dos días
ir	una paella	anoche
comprar	los ejercicios	el otro día
hacer	una película	el domingo
ver	a Rafa Nadal	el año pasado
tener	el móvil	cuando era joven
ganar	a Madrid	ayer
perder	un premio	la semana pasada
conocer	fiebre	

- ■ *Perdí el móvil ayer.*
- ● *Sí, es verdad.*
- ■ *No, es falso.*

5 Escribe frases con el pretérito indefinido de los verbos del recuadro.

> ir • jugar • hacer • ver • tener • comer

1 El sábado _____ (yo) un partido de fútbol con mis amigos.
2 Ayer Pablo y María _____ la última película de Mateo Gil.
3 Luisa _____ a Pamplona de vacaciones.
4 ¿Cuándo _____ (tú) los deberes de español?
5 ¿Cuándo _____ (ellos) su primer hijo?
6 ¿A qué hora _____ (vosotros) ayer?

6 Escribe frases afirmativas y negativas sobre tus actividades de ayer.

1 hacer la cena
  Ayer no hice la cena. La hizo mi compañero de piso.
2 escuchar música clásica
3 irme a la cama temprano
4 ver la televisión
5 quedar con mis amigos
6 estudiar español
7 comer verduras
8 jugar al ajedrez

Pronunciación y ortografía

Acentuación de los interrogativos y del pretérito indefinido

- Los pronombres *qué, cómo, cuándo, cuánto,* etc., llevan tilde cuando son interrogativos, tanto directos como indirectos:

  *¿**Cómo** se llama el director?*
  *Yo no sé **dónde** vive Juan.*

- También lleva tilde el verbo en pretérito indefinido (la primera y tercera persona) si es regular.

  Habló, empezó, vivió…

- No llevan tilde los irregulares:

  Hizo, vino, pudo...

1 En las frases siguientes hemos omitido todas las tildes. Colócalas en su sitio.

1 Elena nacio en 1956 y a los 19 años conocio a Pablo, su marido.
2 ¿Cuando nacio tu hijo?
3 ¿Quien vino anoche a tu casa?
4 ¿Cuantas novelas escribio Cervantes?
5 Luis se desperto cuando sono el despertador.
6 ¿En que año se casaron tus padres?
7 Mi marido no llamo por telefono.
8 Ese actor hizo varias peliculas importantes.
9 Yo nunca llego tarde, soy muy puntual.
10 El dijo: "Naci en 1954".

1 Lee y completa los textos con los números del recuadro.

> 1898 • 11 millones • 10 990 • 1865 • 40 • 1962 • 55 • 110 860 • 10 350 000 • 48 730 • 2 800 000

Las islas del Caribe *forman*
una cadena desde la costa de Florida hasta Venezuela. Cuentan con unas hermosas playas, a las que los turistas acuden en masa.

Cuba Tiene una superficie de (1)_____ km². Consiguió la independencia de España en (2)_____. Tiene una población de más de (3)_____ de habitantes. El (4)_____ % de la población es católica y el (5)_____ % no practica ninguna religión. Su idioma oficial es el español.

Jamaica Es la tercera isla caribeña por su tamaño, (6)_____ km². Políticamente es una democracia parlamentaria y consiguió su independencia del Reino Unido en (7)_____. Tiene una población de (8)_____ habitantes. Su idioma oficial es el inglés. La mayor parte de sus ingresos procede del turismo.

República Dominicana

La República Dominicana se encuentra en la Isla de Santo Domingo, la segunda isla más grande del Caribe, territorio que comparte con Haití. Tiene una superficie de (9)_____ km² y una población de (10)_____ habitantes. En (11)_____ consiguió su independencia definitiva de España. Su idioma oficial es el español.

Escuchar

2 🔊 104 Escucha y comprueba.

3 Lee el texto otra vez y contesta a las preguntas.

1 ¿Cuántos años hace que Cuba es independiente?

2 ¿Cuál de las tres islas tiene mayor superficie?

3 ¿Cuál es la isla más pequeña?

4 ¿Qué sistema político tienen en Jamaica?

5 ¿Qué lengua se habla en la República Dominicana?

Gramática

NÚMEROS

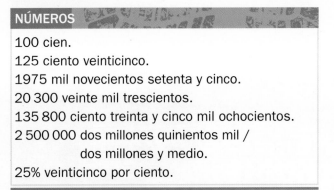

100 cien.

125 ciento veinticinco.

1975 mil novecientos setenta y cinco.

20 300 veinte mil trescientos.

135 800 ciento treinta y cinco mil ochocientos.

2 500 000 dos millones quinientos mil /
            dos millones y medio.

25% veinticinco por ciento.

4 En parejas. Escribe diez números del 1 al 10 000 000 y díctaselos a tu compañero. Después, compruébalos.

5 Completa el calendario con los meses del año que faltan.

junio • diciembre • agosto • febrero
octubre • abril

6 Relaciona los números con su escritura.

A 16 - 12 - 1956   B 12 - 10 - 1980

C 2 - 2 - 2002

1 doce de octubre de mil novecientos ochenta. ☐
2 dos de febrero de dos mil dos. ☐
3 dieciséis de diciembre de mil novecientos cincuenta y seis. ☐

7  Escucha y comprueba.

8 🔊 106 Escucha y completa las fechas.

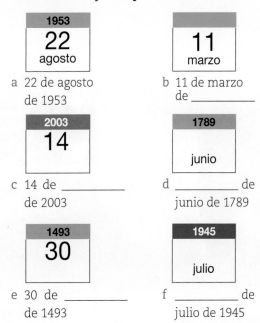

a 22 de agosto de 1953

b 11 de marzo de _____

c 14 de _____ de 2003

d _____ de junio de 1789

e 30 de _____ de 1493

f _____ de julio de 1945

9 Responde a las siguientes preguntas como en el ejemplo.

1 ¿Cuándo es tu cumpleaños? (16-XII)
   El dieciséis de diciembre.
2 ¿Cuándo se celebra el día de Navidad? (25-XII)
3 ¿Cuándo se celebra el día de Año Nuevo? (1-I)
4 ¿Cuándo se celebra el Día de la Hispanidad? (12-X)
5 ¿Cuándo se celebra la fiesta nacional en tu país?

10 Pregunta a varios compañeros la fecha de su cumpleaños y toma nota.

■ *Ángel, ¿cuándo es tu cumpleaños?*
● *El 12 de octubre.*

11 En parejas. En cuatro papelitos escribe cuatro fechas importantes para ti. Mezcla los papelitos con los de tu compañero, ordenándolos cronológicamente. Después pregunta como en el ejemplo.

■ *¿Qué pasó el 3 de diciembre de 1987?*
● *El 3 de diciembre de 1987 conocí a Pepe, mi primer novio.*
■ *¿Cómo fue?, ¿dónde?...*

12 🔊 107 Escucha la canción *Eva María se fue* y responde a las preguntas:

1 ¿Adónde fue Eva María?
2 ¿Qué se llevó además de una maleta de piel?
3 ¿Qué hace él cuando no puede dormir?

Sala de los Mozárabes

Generalife

Patio de los Leones

Leer

1 ¿Qué sabes de la Alhambra de Granada? Coméntalo con tu profesor.

2 Lee el texto sobre la Alhambra y escucha.

3 Corrige las informaciones falsas.

1 La Alhambra se encuentra en Córdoba. ☐

2 Los sultanes vivían en la Alhambra. ☐

3 Tres zonas distintas forman actualmente la Alhambra de Granada. ☐

4 Los distintos edificios están unidos por jardines y bosques. ☐

5 El museo de la Alhambra se encuentra en el Generalife. ☐

6 Desde el barrio del Albaicín se ve la Alhambra. ☐

Bienvenidos a la *Alhambra* de Granada

La Alhambra está en Granada, sobre una alta colina, desde la que se puede ver toda la ciudad.

La Alhambra es un palacio-ciudadela donde residían los sultanes y los altos funcionarios de la corte árabe. Se empezó a construir en el siglo XIII. Es un conjunto monumental en el que se distinguen distintas zonas: los palacios, la zona militar o Alcazaba, la ciudad o Medina y el Generalife. Todo ello está rodeado de bosques, jardines y huertas.

También podemos encontrar edificios de otras épocas, como el palacio de Carlos V (s. XVI), donde se halla el Museo de la Alhambra.

Miles de visitantes se maravillan cada año ante la combinación de patios, arcos y fuentes; especialmente el patio de los Leones, representación del paraíso en la arquitectura islámica.

Para apreciar los valores arquitectónicos y paisajísticos de la Alhambra es aconsejable acercarse al barrio del Albaicín o al Sacromonte. Desde ellos puede observarse la relación de la Alhambra con la ciudad de Granada.

4 Completa la biografía de Celia Cruz con los verbos del recuadro en pretérito indefinido.

> nacer • fallecer • grabar • empezar (x 3)
> dejar • instalarse • recibir • ganar

Celia Cruz La reina de la salsa

Celia Cruz, "la reina de la salsa", (1) <u>nació</u> el 21 de octubre de 1929 en La Habana, Cuba. Celia (2) _____ a cantar desde pequeña, y lo hacía muy bien. En 1947 (3)_____ un premio por cantar en la radio y, entonces, (4)_____ a estudiar música. En 1950 (5)_____ a trabajar en la banda musical "La Sonora Matancera", y con ese grupo (6)_____ la Cuba de Fidel Castro en julio de 1960, y (7)_____ en Estados Unidos. En Estados Unidos (8)_____ varios discos con Tito Puente y con otros salseros reconocidos a nivel mundial. Durante los años 90, (9)_____ muchos premios.

La reina de la salsa (10)_____ el 16 de julio de 2003 en Nueva Jersey a causa de un cáncer.

5 🔊109 Escucha y comprueba.

Hablar y Escribir

6 En grupos de tres. Con tus compañeros, piensa en un personaje famoso de tu país y escribe una biografía. Puede ser actor, político, escritor, pintor, etcétera.

Escuchar

7 🔊110 Escucha datos de la biografía del cantante Miguel Bosé y contesta a las preguntas.

1 ¿En qué año nació Miguel Bosé?
2 ¿De quién es hijo?
3 ¿Cuál es su profesión?
4 ¿Qué estudió en Londres?
5 ¿Cuál de sus álbumes vendió más de un millón de copias?
6 ¿A qué personajes famosos conoció cuando era pequeño?

Hablar

Alumno A (alumno B, ver «En parejas»)

8 Imagina que tú eres el famoso cantante Enrique Iglesias. Un periodista te va a hacer una entrevista. Con los datos que siguen, contesta a sus preguntas.

* Nacido el 8-05-1975 en Madrid.
* Se trasladó a Miami a los 7 años.
* Primer disco en 1995.
* Recibió un Premio Grammy en 1996.
* Hizo su primera gira mundial en 1997.
* Grabó *Escape* en 2001, con un estilo menos latino.
* En 2004 se alejó de los escenarios y volvió en 2007 con el álbum *Insomniac*.
* En 2012 realizó una gira junto a la cantante Jennifer Lopez.

9 Ahora tú eres periodista y vas a entrevistar a la famosa cantante Luz Casal. Aquí hay algunas preguntas para ayudarte.

¿Cuándo naciste?
¿Dónde naciste?
¿Qué estudiaste?
¿Con quién empezaste a cantar?

¿Cuándo grabaste tu primer disco?
¿Cuál es tu disco más famoso?
¿Cómo se llama tu último disco?

1 Completa las preguntas con el pronombre interrogativo correspondiente. Después, relaciona cada pregunta con su respuesta.

1 ¿_Adónde_ fuiste el domingo por la tarde? ☐
2 ¿_____ vas a clase de español? ☐
3 ¿_____ vienes a clase? ☐
4 ¿_____ hermanos tienes? ☐
5 ¿_____ compañeras hay en tu clase? ☐
6 ¿_____ es tu color preferido? ☐
7 ¿_____ comida te gusta más? ☐
8 ¿_____ cuesta esta camisa? ☐

a En autobús.
b El verde.
c 54 €.
d Al cine.
e La tortilla española.
f No tengo ninguno.
g Martes y jueves.
h Doce.

2 Corrige los errores.

1 ¿Cuál libro quieres?
   ¿Qué libro quieres?
2 ¿Cuántas idiomas hablas?
3 En el partido hay más de un mil espectadores.
4 Llegamos a Cuba el décimo de septiembre.
5 Vinieron a la boda más de doscientos personas.
6 Yo nació en 1967.
7 Celia Cruz empezó cantar desde pequeña.
8 ¿Qué vino a verte ayer?
9 ¿Cuál película viste ayer?
10 ¿Cuántos fotos hiciste?
11 ¿Cuántos dinero ganas?

3 Escribe las siguientes fechas y cantidades.

1 350 000 personas.
   Trescientas cincuenta mil personas.
2 10-12-1492 _____
3 25-05-2004 _____
4 1 246 000 _____
5 6496 espectadores _____
6 6-01-1999 _____
7 532 km_____
8 1400 personas _____

4 Completa el texto con la forma correcta del verbo (indefinido o imperfecto).

PABLO RUIZ PICASSO

(1) _Nació_ (nacer) en Málaga el 25 de octubre de 1881. Su padre, profesor de dibujo, le (2)_____ (enseñar) a pintar. Con 14 años (3)_____ (trasladarse) a Barcelona con su familia y (4)_____ (estudiar) en la Escuela de Bellas Artes. En 1904 se (5)_____ (ir) a París. Durante esta primera época, en sus cuadros (6)_____ (pintar) el ambiente parisino.

Su obra (7)_____ (evolucionar), y pasó por distintas épocas, en las que sus cuadros (8)_____ (mostrar) la pobreza, el amor, la naturaleza… En 1937 (9)_____ (pintar) el Guernica, un cuadro sobre la guerra, considerado una de las obras más importantes del siglo XX. Una de sus últimas exposiciones (10)_____ (ser) en el Museo de Louvre en 1971, cuando el artista tenía 90 años. Picasso (11)_____ (morir) en Mougins en 1973.

Dibujo de Don Quijote, pintado por Picasso

¿Qué sabes?

☺ ☺ ☹

· Hacer preguntas. ☐ ☐ ☐
· Escribir una biografía. ☐ ☐ ☐
· Decir los números y hablar de fechas. ☐ ☐ ☐
· Poner acento en los interrogativos y verbos en pretérito indefinido. ☐ ☐ ☐

Costumbres

12

- ·· Describir a la familia
- ·· Hablar del carácter
- ·· Hablar del pasado reciente y de experiencias
- ·· Hablar de diferencias culturales
- ·· Expresar prohibición y obligación
- ·· **Cultura:** Bodas del mundo

1 Mira las fotos.

¿Qué están celebrando?

¿Se visten igual las novias en tu país?

¿En qué otras fiestas se reúne toda la familia?

Escuchar

2 Lee y escucha a Carmen hablando con su amiga Marta de la boda de su hermana.

Marta: Hola, Carmen, ¿qué tal?, ¿te apetece salir a dar una vuelta?

Carmen: Hola, Marta, lo siento pero hoy no puedo salir contigo, estoy muy liada porque se casan mi hermana Pilar y Carlos.

Marta: ¡No me digas! ¿Y cuándo? ¿Por la tarde?

Carmen: No, se van a casar dentro de una hora, a las doce del mediodía, y claro, estamos todos nerviosos. Después, nos vamos a ir a comer a un restaurante que hay cerca de la carretera de La Coruña.

Marta: ¿Y hay muchos invitados?

Carmen: No muchos. Van a venir los amigos de los novios, mi hermano, mi cuñada Bárbara, mis sobrinos, mi madre y la familia del novio, que son muy cariñosos y amables.

Marta: Pues son bastantes…

Carmen: Sí, unos setenta, creo. Mis hijos están encantados porque van a ver a sus primos. Cuando se juntan se lo pasan muy bien. Y mi madre, contentísima con sus cuatro nietos, claro.

Marta: ¿Y luego?

Carmen: Bueno, luego vamos a ir a bailar y a tomar unas copas con los amigos de mi hermana, que son muy divertidos.

Marta: Bueno, pues me alegro mucho. Ya te llamo otro día y me cuentas.

3 Escucha otra vez y contesta.

1 ¿Para qué llama Marta a Carmen?

2 ¿Qué fiesta se celebra?

3 ¿Cuántos nietos tiene la madre de Pili?

4 ¿Qué invitados son muy divertidos?

5 ¿Quiénes son cariñosos y amables?

4 Escucha y completa el árbol genealógico de la familia de Pili. Utiliza las palabras del recuadro.

> hermano • sobrino • cuñada • madre
> hermana • sobrina • cuñado • marido

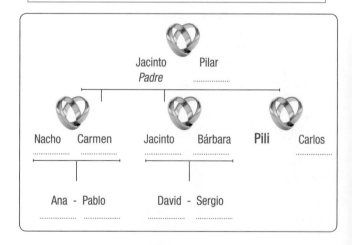

5 ¿Verdadero o falso?

1 Pablo y Sergio son primos. ☐

2 Ana es la prima de Pablo. ☐

3 Jacinto es el cuñado de Carlos. ☐

4 Los abuelos tienen una nieta y tres nietos. ☐

5 Carlos es el marido de Carmen. ☐

6 David y Sergio son hijos de Jacinto. ☐

7 Pili tiene un hermano y una hermana. ☐

Vocabulario

6 ¿Cómo eres? Señala la afirmación con la que te identificas.

1 No me importan los demás. Solo pienso en mí.
2 Me encanta regalar cosas a los demás.
3 La gente se ríe mucho conmigo.
4 Me gusta conocer gente nueva.
5 No me gusta hablar con gente que no conozco.
6 No me gusta nada trabajar.
7 Me gusta abrazar a la gente, decirle que la quiero.
8 Nunca saludo a los conocidos, ni digo "gracias" ni "por favor".
9 No me pongo nerviosa casi nunca.

7 Relaciona cada definición con los adjetivos siguientes.

cariñoso/a	☐	divertido/a	☐
egoísta	☐	sociable	☐
generoso/a	☐	perezoso/a	☐
maleducado/a	☐	tímido/a	☐
tranquilo/a	☐		

8 Relaciona cada animal con un adjetivo de carácter:

zorro

perro

hormiga

loro

a trabajadora
b dormilón
c astuto
d hablador
e fiel
f sabio
g fuerte

búho

koala

león

Gramática

● Usamos el verbo **ser** + adjetivo para describir el carácter de las personas o animales.
Mi hermano es muy divertido.
Se dice que el burro es un animal tozudo.

● Usamos el verbo **estar** + adjetivo para describir el estado de ánimo.
En la foto Julián está muy serio, pero realmente es una persona alegre.

● Muchos adjetivos se usan con **ser** y **estar**, expresando significados algo diferentes:
Mi hermano es muy tranquilo.
Mi madre está tranquila porque Dora ya ha llamado por teléfono.

● Algunos adjetivos se usan solo con **estar**:
contento, preocupado, enfermo, cansado, harto, encantado.

9 Elige la forma correcta.

1 Mis primos hoy no **son** / **están** muy contentos.
2 Hoy mi hermana **es** / **está** muy nerviosa por su boda.
3 Alfredo y Lucía **son** / **están** bastante egoístas, solo piensan en ellos mismos.
4 Por las mañanas, siempre **soy** / **estoy** contento, pero por las tardes **soy** / **estoy** cansado.
5 ¿Quién **es** / **está** esa señora? **Es** / **Está** una pesada.
6 Después de la siesta, los niños **son** / **están** muy tranquilos.
7 ¿Tú sabes qué le pasa hoy a Pablo? **Es** / **Está** muy serio.
8 Mi hija Elena, increíblemente, antes de los exámenes **está** / **es** muy tranquila.
9 ■ ¿Por qué **estás** / **eres** preocupada?
   ● Es que mi padre **está** / **es** bastante enfermo.
10 Clara: ¡**Soy** / **Estoy** harto de ver esta habitación tan desordenada!

Hablar

10 En grupos de cuatro. ¿Cómo son tus padres? ¿Y tus hermanos? ¿Cuál es el miembro de tu familia que más te gusta? Descríbelo.

La persona que más me gusta es mi tío Juanjo. Es soltero, vive solo, pero tiene muchos amigos. Le gusta mucho salir y viajar con ellos. Es amable y generoso, siempre me deja su coche

- Hablar del pasado
  reciente y de experiencias

Vocabulario

1 ¿Qué actividades has hecho hoy? Escribe frases.

1 Lavar los platos.
  He lavado los platos.
2 Cocinar.
3 Planchar.

4 Hacer la compra.
5 Lavar la ropa.
6 Aspirar el suelo.

Gramática

PRETÉRITO PERFECTO		
he		**Participios regulares**
has		
ha	+ participio	**gastar** gast**ado**
hemos		**comer** com**ido**
habéis		**salir** sal**ido**
han		

Participios irregulares			
abrir	abierto	decir	dicho
ser	sido	escribir	escrito
ver	visto	morir	muerto
hacer	hecho	volver	vuelto

- Utilizamos el **pretérito perfecto** para hablar de acciones recientes, con marcadores temporales como *hoy, esta mañana, esta semana, últimamente.*

  *Este fin de semana **he tenido** mucho trabajo en casa.*

Leer

2 Lee y completa la conversación entre Ana y Alberto sobre el día de hoy.

> ha sido • hemos tenido • hemos estado
> he planchado • he llevado • he tenido
> ~~ha ido~~ • he hecho • hemos terminado

HOMBRES DE SU CASA

Lavan, cocinan, planchan, hacen la compra. Son los nuevos amos de casa. Son pocos, pero aumentan día a día. Alberto es uno de ellos.

Alberto: ¿Qué tal? ¿Cómo te (1) *ha ido* hoy?
Ana: El día (2) _____ terrible. Juan y yo (3) _____ una reunión de cuatro horas con los clientes japoneses y luego (4) _____ el informe para la Comisión Económica. Y tú, ¿qué tal?
Alberto: Yo también (5) _____ hoy mucho trabajo. Primero, (6) _____ a los niños al colegio, después (7) _____ la compra y luego (8) _____ la ropa antes de hacer la comida. Por la tarde los niños y yo (9) _____ en el parque con los amiguitos de Pablo.
Ana: ¡Uff, qué día! Ahora nos queda un ratito para descansar y ver la televisión.

3 Escucha y comprueba.

4 Lee lo que nos cuenta Alicia y contesta a las preguntas.

Balance de **una vida**

Yo creo que mi vida no ha sido extraordinaria, pero sí muy completa.

Puedo decir que he sido feliz, a pesar de los malos momentos: me he casado dos veces, he tenido cinco hijos, he trabajado mucho, eso sí.

También he viajado un poco, he visto el mar, la nieve, he viajado en barco: hice un crucero con mi segundo marido hace veinte años. Y también estuve en la selva del Amazonas cuando conocí a mi nuera, que es brasileña. Fue un viaje precioso, hace diez años, más o menos.

Y últimamente he aprendido a usar internet para comunicarme con mis nietos, así que no puedo quejarme.

1 ¿Está contenta Alicia con la vida que ha tenido?
2 Enumera las experiencias que ha tenido.
3 ¿Cuándo y por qué fue Alicia a Brasil?

Gramática

YA / TODAVÍA NO

■ *Mañana me voy de viaje.*
● *¿Has hecho las maletas?*
■ *No, **todavía no.** / Sí, **ya** las he hecho.*

HABLAR DE EXPERIENCIAS

● Usamos el **pretérito perfecto** para preguntar por las experiencias.
   ■ *¿**Has montado** alguna vez en globo?*

■ En las respuestas usamos el **pretérito perfecto** o el **pretérito indefinido** según el marco temporal de la acción.
   ● *No, no **he montado** nunca.*
   ● *Sí, **he montado** muchas veces.*
   ● *Sí, **monté** una vez el verano pasado.*

5 🔊114 Escucha a Pablo contestar al cuestionario sobre experiencias y relaciona.

1 Nunca	a salió al extranjero.
2 Hace diez años	b tuvo una operación.
3 La semana pasada	c perdió las llaves.
4 Muchas veces	d ha salido en la tele.
5 Hace tres años	e ha montado en moto.
6 Todavía no	f ha ido a Buenos Aires.

6 Forma las preguntas y házselas a tu compañero.

   ¿Lo has hecho alguna vez?

1 Montar / en globo.
   ¿Has montado en globo alguna vez?
2 Correr / en una maratón.
3 Escribir / un poema.
4 Arreglar / una bicicleta.
5 Llegar / tarde a una reunión.
6 Hablar / en público.
7 Comer / pescado crudo.
8 Ir / a la ópera.
9 Plantar / un árbol.
10 Ver / un cuadro de Picasso.

7 Escribe un párrafo o unas frases.

   Michel no ha montado nunca en globo, pero ha corrido varias veces la maratón de Madrid. No ha escrito nunca poesía ni ha arreglado una bicicleta.

Leer

1 ¿Conoces a personas de culturas muy diferentes a la tuya? ¿Qué costumbres tienen que tú no compartes?

2 Lee los consejos y normas de la revista *El Viajero* y señala los que coinciden con los de tu país.

Viajar sin sorpresas

Para viajar sin problemas hay que tener en cuenta algunas normas y consejos:

1 En algunas zonas de África, hay que pedir permiso antes de hacer una fotografía a una persona.

2 En la mayoría de países árabes, hay que quitarse los zapatos antes de entrar a las mezquitas.

3 En muchos países del norte de Europa no se puede señalar a la gente con el dedo.

4 En Japón, no se puede mirar a la gente a los ojos.

5 En Taiwán, hay que dar los regalos con las dos manos.

6 En China, no se puede besar a la gente en público.

7 En Alemania, hay que llevar una bebida o un postre cuando te invitan a comer.

8 En Noruega, hay que quitarse los zapatos al entrar en una casa.

3 Con otros compañeros, haz una lista de costumbres que te sorprenden. Y luego comentadlas.

Gramática

EXPRESAR OBLIGACIÓN Y PROHIBICIÓN

● *Hay que / no hay que* + **infinitivo**:
Se usa para expresar que algo es necesario u obligatorio pero sin indicar quién tiene esa necesidad u obligación:
Para preparar un biberón **hay que** *hervir el agua.*

● *(No) se puede* + **infinitivo** se usa para expresar permiso o prohibición sin indicar quién "puede" realizar esa acción:
En esta zona **se puede** *jugar al fútbol.*
Aquí **no se puede** *aparcar.*

4 Hemos preguntado a algunos estudiantes de español sobre los choques culturales. Lee y subraya la opción que consideras más adecuada.

¿Qué te chocó más al llegar a España?

Xuan-thanh (chino)
La educación en mi país está muy marcada por el respeto y la disciplina. Por ejemplo, cuando entra un profesor en la clase (1) *hay que / no hay que* levantarse e inclinar la cabeza. (2) *Se puede / No se puede* llamar al profesor por su nombre, ni mucho menos tutearle.

Rosa Ziegler (suiza)
Al llegar a España sentí una gran liberación, al comprobar que en este país son más permisivos que en el mío. Por ejemplo: (3) *se puede / no se puede* llegar hasta un cuarto de hora tarde a una comida en casa de unos amigos o (4) *se puede / no se puede* tener la televisión con un volumen alto después de las diez de la noche.

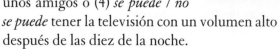

Barbora Zemkova (checa)
Vivo en España desde hace dos años y hay algunas cosas en su forma de comer que no entiendo. Por ejemplo, no sé por qué (5) *hay que / no hay que* comer tanto pan.
O por qué (6) *hay que / no hay que* comer siempre dos platos, un primero y un segundo, cuando para mí lo normal es comer solo un plato.

5 Completa las siguientes frases según la información que tienes de España. Utiliza *hay que / no hay que / no se puede*.

1 En España, *no se puede* fumar en los restaurantes.
2 En España, cuando entras a una casa _____ quitarse los zapatos.
3 En España _____ llamar de "usted" al profesor.
4 En España _____ hablar por el móvil conduciendo un coche.
5 En España _____ conducir un coche si tienes menos de 18 años.

6 ¿Qué hay que hacer si nos encontramos con las siguientes señales? Usa *hay que / no hay que / no se puede* más los verbos del recuadro.

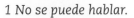

tocar • parar • fumar • ~~hablar~~
enseñar • beber

1 No se puede hablar. _____

_____ _____

_____ _____

Pronunciación y ortografía

Sílaba tónica

En todas las palabras hay una sílaba que se pronuncia con más fuerza. Es la sílaba tónica. Según el lugar de la sílaba tónica, las palabras se clasifican en:
Agudas: Cuando la sílaba tónica es la última: *Panamá, escritor, contaminación.*
Llanas: Cuando la sílaba tónica es la penúltima: *playa, amigo, árbol.*
Esdrújulas: Cuando la sílaba tónica es la antepenúltima: *música, América, pretérito.*

1 🔊 **115** Escucha y observa la sílaba tónica.

médico co**mer** **li**bro ven**ta**na lec**ción** pa**só**
me**jor** **rá**pido **ma**no be**bí** can**té** tra**ba**jo traba**jó**

2 🔊 **115** Escucha otra vez y repite.

3 🔊 **116** Escucha las palabras siguientes y subraya la sílaba tónica.

café mesa música Madrid español
madre árabe estudiar comí comió
como vino venir móvil teléfono
profesor nacional zapato camisa

4 Escribe cada palabra en la columna correspondiente.

Esdrújulas	Llanas	Agudas
música	mesa	café

Leer

1 Antes de leer el texto, relaciona algunas palabras que van a aparecer en él con su significado.

1 vena
2 ceremonia
3 simbolizar
4 corona
5 vela
6 flanquear
7 velo
8 tradicional

a Que sigue las costumbres del pasado.
b Estar al lado de una cosa o de una persona.
c Da luz. Se ponen, por ejemplo, en un pastel de cumpleaños.
d Trozo de tela que cubre la cara de algunas novias el día de su boda.
e La llevan los reyes o las reinas, aro que se pone en la cabeza.
f Representar.
g Por donde circula la sangre.
h Acto que sigue una costumbre determinada.

2 Ahora, lee el texto y di en qué país ocurre esto:

1 La sal simboliza los malos tiempos de la vida.
2 El novio y la novia no llevan el anillo en la misma mano.
3 Se rompen unos platos durante la boda.
4 Llevan un anillo especial.
5 Encienden una vela grande con dos velas más pequeñas.

Bodas del mundo

INDIA

Los novios llevan los anillos de boda en el cuarto dedo, ya que se cree que las venas de este dedo llegan directamente al corazón. El novio lleva el suyo en la mano derecha y la novia lo lleva en la izquierda, esto es para representar un corazón completo.

Antes de la boda celebran una ceremonia solo para mujeres. En ella, las amigas y familiares de la novia se pintan los pies y las manos con "henna".

IRLANDA

En la boda tradicional irlandesa no puede faltar un anillo Claddagh: un corazón sostenido por dos manos, con una corona, que representa amor, fe y honor.

En la tradición irlandesa se dice: "Cásate en mayo y arruinarás el día. Cásate en abril, alegría para ella y alegría para él".

SUDÁFRICA

En Sudáfrica, después de la boda hay una gran fiesta conocida como el Karamu.

La tradicional boda de Sudáfrica incluye una ceremonia de velas de unidad. Una vela grande se mantiene apagada durante la ceremonia, flanqueada por dos pequeñas velas encendidas. La novia y el novio toman una de las pequeñas para encender la vela grande, que simboliza su unión.

GRECIA

Los novios griegos envían vino con sus invitaciones de boda a sus amigos y familiares y las novias envían dulces con las suyas.

Las novias griegas llevan un velo de color amarillo o rojo que simboliza el fuego.

También es costumbre romper platos en la celebración para llamar a la buena suerte. La fiesta dura toda la noche.

POLONIA

En una boda polaca son muy importantes el pan, el vino y la sal. El pan representa que la nueva pareja no pasará hambre. La sal es un recordatorio de que los tiempos pueden ser difíciles, pero ellos deben hacer frente a todo lo que pueda suceder. El vino representa buena salud y buen humor.

Escuchar

3 🔊•117 Escucha a Lucía y a Miguel hablar de sus experiencias en viajes y señala V o F.

1 Lucía ha viajado mucho. ☐
2 A Miguel le gustaría viajar a Egipto. ☐
3 Lucía fue a Egipto con sus amigos. ☐
4 Lucía conoce casi toda Europa. ☐
5 Miguel estuvo en Argentina y Chile. ☐
6 Miguel practica la vela. ☐

Escribir

4 Este texto está sacado del "Diario de un viaje" de Jorge por México. Complétalo con los verbos del recuadro.

> han dado • ha sido • he comido • ~~he llegado~~
> he encontrado • He vuelto • he salido • he visto
> He paseado • he quedado • he sentado

Diario de un viaje

OAXACA, México

Hoy a las nueve de la mañana (1) *he llegado* a Oaxaca, una ciudad con mucho movimiento. En la oficina de turismo me (2) _____ un mapa de Oaxaca muy claro y con él en la mano (3) _____ fácil llegar caminando al Hotel Luz de Luna. Por 300 pesos mexicanos me (4) _____ en una habitación con una buena cama, Wi-Fi, cocina y un desayuno.

Después de dejar la mochila, (5) _____ a caminar por el Zócalo, la plaza central de la ciudad, que está siempre llena de gente. (6) _____ por el mercadillo de artesanía, y (7) _____ los bonitos trabajos en telas, cueros y cerámicas.

Cerca de la catedral (8) _____ un restaurante donde el menú cuesta 80 pesos mexicanos y por ese precio (9) _____ un plato de sopa, luego mole negro (arroz blanco y una pieza de pollo con una salsa bien negra) acompañado de un vaso de refresco y cinco tortillas.

Por la noche me (10) _____ en un café y he estado escuchando a los músicos callejeros hasta las diez. (11) _____ al hotel muy cansado.

5 Escribe el balance de tu vida. Responde a las preguntas y luego escribe un párrafo.

¿Has viajado mucho?
¿Por tu país o por el extranjero?
¿Has practicado algún deporte?
¿Has conseguido algún premio?
¿Has tenido un hijo?
¿Has plantado un árbol?

Hablar

Alumno A (alumno B, ver «En parejas»)

6 Hoy tienes muchas cosas que hacer. Pregunta a tu compañero si ya ha hecho las siguientes tareas. Tú ya has hecho las señaladas con una X.

¿Has comprado ya el pan?

Comprar el pan	
Planchar las camisas	X
Poner la lavadora	X
Regar las plantas	
Fregar los platos	
Ir al banco	X
Llamar por teléfono a Luis	
Comprar el periódico	
Abrir el correo	X
Comprar las entradas para el fútbol	X

7 Responde a tu compañero.

Sí, ya las he planchado.

1 Escribe el contrario de los adjetivos del recuadro.

| feo • grosero • nervioso • triste • aburrido |

1 ___feo – guapo___
2 _____
3 _____
4 _____
5 _____

2 ¿Qué parentesco tienen conmigo las siguientes personas?

1 El hijo de mi madre: _mi hermano._
2 El marido de mi hermana: _____ .
3 La hija de mi hermano: _____ .
4 El hijo de mi tío: _____ .
5 La hermana de mi primo: _____ .
6 La mujer de mi hermano: _____ .
7 La hija de mi hijo: _____ .
8 El hermano de mi padre: _____ .
9 El marido de mi madre: _____ .
10 La madre de mi padre: _____ .

3 Completa con los verbos *ser* o *estar*.

1 Mi hermana _es_ alta y morena.
2 Los niños _____ contentos.
3 Mi marido _____ muy trabajador.
4 Miguel _____ muy preocupado.
5 ¿ _____ (tú) nerviosa por tu boda?
6 El marido de mi hermana no _____ español.
7 Las cervezas no _____ frías.
8 Ahora no tengo que estudiar. Después del examen _____ más tranquilo.
9 Mi abuelo _____ muy generoso, siempre me da dinero cuando voy a visitarlo.

4 Completa el texto con el pretérito perfecto de los verbos entre paréntesis.

Alicia y Ricardo están esperando para hacer una entrevista de trabajo. (1) _Han llegado_ (llegar) puntuales, pero no (2) _____ (tener) tiempo de prepararse, y no (3) _____ (leer) ninguna información sobre la empresa. Por eso no (4) _____ (pensar) en ninguna respuesta inteligente. (5) _____ (realizar) antes distintos trabajos, pero Ricardo no (6) _____ (trabajar) nunca en una empresa de publicidad. Alicia (7) _____ (vestirse) con su traje nuevo y Ricardo (8) _____ (comprarse) una corbata para la ocasión.

5 Escribe la historia de Rubén con Laura. Utiliza el pretérito perfecto o el pretérito indefinido.

Historia de Rubén:
El sábado pasado…

1 Conocer a Laura.
Conocí a Laura.
2 Bailar con ella.
_____
3 Pasárselo bien.
_____
4 Acompañarla a casa.
_____

Desde entonces hasta hoy,
5 Verla todos los días.
_____
6 Ir a buscarla a casa todas las tardes.
_____
7 Llamarla por teléfono todas las noches.
_____

¿Qué sabes?

☺ ☺ ☹

- Hablar del carácter. ☐ ☐ ☐
- Describir a la familia. ☐ ☐ ☐
- Utilizar el pretérito perfecto. ☐ ☐ ☐
- Expresar obligación y prohibición. ☐ ☐ ☐
- Hablar de costumbres diferentes. ☐ ☐ ☐

Tiempo libre

13

■ *Expresar deseos*
■ *Alquilar una casa*

1 Mira las fotos. ¿Dónde te gustaría vivir? ¿Por qué?

A mí me gustaría vivir en el chalé porque tiene jardín y a mí me gustan las plantas.

Escuchar

2 🔊 118 En una agencia de venta y alquiler de pisos, varias personas están buscando vivienda. Escucha y toma nota. ¿Qué cosas son importantes para cada uno?

Roberto: pequeño...
Familia Hierro:
Carmen y Francisco:

3 En parejas. Prepara una conversación con tu compañero/a en una agencia inmobiliaria.

■ *Buenos días, ¿en qué puedo ayudarle?*
● *Estoy buscando un piso, un chalé, una casa...*
■ *¿Dónde le gustaría vivir: en el centro o lejos del centro?*

4 Escribe la letra correspondiente.

1 ducha	☐	9 nevera	☐
2 microondas	☐	10 espejo	☐
3 armario	☐	11 cama	☐
4 librería	☐	12 lavadora	☐
5 chimenea	☐	13 lavabo	☐
6 mesita de noche	☐	14 manta	☐
7 sillón	☐	15 horno	☐
8 silla	☐	16 alfombra	☐

5 Coloca cada cosa en su habitación. Hay más de una opción.

SALÓN-COMEDOR	BAÑO	DORMITORIO	COCINA
librería			

Gramática

ME GUSTARÍA + INFINITIVO

- Para expresar deseos, tanto probables como poco probables, usamos la forma (*me, te, le...*) *gustaría* + infinitivo.
  A Lucía le gustaría cambiar de trabajo.

6 Relaciona.

1 A mí...
2 ¿A ti...
3 A Pedro...
4 A mi marido y a mí...

a le gustaría vivir en el campo.
b te gustaría trabajar por la tarde?
c nos gustaría ir a la ópera.
d me gustaría ir de vacaciones a Andalucía.

7 Lee el artículo y contesta.

1 ¿A qué se dedica Leticia Sánchez?
2 ¿De qué color están pintadas las paredes de su casa?
3 ¿Dónde pasa mucho tiempo?
4 ¿Qué tiene en el jardín?
5 Describe el salón de su casa.

8 Lee otra vez y completa las frases con información del artículo.

1 La casa donde vive Leticia se encuentra a _____ de Madrid, en una _____ rodeada de muchos parques.
2 En el salón hay una _____ , una mesa y un _____ marrón de cuero.
3 En el jardín tiene una _____ con _____ , y ahí toma el _____ .

9 Describe tu casa ideal. Primero prepara la descripción con estas preguntas.

1 ¿Dónde está: en el campo, en el centro de la ciudad, en la montaña, al lado del mar?
2 ¿Cuántas plantas tiene? ¿Qué habitaciones hay arriba y qué hay abajo?
3 ¿Cuántos dormitorios tiene?
4 ¿Tiene garaje, jardín, piscina, terraza?
5 ¿De qué estilo es: moderno, antiguo?
6 ¿Cómo son los muebles: clásicos, funcionales, de hierro, de madera?

10 Cuéntaselo a tus compañeros.

EL RINCÓN
de Leticia Sánchez

Hoy visitamos la casa de Leticia Sánchez, diseñadora de la revista *Viajar*. Su casa, situada a 10 kilómetros de Madrid, tiene una luz especial.

"Odio las casas de ahora, que tienen los techos bajos. Mi casa tiene que ser amplia. Me gustan las paredes pintadas con colores suaves, que dan una armonía especial. Las casas pintadas de colores fuertes me cansan. La habitación que más utilizo es el salón. Me gusta mucho el sofá, tapizado con piel marrón. A mi hija le encanta sentarse en él a ver la televisión. El suelo es de madera y en las ventanas no tengo cortinas, pues me gusta que entre la luz. Otro de mis lugares preferidos es el jardín. En él tengo una mesa y unas sillas muy cómodas en donde puedo tomar el sol y leer. También me gusta cuidar las plantas. Cuando era más joven me gustaba vivir en el centro de Madrid. Pero desde que tuve a mi hija preferí venir a vivir a un lugar con más zonas verdes y alejado de la contaminación. Me encanta dar paseos por los parques que hay alrededor de mi urbanización, y los fines de semana monto en bici con mi marido y mi hija".

¿Qué has hecho el fin de semana?

■ *Hablar de cine y actividades de tiempo libre*

1 Comenta con tus compañeros

¿Te gusta el cine?
¿Cuántas películas ves al mes?
¿Qué película, de las últimas que has visto, te ha gustado más?
¿Recuerdas alguna película española?

Vocabulario

2 Relaciona las siguientes definiciones con cada tipo de película.

> un musical • una comedia • de terror
> de ciencia ficción • de guerra • de acción
> una película del oeste • una película policíaca

1 Una película divertida que te hace reír.
una comedia
2 Una película de indios y vaqueros.
3 Una película en la que se canta y se baila.
4 Una película sobre fantasías del futuro.
5 Una película en la que se pasa mucho miedo.
6 Una película con policías y ladrones.
7 Una película con enfrentamientos bélicos.
8 Una película con muchas aventuras.

3 En parejas. ¿Qué tipo de películas te gustan más?

A mí me gustan mucho las películas de terror.
A mí, no. Prefiero las comedias o las películas de amor.

Escuchar

4 Escucha a estos tres compañeros hablando de su fin de semana y señala si las siguientes afirmaciones son verdaderas o falsas.

1 Pepa vio una película española.
2 Beatriz estuvo en el cine con sus amigos.
3 Beatriz y sus amigos fueron a la playa el domingo.
4 Mariano no ha salido durante el fin de semana.
5 El partido de fútbol fue muy divertido.

5 Escucha otra vez y practica las conversaciones con tu compañero. Mira las transcripciones si es necesario.

Gramática

PRETÉRITO INDEFINIDO / PRETÉRITO PERFECTO

- Se usa el **pretérito perfecto** para hablar de acciones acabadas en un tiempo pasado no cerrado:
  ■ *¿Qué **has hecho** este verano?*
  ● ***He estado** de vacaciones en Sevilla.*

- Se usa el **pretérito indefinido** para hablar de acciones acabadas en un momento definido del pasado.
  ■ *¿Qué **has hecho** este fin de semana?*
  ● *El viernes por la tarde **fui** al cine, el sábado por la mañana **jugué** al tenis con Eduardo y el domingo no **salí**, me **quedé** en casa.*

6 En parejas. Practica, como en el ejemplo:

1 Ir al teatro / Limpiar la casa
 ■ *¿Qué has hecho este fin de semana?*
 ● *El sábado fui al teatro y el domingo limpié la casa.*

2 Dar un paseo / Ver una peli en casa.
3 Ir a ver a mis padres / Salir con Lucía.
4 Hacer la compra / Ir al parque.
5 Jugar al fútbol / Estudiar para el examen.
6 Jugar al ordenador / Levantarse a las 12.
7 Ir de compras / Responder correos.
8 No hacer nada especial / Quedarse en casa.

7 Subraya el verbo más adecuado:

1 ■ ¿Cuánto <u>has ganado</u> / *ganaste* este mes con las ventas?
 ● Pues este mes *ha sido* / *fue* bueno, *he sacado* / *saqué* más dinero que el mes pasado.

2 ■ ¿Por qué no *ha venido* / *vino* Julio hoy a trabajar?
 ● Porque anoche *llegó* / *ha llegado* muy tarde de su viaje.

3 ■ ¿Quién *ha entrado* / *entró* en mi habitación, mis papeles están desordenados?
 ● Creo que Rosa *entró* / *ha entrado* el sábado a limpiar el polvo.

4 ■ ¿Quién *ha ganado* / *ganó* el Campeonato del Mundo de Baloncesto este año?
 ● Yo creo que EE.UU.
 ▲ No, EE.UU. lo *ha ganado* / *ganó* el año pasado.

5 ■ ¿Por qué no *ha venido* / *vino* Pablo a la fiesta del domingo?
 ● Porque *ha tenido* / *tuvo* que ayudar a su padre.

6 ■ ¿Usted no *ha estado* / *estuvo* aquí la semana pasada?
 ● Sí, pero no *he visto* / *vi* al jefe del departamento y por eso *volví* / *he vuelto*.

7 ■ ¿*Han cerrado* / *cerraron* ya la farmacia?
 ● Sí, ya *han cerrado* / *cerraron* hace más de media hora.

8 ■ ¿*Habéis estado* / *estuvisteis* alguna vez de vacaciones en México?
 ● Sí, *hemos estado* / *estuvimos* el año pasado.

9 ■ ¿*Has visto* / *viste* la última película de Almodóvar?
 ● Sí, la *he visto* / *vi* el domingo pasado.

8 Lee y completa con el vocabulario del recuadro.

> todo / casi todo el mundo • la mayoría
> casi la mitad • muy pocos

Tiempo libre
Actividades practicadas habitualmente por los jóvenes

Cultura

Visitar museos y exposiciones	43%
Asistir a conferencias	10%
Leer libros	67%

Música

Escuchar música en directo	77%
Escuchar música grabada	100%
Oír la radio	8%

Ocio

Ir al cine	82%
Salir con los amigos	100%
Colaborar con alguna ONG	9%
Ir a la discoteca	45%
Practicar un deporte	65%

1 <u>Casi la mitad</u> de los jóvenes visitan museos y exposiciones.
2 _____ asisten a conferencias.
3 _____ lee libros.
4 _____ escucha música en directo.
5 _____ escucha música grabada.
6 _____ de los jóvenes oye la radio.
7 _____ va al cine.
8 _____ sale con los amigos.
9 _____ jóvenes colaboran con alguna ONG.

9 En grupos, contad qué actividades realiza cada uno y elaborad un cuadro.

Gramática

PRONOMBRES DE OBJETO DIRECTO E INDIRECTO		
sujeto	o. directo	o. indirecto
yo	me	me
tú	te	te
él / ella / Ud.	lo, la	le (se)
nosotros/as	nos	nos
vosotros/as	os	os
ellos / as / Uds.	los, las	les (se)

A. ¿Le has dado <u>las llaves</u> <u>a Mercedes</u>?
                     O.D.   O.I.

B. *Sí, ya* ~~te~~   <u>las</u> *he dado.*
       O.I. O.D.
       <u>se</u>

1 Pide cosas prestadas a tu compañero.

- ■ *¿Me dejas la goma?*
- ● *Sí, claro, cóge**la**.*
- ■ *¿Me dejas tu diccionario?*
- ● *No, lo siento, **lo** necesito yo.*

2 Lee y completa.

> me los • te los • los • me la • el mío • telos

1 ■ ¿Y estos vaqueros?, ¿de quién son?
  ● Son míos.
  ■ ¡Qué bonitos! ¿Me _____ dejas?
  ● Sí, claro, lléva _____ .
2 ■ Nuria, ¿es tuyo este cinturón?
  ● No, _____ es más ancho que este.
3 ■ ¿De quién es esta raqueta?
  ● Mía.
  ■ ¿Es nueva?
  ● Sí, _____ ha comprado mi madre.
4 ■ ¡Qué pendientes tan bonitos! ¿Quién _____
  ha regalado?
  ● ¿Te gustan? _____ ha regalado mi novio.

3 🔊120 Escucha y comprueba.

4 Ha sido el cumpleaños de tu compañero/a y le han regalado algunas cosas. Pregúntale quién le ha regalado cada cosa.

- ■ *¡Qué reloj tan bonito!, ¿quién te lo ha regalado?*
- ● *Me lo ha regalado Mar.*
- ■ *¡Qué gafas de sol tan bonitas!, ¿quién…*

Haz lo mismo con otros objetos: *bolígrafo, móvil, bolso, cartera, corbata, anillo, pantalones, camiseta,* etcétera.

5 Completa con los pronombres.

1 ■ ¿Le has dado el dinero al fontanero?
　● Sí, ya *se lo* he dado.
2 ■ ¿Les has dado los muebles a los vecinos?
　● Sí, ya _____ _____ he dado.
3 ■ ¿Le has dado las plantas a Isabel?
　● Sí, ya _____ _____ he dado.
4 ■ ¿Le has dado la foto a Enrique?
　● Sí, ya _____ _____ he dado.
5 ■ ¿Le has comprado los libros a tu hermana?
　● No, no _____ _____ he comprado aún.

6 Coloca el pronombre en el lugar adecuado.

1 ¿Qué *le* has regalado a mamá? (le)
2 Julia, Luis ha llamado por teléfono tres veces. (te)
3 ■ ¿Has visto a los vecinos?
　● No, hoy no he visto. (los)
4 ■ ¿Has traído el libro al niño? (le)
　● No he traído porque no he encontrado en la libre-ría. (se, lo, lo)
5 Vamos ya, los amigos están esperando. (nos)
6 Esperamos en nuestra casa de la playa. (os)
7 ■ ¿Has dicho a tus padres que casas con Ana? (les, te)
　● No, todavía no he dicho. (se, lo)
8 ■ ¿Has traído que pedí? (me, lo, te)
　● No, traigo mañana. (te, lo)
9 ■ ¿Ha dejado María los apuntes? (te)
　● No, no he visto. (la)

7 🔊121 La jefa del departamento comercial le pregunta a Carlos por el trabajo que ha realizado en la semana. Escucha y señala qué ha hecho (V) y qué no ha hecho (X) Carlos.

1 Enviar la información de las novedades a los otros departamentos. ☐
2 Enviar el presupuesto al director general. ☐
3 Ver al director del banco acerca del préstamo. ☐
4 Pasar las facturas a contabilidad. ☐
5 Entregar el pedido a los clientes de Sevilla. ☐

8 🔊121 Escucha otra vez y escribe las contestaciones de Carlos.

1 Sí, *se la pasé a Cristina el martes.*
2 _____
3 _____
4 _____
5 _____

Pronunciación y ortografía

Colocación de la tilde

1 🔊122 Escucha y escribe cada palabra en la columna correspondiente.

limón rápido **lápiz** ácido **papelera**
examen japonés **trabajo** lápices
lección **sofá** escribir rapidez
alemana **iraní** coche **ordenador** crisis

Esdrújulas	Llanas	Agudas

2 🔊122 Escucha otra vez y repite.

3 Completa las reglas de acentuación.

● Llevan tilde las palabras **agudas** que terminan en _____ , _____ , _____ .
　Por ejemplo: *café, corazón, irlandés*.

● No llevan tilde las palabras **llanas** que terminan en _____ , _____ , _____ .
　Por ejemplo: *casa, crimen, pisos*.

● Llevan tilde _____ las palabras **esdrújulas**.
　Por ejemplo: *pájaro*.

Leer

1 Lee estas reseñas de películas y completa con las palabras del recuadro:

> famoso • ~~argentina~~ • risa • hecho real • ópera
> guion • premio(s) (x 2) • dirigido • drama
> crisis • actores • película • director (x 2)

EL HIJO DE LA NOVIA

El hijo de la novia es una superproducción (1) *argentina* con todos los ingredientes para tener éxito. Tiene un gran reparto de (2) _____, encabezado por Ricardo Darín y Héctor Alterio, y un (3) _____ que sabe combinar la (4) _____ con la emoción. *El hijo de la novia* trata de un hombre de 40 años que pasa por una (5) _____ personal y se plantea qué está haciendo con su vida. El (6) _____ es Juan José Campanella

EL BOLA

El Bola es un chico de 12 años que vive en una familia problemática. En la escuela no cuenta sus problemas. Pero un día conoce a otro chico que le enseña otras formas de vivir, otro tipo de familia y se hacen amigos. La (7) _____ *El Bola* cuenta una historia universal de miedo y sufrimiento infantil. Pero también es una película optimista porque enseña el poder que puede tener la amistad.
Esta película recibió varios (8) _____ nacionales e internacionales. Su (9) _____ es Achero Mañas.

CARMEN

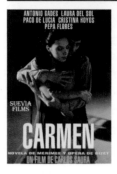

Esta película nos cuenta una historia de amor y pasión, inspirada en la (10) _____ de Bizet. *Carmen* es el segundo musical de Carlos Saura y está protagonizada por el (11) _____ bailarín español Antonio Gades.
Recibió el (12) _____ a la Mejor Contribución Artística en el Festival de Cannes y fue nominada al Óscar como mejor película extranjera en 1984.

LO IMPOSIBLE

Lo imposible, una película basada en un (13) _____. Una pareja con sus tres hijos está de vacaciones en un lugar paradisíaco cuando de repente se ve sorprendida por un tsunami. La familia queda dividida en dos: por un lado, la madre y uno de los hijos y, por otro, el padre y los otros dos. Unos y otros se buscan en medio del caos y la destrucción. Un (14) _____ protagonizado por Naomi Watts y Ewan McGregor, (15) _____ por Juan Antonio Bayona.

2 Contesta a las siguientes preguntas.

1 ¿Qué nacionalidad tiene *El hijo de la novia*?
2 ¿Quiénes son sus protagonistas?
3 ¿Con qué adjetivos define la crítica la película?
4 ¿Quién dirigió la película *Carmen*?
5 ¿Qué nacionalidad tiene su protagonista?
6 ¿Qué tipo de película es *Carmen*?
7 ¿Qué tipo de película es *El Bola*?
8 ¿Quiénes son los actores principales de *Lo imposible*?
9 ¿Qué película está basada en un hecho real?

Hablar

3 ¿Conoces alguna fiesta importante del mundo hispano? ¿Qué sabes de la Navidad, las Fallas de Valencia, de la Fiesta de los Muertos de México?

Escuchar

4 Vas a oír a unos estudiantes de español que cuentan cómo es la fiesta de sus países respectivos. Escucha y señala si las afirmaciones son verdaderas (V) o falsas (F).

1 El Día de la Luna se celebra siempre en la misma fecha. ☐
2 Debe ser una noche de luna llena. ☐
3 La Fiesta de las Flores se celebra a primeros de mayo. ☐
4 Chicos y chicas recorren las calles con velas. ☐
5 Cuando termina el recorrido todos se van a casa. ☐
6 Aid es Seguer se celebra en el Ramadán. ☐
7 No se puede comer en tres días. ☐

Escribir

5 Escribe un párrafo contando una fiesta tradicional de tu país. Para ayudarte, responde a las preguntas siguientes:

A

1 ¿Cuál es la fiesta más importante de tu país?
2 ¿Qué se celebra?
3 ¿Cómo se celebra?
4 ¿Hay una comida o comidas especiales? ¿Cuáles?
5 ¿Se intercambian regalos o dinero?
6 ¿La gente estrena ropa? ¿Llevan una ropa especial?
7 ¿Hay canciones especiales? ¿Baila la gente?

B En grupos, comentad vuestras fiestas.

Hablar

Alumno A (alumno B, ver «En parejas»)

6 Escribe en un papel:

• Una comida que te gusta mucho.
• Una película que has visto últimamente.
• Un lugar donde no has estado nunca.
• Un lugar que te gustaría ver.
• Algo que no te gustaría hacer este fin de semana.
• Una cosa que te molesta.
• Algo que no te gusta hacer.
• Alguien famoso que no te cae bien.
• Algo que te preocupa.

7 Díselo a tu compañero:

*A mí me gusta mucho
la pasta, ¿y a ti?*

8 Escucha a tu compañero y responde:

*A mí también / A mí no.
A mí tampoco / A mí sí.
Yo también / Yo no.
Yo tampoco / Yo sí.*

1 Lee los anuncios y completa los huecos con las palabras del recuadro.

> dormitorios • chalé • ascensor • terraza
> jardín • habitación

1 EL PILAR. Piso exterior, 3 _____, suelo de parqué, calefacción individual, quinta planta con _____ 267 500 €. Ref. 1175.

2 CENTRO. Apartamento, una _____. Garaje. A estrenar. 205 000 €. Ref. 408.

3 ROZAS. _____, 200 m², 3 cuartos de baño, 5 dormitorios, _____, piscina. 420 000 € Ref. 359.

4 CHUECA. Ático-dúplex a estrenar, 60 m² de vivienda, 40 m² de _____, Ascensor. 330 000 €. Ref. 562.

2 Contesta como en el modelo.

1 ■ ¿Quién te ha dado este libro?
  ● _Me lo ha dado_ mi profesor.
2 ■ ¿Quién te ha regalado estos pendientes?
  ● _____ mi novio.
3 ■ ¿Quién te ha dicho eso?
  ● _____ Arturo.
4 ■ ¿Quién te ha dado la chaqueta esa?
  ● _____ mi hermano.
5 ■ ¿Quién le ha dado el helado a la niña?
  ● _____ la abuela.
6 ■ ¿Quién le ha prestado el coche a Carlos?
  ● _____ yo.
7 ■ ¿Quién les ha regalado esas playeras a los gemelos?
  ● _____ su padrino.
8 ■ ¿Quién os ha regalado esa bicicleta?
  ● _____ nuestro vecino.

3 Completa el texto con las palabras del recuadro.

> humor • terror • original • reparto
> divertida • éxito • película

LA COMUNIDAD

Esta película, dirigida por Álex de la Iglesia, ha sido un gran (1)_____, al igual que su anterior (2)_____, _El día de la Bestia_, debido a la genial mezcla de (3)_____ y (4)_____ que hace su director. Esta película resulta muy (5)_____ y (6)_____. El (7)_____, encabezado por Carmen Maura, es excelente.

4 Ordena las siguientes frases.

1 piensa / español / Todo / aprender / mundo / que / el / útil / es / muy.
2 de / salen / fines / La / amigos / de / sus / mayoría / con / los / los / semana / jóvenes.
3 mitad / población / en / la / mundial / China / de / Casi / vive / la.
4 pocos / gusta / A / niños / la / les / muy / verdura.
5 el / que / mundial / Casi / cree / mundo / la / es / paz / todo / necesaria.

¿Qué sabes?

	☺	😐	☹
• Expresar deseos (me gustaría…).	☐	☐	☐
• Hablar de cine y actividades de tiempo libre.	☐	☐	☐
• Expresar gustos y opiniones.	☐	☐	☐
• Utilizar pronombres de objeto directo e indirecto.	☐	☐	☐
• Utilizar el pretérito perfecto y el pretérito indefinido.	☐	☐	☐

Antes y ahora

- ·· Hablar de hábitos y circunstancias del pasado
- ·· Hacer comparaciones
- ·· Orientarse en la ciudad
- ·· **Cultura:** Buenos Aires

14

Leer

1 ¿Imaginas cómo era la vida hace 100 años? Señala las afirmaciones y coméntalo con tus compañeros.

1 ...mucha gente viajaba en avión. ___
2 ...no había electricidad en todas las casas. ___
3 ...la gente vivía más años que ahora. ___
4 ...las familias tenían más hijos. ___
5 ...había teléfono fijo en casi todas las casas. ___
6 ...las mujeres llevaban faldas largas. ___
7 ...los hombres hacían tareas domésticas. ___

2 En las frases anteriores, señala el verbo en pretérito imperfecto. ¿Qué valor tiene?

3 ⏱124 Lee y escucha este reportaje del periódico.

El Madrid de principios del siglo XX

A principios del siglo XX los niños madrileños se bañaban en el río Manzanares o cruzaban las calles sin mirar. Ahora es imposible.

María Guerra tiene más de 90 años ahora y cuenta cómo era su infancia: "Mi padre era conductor de tranvía. Yo fui a un colegio de monjas hasta los 14 años. Como no había transporte en el barrio donde vivíamos, todos los días tenía que andar más de media hora para llegar. Cuando tenía catorce años entré a trabajar en un taller de modistas. Los domingos salía con mis amigas a bailar o al teatro, íbamos siempre al teatro La Latina. En Madrid había muchos cafés, pero las mujeres no entrábamos solas, porque estaba mal visto".

4 Responde a las preguntas.

1 ¿A qué se dedicaba el padre de María Guerra?
2 ¿Cómo iba a la escuela? ¿Por qué?
3 ¿A qué edad entró a trabajar?
4 ¿Qué le gustaba hacer los domingos?
5 ¿Entraban las mujeres solas en los cafés? ¿Por qué?
6 ¿Adónde iba Emilio de pequeño?
7 ¿Cuál fue su primer trabajo?
8 ¿A qué se dedicó en su vida adulta?

Por su parte, Emilio Rodríguez dice que le gustaba más jugar en la calle que ir a la escuela. Iba a la puerta del Palacio Real a ver el cambio de guardia en tiempos de Alfonso XIII. También recuerda la primera vez que fue al cine: le pareció maravilloso. A los 14 años empezó a trabajar en una pastelería y todos los días repartía los bollos a domicilio. Luego entró a trabajar en una imprenta y se hizo tipógrafo.

Tanto María como Emilio piensan que la vida ha cambiado desde que ellos eran jóvenes, y que ahora se vive muchísimo mejor que antes.

Gramática

Escribir

5 Escribe los verbos en la forma adecuada.

Antes y ahora

Mario es fotógrafo. El mes pasado empezó a trabajar en un gran periódico como corresponsal y su vida ha cambiado radicalmente.

AHORA, Mario:
· viaja en avión todas las semanas,
· no ve a sus padres,
· duerme en hoteles,
· toma mucho café,
· habla inglés todos los días,
· conoce a gente nueva,
· a veces tiene miedo, pero
· le gusta mucho su trabajo y su vida.

ANTES,
· viajaba muy poco.
· .... a sus padres a menudo.
· .... en su casa.
· no .... café.
· no .... en inglés,
· no .... a mucha gente,
· nunca .... miedo, pero
· no le .... mucho su trabajo y su vida.

Hablar

6 ¿Qué hacías tú cuando eras adolescente? Lee las siguientes actividades, piensa cuáles hacías tú y cuáles no y luego coméntalo con tu compañero.

- ■ *Yo, cuando era joven, tocaba la guitarra. ¿Y tú?*
- ● *No, yo no. Yo hacía deporte, jugaba al baloncesto en el colegio.*

1 tocar la guitarra, el piano, la flauta…
2 hacer deporte: fútbol, baloncesto, *ping-pong*…
3 escribir poesía, un diario, un blog…
4 jugar con juegos de ordenador, videojuegos…
5 ir a la discoteca, al cine…
6 escuchar música a todo volumen…
7 ir a clases de español…
8 chatear…
9 llevar minifalda, trabajar, etc.

7 Subraya el verbo adecuado:

1 Marisa cuando *era* / *fue* pequeña vivía en Londres.
2 Antes a mí me *gustaba* / *gustó* el chocolate, pero ahora no.
3 Ernesto *trabajó* / *trabajaba* en esa empresa un año.
4 Como no *tenía* / *tuve* dinero, no me *compré* / *compraba* los pantalones.
5 Hace 100 años Madrid *tuvo* / *tenía* medio millón de habitantes.
6 Mis padres se *conocían* / *conocieron* en una fiesta y dos años más tarde se casaron.
7 La primera vez que *veía* / *vio* el mar le *parecía* / *pareció* maravilloso.
8 El domingo pasado *vimos* / *veíamos* una película que me *gustó* / *gustaba* mucho.
9 A los dos hermanos les *gustó* / *gustaba* mucho el fútbol, y por eso se *hacían* / *hicieron* futbolistas.
10 Julia y Ramón antes *salieron* / *salían* juntos del trabajo todos los días, ahora no se hablan.
11 Rosa y Ángel *vivieron* / *vivían* juntos tres años.

EDAD: **43 años.**

ALTURA: **1,62 m.**

FAMILIA: **marido y tres hijos.**

VIVIENDA: **chalé adosado de dos plantas.**

PROFESIÓN: **abogada.**

HORARIO DE TRABAJO: **10 horas diarias.**

SALARIO: **3000 € al mes.**

COCHE: **Ford (220 km/h).**

AFICIONES: **trabajar en el jardín, leer y escuchar música.**

PATRICIA

EDAD: **32 años.**

ALTURA: **1,70 m.**

FAMILIA: **dos hijos.**

VIVIENDA: **un piso de 80 m².**

PROFESIÓN: **empleada de banco.**

HORARIO DE TRABAJO: **8 horas diarias.**

SALARIO: **2000 € al mes.**

COCHE: **Opel (200 km/h).**

AFICIONES: **ir al cine y hacer deporte.**

BLANCA

1 Mira las fotos y lee los datos sobre Patricia y Blanca. ¿Quién gana más? ¿Quién trabaja más?

2 ¿Verdadero o falso?

1 Blanca es mayor que Patricia. ☐
2 Blanca es tan alta como Patricia. ☐
3 La casa de Patricia es más grande que la casa de Blanca. ☐
4 Blanca trabaja menos horas que Patricia. ☐
5 A Blanca le gusta salir más que a Patricia. ☐
6 Blanca gana tanto como Patricia. ☐

3 Completa.

1 Blanca no gana _____ Patricia.
2 Blanca no trabaja _____ Patricia.
3 A Blanca le gusta la música _____ a Patricia.
4 Blanca no es tan _____ Patricia.
5 El coche de Blanca es _____ el coche de Patricia.
6 Patricia tiene _____ hijos que Blanca.

Gramática

COMPARATIVOS

● ***Más / menos* + adjetivo + *que*:**
Juan es ***más alto que*** Antonio.

● ***Más / menos* + nombre + *que*:**
Yo gano ***menos dinero que*** mi mujer.

● **Verbo + *más / menos* + *que*:**
Andrés ***corre más que*** Carlos.

● ***Tan* + adjetivo + *como*:**
Mi novia es ***tan alta como*** yo.

● ***Tanto/a / tantos/as* + sustantivo + *como*:**
Ana tiene ***tantos amigos como*** Sara.

● **Verbo + *tanto* + *como*:**
Mi madre ***trabaja tanto como*** mi padre.

COMPARATIVOS IRREGULARES

Más bueno / bien → ***mejor***

Más malo / mal → ***peor***

Más grande / viejo → ***mayor***

Más pequeño / joven → ***menor***

4 Compara.

1 Fruta / dulces.

La fruta tiene más vitaminas que los dulces.
A mí me gustan más los dulces que la fruta.

2 Invierno / verano.

3 París / Londres.

4 Hormiga / mosca.

5 Viajar en tren / viajar en avión.

6 Fútbol / natación.

7 Ver la tele / jugar al ordenador.

8 Música clásica / música moderna.

Escuchar

5 🔊125 Vas a escuchar una conversación telefónica entre Celia, que vive en Madrid, y su amigo Luis, que se ha ido a vivir a Cercedilla, un pueblo de la sierra madrileña. Completa la tabla con los signos +/– .

	MADRID	CERCEDILLA
⚒ Diversiones		
Contaminación 🏭		
👁 Buenas vistas		
Tiendas 🧥		
☀ Tranquilidad		
Prisa 🏃		

6 Mira estos anuncios y contesta.

1 ¿En qué anuncio aparece una comida que pica mucho? ☐

2 ¿En qué anuncio aparece un alimento que está muy rico? ☐

3 ¿En qué anuncio aparece un dulce de Navidad que cuesta mucho dinero? ☐

4 ¿En qué anuncio aparecen lugares muy limpios y solitarios? ☐

Gramática

SUPERLATIVO RELATIVO

*El turrón **más** caro **del** mundo.*
*El alumno **que más** estudia **de** la clase.*

SUPERLATIVO ABSOLUTO:

Muy** + adjetivo = adjetivo + -**ísimo/a/s
Muy raro** = raro + -**ísimo** = **rarísimo
Muy fácil** = fácil + -**ísimo** = **facilísimo

Observa

rico → *riquísimo*	cerca → *cerquísima*
fuerte → *fortísimo*	antiguo → *antiquísimo*
amable → *amabilísimo*	

7 Completa las siguientes frases hablando de tu país.

1 Ciudad / grande

La ciudad más grande es ...

2 mes / frío

3 fiesta / popular

4 edificio / antiguo

5 equipo de fútbol / bueno

6 lugar de vacaciones / divertido

8 En grupos de cuatro, discute con tus compañeros:

¿Quién es el mejor cantante del mundo?

¿Quién es el mejor deportista de tu país?

¿Cuál es la mejor ciudad para vivir?

A

Turrón 2000
El turrón más caro del mundo

B

Llévese nuestro riquísimo pan integral
panecillos La Sorianita

Pruebe las sabrosísimas **ENCHILADAS MARTÍNEZ**, las más picantes de todo **MÉXICO**

C

Disfrute de la mayor isla del Caribe.
Limpísimas playas.
Aguas transparentes.
Solitarios cayos.
Arena blanquísima.

Viaje a **Cuba** con VIAJES GUAJIRA, los más económicos, los más seguros, los inigualables.

D

14c Moverse por la ciudad

1 🔊126 Escucha y escribe el número en el coche correspondiente.

1 El coche rojo está delante de la casa.
2 El coche azul está enfrente de la casa.
3 El coche verde está en la esquina de la casa.
4 El coche naranja está en el cruce.
5 El coche marrón está detrás de la casa.
6 El coche amarillo está a la derecha de la casa.
7 El coche negro está a la izquierda de la casa.
8 El coche violeta está cerca de la casa.
9 El coche azul marino está lejos de la casa.

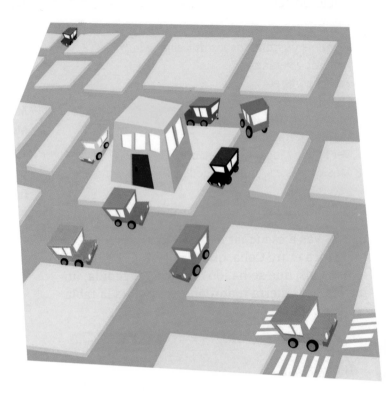

2 Observa el dibujo y completa las siguientes frases con la expresión de lugar correspondiente.

Nos hemos comprado una casa preciosa en un bonito barrio residencial.

1 *Delante de* _____ la casa hay un jardín.
2 _____ la casa hay una piscina.
3 _____ la casa hay una iglesia.
4 _____ hay un semáforo.
5 _____ hay un puesto de periódicos.
6 _____ de la casa está el Banco.
7 Hay un río _____ la casa.
8 _____ la casa se ven las montañas.

3 🔊127 Escucha y completa los diálogos.

1 ■ Perdone, ¿podría decirme dónde hay un puesto de periódicos?
  ● Siga recto y *enfrente del* banco, justo (1) _____, ahí lo encontrará.

2 ■ Disculpe, estoy buscando una farmacia. ¿Sabe si hay alguna por aquí?
  ● ¿Ve usted esa iglesia? Pues (2) _____ la iglesia está la farmacia, (3) _____ la oficina de correos.

3 ■ Por favor, ¿me podría indicar cómo llegar al Ayuntamiento?
  ● Sí, claro. Siga todo recto y, (4) _____ tuerza (5) _____. (6) _____ la escuela está el ayuntamiento.

4 Según tu opinión, ¿son estas afirmaciones verdaderas o falsas? Después compáralas con las respuestas de tu compañero.

1 Los trenes son más puntuales que los autobuses. ☐
2 Viajar en autocar es más caro que viajar en tren. ☐
3 Las motos son más seguras que los coches. ☐
4 El avión es el medio de transporte más rápido. ☐
5 El metro es más lento que el autobús. ☐
6 La bicicleta es el medio de transporte más ecológico y barato. ☐

5 ¿Cuántos nombres de medios de transporte conoces en español? Haz una lista y complétala con tu compañero.

6 En un foro hemos encontrado esta encuesta con sus respuestas. En grupos, recoged las respuestas de los compañeros de la clase.

¿Qué medio de transporte prefieres?

"Yo prefiero el taxi, pero la verdad es que voy en mi bici porque no tengo dinero".

"Por las mañanas voy en coche a mi trabajo y por la tarde uso mis pies".

"El coche de mi padre, mis pies y el transporte público".

"Prefiero el coche sobre todo, pero en mi ciudad es imposible moverse, así que voy siempre en metro".

"A mí me encanta viajar en barco, pero vivo en Madrid".

"Yo viajo mucho en avión debido a mi trabajo, así que los fines de semana y en vacaciones utilizo la bici y la moto".

Pronunciación y ortografía

Diptongos

- Las vocales en español se clasifican en vocales abiertas (*a-e-o*) y vocales cerradas (*i-u*).

- Cuando dos vocales se pronuncian en una sola sílaba tenemos un **diptongo**.
  - una vocal **abierta** + una vocal cerrada: *ai, au, ei, eu, oi, ou; ai-*re, *cau-*sa, *Zeu*s.
  - una vocal cerrada + una vocal abierta: *ra-dio, his-to-ria, tie-*rra, *a-gua, puer-*to, *an-ti-guo.*
  - dos vocales cerradas: *fui.*

1 🔊128 Escucha y repite.

> **diez seis pie pausa historia**
> **puedo oigo agua diario**
> **horario rey cien sauna**

2 🔊129 Señala la palabra que oyes.

> **dios/dos rey/res aula/ala pez/pie mes/mies**
> **bien/ven cielo/celo**
> **euro/oro cuero/coro podo/puedo**

3 🔊129 Escucha otra vez y repite.

Leer

1 ¿Qué sabes de Buenos Aires? Señala V o F:

1 Buenos Aires es la capital de Argentina. ☐
2 Está junto al mar. ☐
3 Tiene más de diez millones de habitantes. ☐
4 En Buenos Aires se habla portugués. ☐
5 Su equipo de fútbol es el Buenos
   Aires Fútbol Club. ☐
6 Es la cuna del tango. ☐

2 Lee el texto y comprueba si has acertado.

3 Corrige las siguientes frases falsas.

1 Buenos Aires es la capital menos conocida de Sudamérica.
   Buenos Aires es probablemente la capital más destacada de Sudamérica.
2 El barrio de La Boca es conocido por sus lujosas viviendas.
3 El equipo de fútbol más popular tiene su cuna en el barrio de San Telmo.
4 El barrio de La Recoleta no es un barrio muy elegante.
5 El Moderno Palermo es un barrio industrial.
6 En La Recoleta están los bares de moda.
7 Los porteños suelen ser aburridos e insociables.

La ciudad de Buenos Aires

Buenos Aires es probablemente la más elegante y destacada capital de Sudamérica, con 13 millones de habitantes, popularmente llamados "porteños".

Buenos Aires tiene distintos barrios para visitar. Uno puede dirigirse hacia el sur, paseando por las calles de San Telmo, hogar del tango. Un poco más hacia el sur está el famoso barrio del puerto: La Boca, con casas de metal pintadas de brillantes colores. Esta es la cuna del Boca Juniors, el equipo de fútbol más popular, la máxima expresión de la pasión nacional por el deporte rey.

Al otro lado de la ciudad, hacia el norte, está el barrio de La Recoleta, de los más elegantes del país. Un poco más lejos, encontramos el Moderno Palermo, lleno de árboles, con un zoo y bonitos parques y jardines. Y el Palermo Viejo, un vecindario más pequeño, lleno de bares de moda y restaurantes internacionales.

El corazón de la capital se extiende a lo largo de la orilla oeste del Río de la Plata, al que todos los porteños consideran el más ancho del mundo.

Este "París del Sur" no dejará de sorprendernos, con sus ciudadanos elegantes y orgullosos, sociables y animados.

Músicos en las calles de San Telmo

Típicas casas de colores en La Boca

Edificio del Congreso

Puerto Madero

Escuchar

4  Tres personas mayores cuentan dónde pasaban sus vacaciones cuando eran niños. Escucha y contesta a las preguntas.

LOLA

1 ¿Dónde pasaba sus vacaciones Lola?

2 ¿Por qué podían jugar los niños en la calle en Ondara?

3 ¿Cómo aprendió a nadar Lola?

CARLOS

4 ¿Qué clima hace en la Mancha?

5 Quiénes salían a pasear por la tarde?

PALOMA

6 ¿Por qué Paloma no salía de Madrid en vacaciones?

7 ¿Cuándo iba a la piscina con su familia?

8 ¿Cuándo volvían todos a casa?

5 En un foro hemos encontrado descripciones de "mi barrio antes y ahora". Lee los dos textos y completa los huecos con los verbos del recuadro.

> tenía (x2) • era (x2) • daban • hacía
> había (x2) • están • dan • hay (x3) • eran (x2)
> jugábamos • iban • estaban (x2) • estaba

Mi barrio antes y ahora

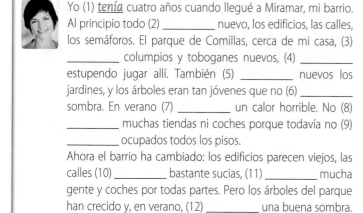

Yo (1) _tenía_ cuatro años cuando llegué a Miramar, mi barrio. Al principio todo (2) _____ nuevo, los edificios, las calles, los semáforos. El parque de Comillas, cerca de mi casa, (3) _____ columpios y toboganes nuevos, (4) _____ estupendo jugar allí. También (5) _____ nuevos los jardines, y los árboles eran tan jóvenes que no (6) _____ sombra. En verano (7) _____ un calor horrible. No (8) _____ muchas tiendas ni coches porque todavía no (9) _____ ocupados todos los pisos.
Ahora el barrio ha cambiado: los edificios parecen viejos, las calles (10) _____ bastante sucias, (11) _____ mucha gente y coches por todas partes. Pero los árboles del parque han crecido y, en verano, (12) _____ una buena sombra. También (13) _____ una fuente preciosa.

Mi barrio ahora está mejor que antes. Cuando yo era niño las casas (14) _____ viejas, las calles no (15) _____ asfaltadas y (16) _____ pocos coches. No había ningún parque, los niños (17) _____ en la calle. Solo había una panadería y, para hacer la compra, mis padres (18) _____ a un mercado que (19) _____ un poco lejos. Ahora (20) _____ edificios nuevos, las calles están asfaltadas y muy cerca de mi casa han construido un centro comercial donde se puede comprar de todo: alimentación, ropa, ordenadores…

6 Escribe la descripción de tu barrio antes y ahora en un párrafo de 120 palabras.

Hablar

Alumno A (alumno B, ver «En parejas»)

7 Muévete por la clase y pregunta a los compañeros.

¿El año pasado tenías el pelo largo?

Encuentra a alguien que…

…el año pasado (tener) el pelo largo.

…cuando (ser) niño (tener) perro o gato.

…(jugar) al fútbol o al baloncesto.

…(comer) en el colegio todos los días.

…antes (fumar), pero ahora no.

…(escribir) poesías cuando (ser) adolescente.

…(salir) con los amigos todos los fines de semana.

…(gustar) la música clásica cuando (ser) adolescente.

1 Escribe sobre lo que hacías y no hacías cuando eras más joven. Utiliza los verbos del recuadro.

> hablar español • utilizar el ordenador • fumar
> dormir ocho horas • beber café • trabajar
> ir al gimnasio.

ANTES:
- *no hablaba español*

AHORA:
- *hablo español*

2 Completa los huecos con el verbo entre paréntesis en la forma correcta (pretérito imperfecto o pretérito indefinido).

1 Mi hermano _trabajó_ (trabajar) muchos años en Alemania.
2 Cuando ____ (ser) joven, mi padre _____ (fumar) puros.
3 Mi abuelo ____ (leer) el mismo periódico toda su vida.
4 Antes de empezar a trabajar (yo) ____ (pasar) tres veranos en Inglaterra.
5 Mis padres y yo, después de la cena, siempre _____ (ver) la televisión.
6 Los alimentos antes _____ (ser) más sabrosos.
7 Antes de tener a los niños, mi mujer y yo _____ (salir) dos veces por semana.
8 El domingo pasado, Pablo y yo _____ (jugar) un campeonato de tenis.
9 Ayer (yo) _____ (enviar) cinco correos electrónicos a tu empresa.
10 Yo no me _____ (comprar) el disco porque ___ (ser) muy caro.
11 Antes, la gente _____ (viajar) menos al extranjero.

3 Completa las siguientes frases con las palabras del recuadro.

> más (x4) • menos • tan (x2) • como • tanta

• El coche que ha comprado tu hijo es mejor que el mío: no gasta (1) _____ gasolina y es bastante (2) ____ seguro.
• Me encanta la natación, es uno de los deportes (3) ____ completos que hay. No es tan emocionante (4) _____ el "puenting", pero es (5) ____ divertido que la pesca, y (6) _____ caro que el esquí.
• La casa de mi compañera es (7) _____ grande como la mía, pero el jardín no es (8)____ grande como el nuestro y la piscina es (9)____ pequeña.

4 Escribe seis frases sobre los siguientes personajes. Usa la forma comparativa de los adjetivos del recuadro como en el ejemplo.

Eva Longoria · Javier Bardem · Jennifer Lopez

Ricky Martin · Paulina Rubio · Leo Messi

> simpático/a • guapo/a
> rubio/a • alto/a • mayor • joven

Leo Messi es más bajo que Ricky Martin.

5 Escribe cinco frases sobre los personajes del ejercicio anterior. Utiliza el superlativo como en el ejemplo.

Jennifer Lopez es la más famosa.

¿Qué sabes?

😊 😐 ☹

· Hablar de acciones habituales y describir el pasado. ☐ ☐ ☐
· Hacer comparaciones. ☐ ☐ ☐
· Moverse por la ciudad. ☐ ☐ ☐

Cocinar

·· Escribir un anuncio
·· Expresar cantidades indeterminadas
·· Dar instrucciones de forma impersonal
·· **Cultura:** Dieta mediterránea

15

1 ¿Has comprado alguna vez cosas de segunda mano? ¿Te han sido útiles? ¿Has vendido algo tuyo por internet?

Leer

2 Lee los anuncios y busca la información.

1 ¿Por qué se vende el frigorífico?
2 ¿Qué vende José Manuel?
3 ¿Cuánto vale el lavavajillas?
4 ¿Cómo está la cámara fotográfica?
5 ¿Cuántas puertas tiene el frigorífico?

BICICLETA DE MONTAÑA seminueva, 21 v., 3 platos, azul. 100 €. Llamar noches. Tfno.: 91 472 15 26

LAVAVAJILLAS con 4 programas, prácticamente nuevo. 210 €. Móvil: 696 73 76 82

CÁMARA DIGITAL CÁMARA DIGITAL Canon EOS 7D, 18 megapixels, definición real Full HD, batería de litio. Perfecto estado. 300 €. Tfno: 91 573 72 84

TABLETA Samsung Galaxy Note 10.1 32 GB - 1.4 GHz - Blanco. Sin usar. 350 € negociables. Preguntar por José Manuel. Tfno.: 93 441 56 17

PIANO en buen estado, 12 años, 1500 €. También banqueta nueva. Móvil: 674 75 34 91

FRIGORÍFICO LG, 4 estrellas, 2 puertas. Económico. Urge por traslado. Tfno.: 91 569 46 37

---

3 Lee otra vez los anuncios y escribe las preguntas para las siguientes respuestas.

¿De qué color es la bicicleta?

1 <u>Azul</u>.
2 350 €.
3 4 programas.
4 En buen estado.
5 91 573 72 84.
6 12 años.
7 Por las noches.
8 Por José Manuel.
9 2 puertas.
10 Canon EOS 7D.

Escuchar

4 🔊131 Escucha la conversación telefónica entre dos jóvenes que tratan de vender y comprar una moto. Completa la información.

1 Marca: _____
2 Color: _____
3 Precio: _____
4 Dirección del vendedor: _____
5 Hora de la cita: _____

Hablar

5 Practica con tu compañero una conversación telefónica con los anuncios de la actividad 2.

Escribir

6 Escribe el anuncio correspondiente a la oferta de la moto.

7 Piensa en algo que quieras vender. Escribe un anuncio para el periódico *Segunda Mano*.

Escuchar

8 🔊132 Escucha y responde. ¿En qué se gasta el dinero Susana? ¿En qué se gasta el dinero Ángel?

Susana: _____

Ángel: _____

9 En parejas, comenta con tu compañero.

¿En qué te gastas el dinero?
¿Qué te has comprado últimamente?
¿Para qué ahorras?

10 Lee y señala verdadero o falso.

Intercambiar en vez de comprar

¿Por qué no conseguir un "canguro" a cambio de una traducción o pintarle a alguien una habitación a cambio de que cuide el jardín? Son algunos ejemplos de los servicios que se intercambian en las asociaciones de trueque.

Todas ellas funcionan de forma similar: sus socios se comprometen a intercambiar cosas y servicios de forma gratuita. Para eso, suelen editar un boletín donde puedes encontrar lo que cada miembro está dispuesto a realizar.

Cuando necesitas algo, te diriges a la persona que puede realizarlo y acuerdas con ella el valor del servicio. Los servicios que se intercambian son muy variados: cuidado de niños, asesoramientos jurídicos, masajes, trabajos de bricolaje, clases de informática... En cuanto a los objetos, se intercambian aquellas cosas que ya han dejado de ser útiles: una cuna, unos patines. Aunque parezca increíble, la mayoría de la gente está más dispuesta a ofrecer servicios que a solicitarlos.

Para más información, no dudes en contactar con nosotros.

Cooperativa de trueque
EL FORO

1 En las asociaciones de trueque nadie paga con dinero. ☐
2 Puedes encontrar las ofertas llamando por teléfono. ☐
3 Se intercambian cosas que no sirven para nada. ☐
4 No hay mucha variedad de ofertas de intercambio. ☐
5 Hay más oferta de servicios que solicitudes. ☐

1 Completa la tabla con las cosas que puedes comprar en un puesto de frutas y verduras.

> manzana • zanahoria • ~~coliflor~~ • fresa
> pimiento • lechuga • plátano • judías verdes
> uvas • ~~naranjas~~ • patata • melocotón
> tomate • pera

VERDURAS	FRUTAS
coliflor	naranjas

2 Ordena este diálogo entre un vendedor de frutas y verduras (A) y un cliente (B).

A ¿Cuántas quiere? ☐
B Sí, también quiero una lechuga. ☐
A Buenas tardes, ¿qué desea? 1
B Dos kilos. ☐
A Aquí las tiene, ¿algo más? ☐
B Quería comprar unas naranjas de zumo. ☐
A Lo siento, no me queda ninguna. ¿Quiere unas judías verdes? ☐
B Adiós, muchas gracias. ☐
A Sí, claro… y aquí tiene sus vueltas, muchas gracias. ☐
B Tome, ¿puede darme una bolsa, por favor? ☐
A 5,25 €. ☐
B No, gracias. No quiero nada más. ¿Cuánto es? ☐

3 🔊133 Escucha y comprueba.

4 Completa la tabla con las siguientes expresiones del recuadro.

> ¿Qué desea? • ¿Quiere algo más?
> ¿Cuánto es? • ¿Pueden enviármelo a casa?
> Quería comprar… • Aquí tiene la vuelta

EL VENDEDOR DICE	EL CLIENTE DICE
¿Qué desea?	¿Cuánto es?

Hablar

5 En parejas. Practica un diálogo entre un vendedor de frutas y verduras y un comprador con la siguiente lista de la compra.

> • 2 kg de patatas.
> • 1/2 kg de pimientos verdes
> • 1 kg de manzanas.
> • 1 cabeza de ajos.

Gramática

INDEFINIDOS

Invariables

- Para personas: *alguien, nadie.*
  - ¿Ha llamado **alguien**?
  - No, esta mañana no ha llamado **nadie**.
- Para cosas: *algo, nada.*
  - ¿Quiere usted tomar **algo**?
  - No, gracias, no me apetece **nada**.

Variables

- Para personas y cosas: *algún(o), -a, -os, -as ningún(o), -a.*
  - ¿Tienes **alguna** revista de coches?
  - No, no tengo **ninguna**.

6 Elige la palabra correcta.

1 ■ Huele a quemado, ¿tienes *algo / nada* en el horno?
- No, no tengo *algo / nada*.

2 ■ No se oye *ningún / algún* ruido. ¿Vive *algún / alguien* arriba?
- No, no vive *nada / nadie*.

3 ■ ¿Tienes *algo / alguien* que hacer esta tarde?
- Sí, tengo *algunos / ningún* trabajos pendientes.

4 ■ ¿Hay *algunas / alguna* silla en la cocina?
- No, no hay *ninguna / alguna*.

5 ■ ¿Quieres *algo / nada* para merendar?
- No, gracias. Ya no me apetece *nada / nadie*.

7 Completa con: *algún, -a, -os, -as, o ningún, -a.*

1 ¿Has estado _alguna_ vez en Sevilla?
2 _____ niños comen muy mal.
3 No tenemos _____ libro con ese título.
4 Todos no, pero _____ son muy buenos estudiantes.
5 ¿Queda _____ refresco en la nevera?
6 En mi habitación no tengo _____ póster.
7 _____ nadadoras europeas superaron sus marcas.
8 Buenas tardes. ¿Tiene _____ mesa libre?
9 Andrés, no queda _____ botella de leche para desayunar.
10 _____ alumnos llegaron tarde a clase.

8 Completa el diálogo con las palabras del recuadro.

> algún • nadie • algo • alguien • nada
> ninguno • algunas

Santi: Necesito comer (1) ____
Silvia: Yo también. Y no hay (2) ____ en la nevera.
Santi: ¿Hay (3) ____ supermercado cerca de aquí donde podamos comprar (4) ____ cosas para cenar?
Silvia: Hay varios, pero (5) ____ está abierto a esta hora.
Santi: Vamos a llamar a (6) ____ para que nos invite.
Silvia: El problema es que son las 12 de la noche y no habrá (7) ____ despierto.
Santi: Te invito a una pizza. Vamos a llamar para que nos la traigan a casa.

Pronunciación y ortografía

Diptongos e hiatos

Algunas veces dos vocales unidas no se pronuncian como una sílaba, sino como dos:
pa-ís, Dí-ez, o-ír, rí-o, pa-e-lla, le-ón, dí-a.
A este fenómeno se le llama **hiato**.

1 🔊134 Escucha y repite las palabras anteriores.

2 🔊135 Escucha las palabras y di cuántas sílabas tienen.

radio: *ra-dio, 2*	vacío:	secretario:
secretaría:	mía:	cuadro:
diez:	río:	avión:
armario:	alegría:	farmacia:

3 Subraya la palabra adecuada.

1 Este libro cuesta _diez_ / *Díez* euros.
2 Mi hermana es *secretaria / secretaría* del director general.
3 Pedro se *rio / río* mucho de la historia.
4 El *río / rio* Duero no pasa por Lisboa.
5 Eso tienes que preguntarlo en la *secretaria / secretaría*.
6 No entiendo nada, ¡qué *lío / lio*!
7 Los bomberos iban *hacia / hacía* la casa que se quemó.
8 Antes yo *hacia / hacía* gimnasia, pero ahora no tengo tiempo.
9 Mis vecinos se llaman *diez / Díez* de apellido.

4 🔊136 Escucha y comprueba.

1 Mira los dibujos.

2 🔊137 Escucha y relaciona las palabras de las dos columnas. Hay más de una opción posible.

1 trocear	a ajos
2 machacar	b calamar
3 picar	c agua
4 cocer	d pimiento
5 freír	e cebolla

3 🔊138 Escucha la receta y complétala.

Gramática

PARA DAR INSTRUCCIONES

Oraciones impersonales para dar instrucciones

● Muchas veces, para dar instrucciones (por ejemplo, en recetas) se utiliza la forma impersonal *se* + verbo en tercera persona del singular o del plural.

– *Se cuece* la carne y *se pica* menudita.
– *Se pican* y *se fríen* los ajos.

4 Completa las frases con el verbo adecuado.

echar • trocear • machacar • freír
lavar • servir

1 *Se lavan* las gambas con agua fría.
2 _____ la cebolla en aceite bien caliente.
3 _____ el arroz en la paellera.
4 La paella _____ en la mesa después de reposar unos minutos.
5 _____ los ajos en el mortero.
6 _____ los calamares en trozos pequeños.

Paella de marisco

Ingredientes

- 150 g de gambas.
- (1) _____.
- 1/2 kg de mejillones.
- una cebolla pequeña.
- un tomate.
- (2) _____.
- azafrán.
- dos dientes de ajo.
- (3) _____.
- verduras optativas: guisantes y judías verdes.

Elaboración

Primero se lavan las (4) _____, el calamar y los (5) _____. Después se trocea el (6) _____. En una paellera, se calienta el (7) _____ y se fríen el pimiento y la (8) _____ bien picada y luego el (9) _____. Cuando está todo frito, se echan los mariscos y las (10) _____. Se deja cocer, a fuego lento, unos diez minutos y luego se echa el (11) _____ y a continuación el agua. La cantidad de agua será el doble de la de arroz. El arroz cocerá unos veinte minutos. Mientras se cuece, en un mortero, se machacan los (12) _____ con la sal, el (13) _____ y se echa en la paellera. Se deja reposar unos minutos.

5 Mira las fotos. ¿Dónde están? ¿Qué están tomando en cada una: la comida, el aperitivo o la merienda?

6 Completa los diálogos con ayuda del recuadro de comunicación. Después, relaciona las fotos con su respectivo diálogo.

1 ■ Por favor, pónganos dos cañas y un vino.
  ● (1) *¿Quieren algo de tapa?*
  ▼ Sí, pónganos tres tapas de morcilla.

2 ■ ¿Qué tal está la paella?
  ● Está buenísima; y el salmón, ¿qué tal está?
  ■ Está un poco soso. Camarero, (2)_____
  _____ , por favor.

3 ■ (3) ¿ _____ ?
  ● (4)_____ de primero ensaladilla rusa y de segundo, ternera asada.
  ▼ Pues a mí (5)_____
  menestra de verduras y de segundo, cordero.
  ■ (6)_____ , ¿qué quieren?
  ● Vino de la casa y agua, por favor.

4 ■ Por favor, (7)¿ _____ ?
  ● Sí, enseguida. Son 5,30 euros.
  ▼ Deja, deja. Hoy me toca pagar a mí.

5 ■ Buenas tardes. (8)¿ _____ ?
  ● (9)_____ dos cafés con leche y un té con limón.
  ■ (10)¿ _____ ?
  ● Sí, traiga unos churros, por favor.

7 🔊 139 Escucha y comprueba.

Comunicación

El cliente

● **Para pedir una consumición:**
  Póngame, pónganos. Traiga…, por favor.
  Yo quiero…

● **Para pedir la cuenta:**
  La cuenta, por favor.
  (Por favor), ¿me / nos cobra?
  ¿Me dice cuánto le debo?

El camarero

¿Qué van a tomar?
¿Qué quieren tomar / comer?
¿Qué les pongo?
¿Quieren algo de comer / tapa?
Y de beber, ¿qué quieren?

Hablar

8 En parejas, preparad dos diálogos, uno en un restaurante y otro en una cafetería.

Leer

1 Lee el texto y coloca las preguntas siguientes en su lugar correspondiente.

- ¿Qué beneficios nos aporta?
- ¿Hay peligro de que desaparezca nuestra dieta?
- ¿Qué características tiene?

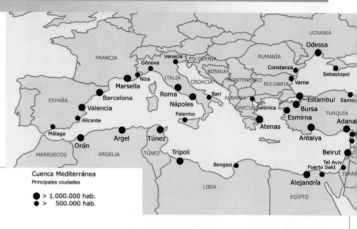

Cuenca Mediterránea
Principales ciudades

● > 1.000.000 hab.
● > 500.000 hab.

La dieta mediterránea

La dieta mediterránea es la forma de alimentación que, desde hace varios siglos, siguen los pueblos de la ribera del mar Mediterráneo. En lugar de hablar de dieta únicamente, debemos hablar de "vida mediterránea", porque no se trata solo de una forma de alimentarse, sino también de una forma de vida, con costumbres tan saludables como la siesta y gran actividad física, con un gasto alto de energía.

P.: ¿Qué países siguen esta dieta? (1)

No son solo los países europeos como España, Francia, Italia, Chipre, Grecia, Portugal, la antigua Yugoslavia, Albania, San Marino, o Mónaco; sino también Marruecos, Túnez, Malta, Libia, Israel, Jordania, Egipto, y Siria.

P.: ....(2)

a Aceite de oliva como principal fuente de grasa.
b Consumo alto de alimentos ricos en fibra, como frutas, verduras, legumbres y hortalizas; las ensaladas están presentes en todas las comidas, y estas terminan con fruta como postre, la mayoría de las veces.
c Preparación sencilla de alimentos: hervidos, asados.
d Pastas y arroces se deben tomar de tres a cuatro veces por semana.
e Poco consumo de carnes rojas, y más de pescado y pollo o pavo.
f Uso de productos como el ajo o la cebolla, y algunas especias: orégano, perejil.
g Gusto por los ácidos; las ensaladas se aliñan con vinagre y limón. La naranja es una de las frutas preferidas por la población.
h Vino en las comidas principales en cantidades moderadas (unos 150 cc en cada comida).
i Se toman también productos lácteos: queso y yogur.

P.: .... (3)

Nos protege frente a enfermedades cardiovasculares y algunos tipos de cánceres.

P.: ¿......................................? (4)

No, si todos estamos de acuerdo en las ventajas que tiene alimentarse de una manera sana. Poco a poco, también en los países anglosajones se está poniendo de moda. Una de las características de la dieta mediterránea es el gran consumo de alimentos frescos. Actualmente tenemos en el mercado un buen número de verduras y hortalizas ya limpias y troceadas, listas para ser usadas, lo que nos permite la preparación rápida de una buena ensalada.

Es importante promover entre los jóvenes el conocimiento de nuestra cocina, así como el consumo de frutas y verduras y el gusto por el ejercicio físico.

2 Lee otra vez y señala si las afirmaciones son verdaderas (V) o falsas (F) en la dieta mediterránea:

a Se utiliza la mantequilla para cocinar. ☐
b Se comen muchas naranjas y limones. ☐
c Los alimentos se preparan especialmente hervidos y asados. ☐
d No se bebe mucho vino. ☐
e Se come mucha carne de ternera. ☐
f Se comen muchos productos lácteos, como el yogur. ☐
g Se toman pocas ensaladas. ☐

Escribir

3 Completa el texto que Emilio ha colgado en la red para buscar contactos.

> también • cuando • para • además
> aparte de • siempre

Me llamo Emilio, tengo 28 años y soy cocinero en un restaurante del centro de Sevilla, en el sur de España.

Me gusta el ciclismo y los domingos, (1) _____ no trabajo, salgo con mis amigos a hacer rutas por la montaña.

Soy vegetariano. (2) _____ de frutas y verduras, como pasta, huevos y algo de pescado. No como nada de carne. No fumo, ni bebo alcohol.

(3) _____ montar en bicicleta, me gustan mucho la música y el cine. (4) _____ que puedo voy a algún concierto de música clásica. (5) _____ me gusta el jazz.

Quiero contactar con alguien en España o en el extranjero (6) _____ compartir nuestras aficiones y poder organizar alguna actividad en el futuro.

4 Completa las frases siguientes.

1 Voy al cine con mis amigos cuando _____.
2 Además de estudiar español _____.
3 Siempre que tengo vacaciones _____.
4 Ahorro parte de mi salario para _____.
5 Además de _____ también me gusta _____.

5 Escribe tu perfil describiendo tu estilo de vida y tus aficiones.

Escuchar

6 🔊 140 Escucha la entrevista y completa.

1 En España el menú del día consta de un primer plato, un segundo plato de _____ y un postre.
2 En muchos países de Europa la comida de mediodía es _____ que en España. Las comidas fuertes son _____.
3 En Estados Unidos hay un movimiento _____.
4 En Japón la alimentación es _____.

Hablar

Alumno A (alumno B, ver «En parejas»)

7 Dicta a tu compañero tu parte de receta. Escucha y escribe lo que te dicta él.

GAZPACHO

Ingredientes:

• _____.
• Medio pepino.
• Miga de pan _____.
• _____.
• _____ aceite de oliva.
• _____.
• Agua fría.

Elaboración:

Se ponen _____ en la batidora _____ todo muy bien, _____.
Se pone _____ y se guarda _____.
Al servirlo, _____ fría al gusto. También se añaden _____ picadas.

1 ¿Qué palabra no pertenece al grupo?

1 huevos, leche, _zapatos_, pan.
2 postales, ropa, periódicos, revistas.
3 naranjas, plátanos, fresas, carne.
4 pescado, rotulador, lápiz, cuaderno.
5 coliflor, zanahoria, bolígrafo, patatas.
6 manzanas, pimientos, ajos, pollo.

2 Completa con _algo / alguien_ o _nada / nadie_.

1 Aquí no vive _nadie_.
2 ¿Tienes _____ que decir?
3 No tengo _____ que declarar.
4 ¿Ha llamado _____ ?
5 No ha venido _____ a verte.
6 No quiero cenar _____ .
7 ¿Quieres tomar _____ ?
8 No se lo he dicho a _____ .
9 ¿Viene _____ esta tarde?
10 No tengo _____ que hacer.

3 Completa las frases con una palabra de cada columna.

A	B
algún	oveja
alguna	día
algunos	esculturas
algunas	amigos
ningún	chiste
ninguna	moneda

1 Ayer por la tarde vinieron _algunos amigos_ a verte.
2 Es una gran exposición. _____ _____ tienen mucho valor.
3 No hay _____ _____ negra en este rebaño.
4 Estoy aburrido. Cuéntame _____ _____ .
5 ¿Tienes _____ _____ de 2 €?
6 Lucía no ha llegado _____ _____ tarde a trabajar.

4 Completa con las palabras del recuadro.

agua • cebolla • freír • pica • picada
~~ternera~~ • fríen • cucharada • cocer • ajos

Picadillo habanero con tomates

Ingredientes:
carne de vaca, sal, manteca,
ajos, cebolla, ajíes, vinagre, tomates.

Se pone primero una libra de vaca o de (1) _ternera_ a (2) _____ en jarro y medio de (3)_____ y sal. Cuando está cocida se (4)_____ muy menudita. Se pican y se (5)_____ aparte en cuatro onzas de manteca de puerco, una cabeza de (6)_____, media (7)_____ , dos ajíes dulces y seis tomates. Cuando está medio frito se añade la carne (8)_____ con una (9)_____ de vinagre, se revuelve bien y se deja (10)_____. Luego se echa un poco de caldo y se sirve en una fuente.

5 Completa las frases como en el ejemplo.

1 Los sellos _se compran_ (comprar) en el estanco.
2 En la papelería _____ (vender) cuadernos.
3 La ropa _____ (lavar) con detergente.
4 En internet _____ (encontrar) casi toda la información.
5 Los nombres propios _____ (escribir) con mayúscula.
6 ¿Todavía no _____ (saber) la hora de llegada del tren?
7 ¿Cómo _____ (escribir) tu apellido, con _b_ o con _v_?

¿Qué sabes?

· Poner un anuncio en un periódico.
· Expresar cantidades indeterminadas.
· Dar instrucciones en forma impersonal.

Consejos

EN VACACIONES: SIGUE ESTOS CONSEJOS

4 Entra en el agua poco a poco.

5 Sal inmediatamente del agua si estás cansado de nadar.

6 Conserva la playa limpia. No tires basura. Utiliza la papelera.

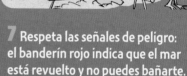

1 En la piscina, dúchate antes de entrar en el agua.

2 Bebe suficiente líquido.

3 Ponles a los niños algo en la cabeza y una camiseta para protegerles del sol.

7 Respeta las señales de peligro: el banderín rojo indica que el mar está revuelto y no puedes bañarte.

8 Para no quemarte, toma el sol poco a poco y ponte siempre crema protectora solar.

9 No te bañes después de una comida abundante o de un ejercicio intenso.

---

1 ¿Vas mucho a la playa? ¿Vas a bañarte o a nadar en una piscina?

> *Casi nunca voy a la playa, pero voy a nadar a la piscina tres veces a la semana.*
> *Todos los meses…*
> *Dos o tres veces al año…*
> *Todos los veranos…*

2 🔊141 Lee y escucha las instrucciones del cartel.

3 Lee otra vez y contesta a las preguntas.

1 ¿Cuándo no puedes bañarte?
2 ¿Cómo debes meterte en el agua?
3 ¿Qué hay que hacer para mantener limpia la playa?
4 ¿Cuándo debes salir del agua?
5 ¿Qué hay que hacer antes de entrar en la piscina?
6 ¿Qué hay que hacer para no quemarse?

4 Mira otra vez el cartel y subraya los imperativos.

Gramática

IMPERATIVO AFIRMATIVO Y NEGATIVO			
Regulares			
entrar		**beber**	
(tú) entra	no entres	bebe	no bebas
(Ud.) entre	no entre	beba	no beba
Irregulares			
salir		**poner**(se)	
(tú) sal	no salgas	ponte	no te pongas
(Ud.) salga	no salga	póngase	no se ponga

- Cuando el **imperativo afirmativo** va acompañado de uno o dos pronombres personales, estos van detrás y se escriben juntos:
  Dúchate, dámelo, póngase.

- Si el imperativo está en **forma negativa**, los pronombres van delante del verbo y separados:
  *No **te** duches, no **me lo** des.*

5 Completa el cuadro con la forma imperativa de los verbos reflexivos siguientes:

báñate	no te bañes
dúchate	
	no te pongas
	no te peines
levántate	
acuéstate	

Completa el mismo cuadro con la persona *usted*:

báñese	no se bañe

6 Escribe en forma negativa.

1 Ponte el bañador rojo.
   No te pongas el bañador rojo.
2 Tira esos papeles a la papelera.
3 Bebe más líquido.
4 Dame la toalla.
5 Ponme más crema protectora.
6 Sal del agua.
7 Lleva el perro a la playa.
8 Ponte las zapatillas.
9 Ponle el gorro al niño.
10 Quítate la camiseta.

7 🔊142 Elena y su marido han ido a la playa y han pasado mucho rato al sol. Ahora Juan se encuentra mal. Escucha la conversación con el médico y completa.

Doctor: Buenas tardes, ¿(1) _____?
Juan: Mire, es que hemos estado en la playa y tengo la espalda roja.
Doctor: A ver, (2) _____ la camisa. Se ha quemado la espalda. ¿(3) _____ ha estado al sol?
Juan: Unas dos horas.
Doctor: ¿Y no se ha puesto crema (4) _____?
Elena: Yo se lo he dicho, pero los hombres…
Juan: Y también (5) _____ la cabeza…
Doctor: Bueno, para tomar el sol hay que tomar precaución. Ahora póngase esta (6) _____ contra las quemaduras y tómese estas (7) _____ para el dolor de cabeza. Y otra vez, póngase crema protectora y cómprese una (8) _____. No es bueno tomar tanto sol.
Juan: Sí, doctor, gracias.

Comunicación

Síntomas

- Me duele/n un poco/ mucho…
  la cabeza, el estómago, la espalda,
  la garganta, los huesos…
- Tengo tos.
- No puedo dormir.
- Me pican los ojos.
- Estoy cansado.

Remedios

- Tómese este jarabe, estas pastillas…
- Póngase este colirio.
- No fume, no hable, no trabaje tanto…
- Descanse, haga ejercicio, salga a pasear.

Hablar

8 En parejas. A es el médico y B el enfermo. Escribe y practica una conversación en la consulta del médico.

A *Buenos días, ¿qué le pasa?*
B *Buenos días. Verá, es que no puedo dormir.*
A *¿Cuánto tiempo hace que le pasa?*
B *Dos meses.*

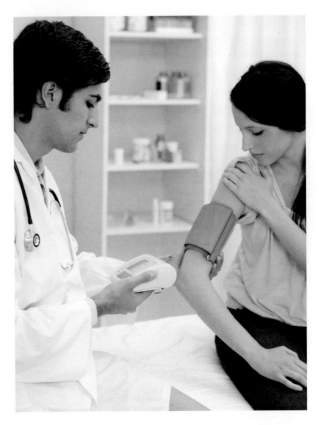

1 ¿Cómo estás hoy?

1 contento-a   4 de buen / mal humor
2 nervioso-a   5 normal, ni bien, ni mal
3 enfadado-a   6 tranquilo-a

2 Relaciona.

1 contento   a animado
2 nervioso   b sucio
3 lleno   c triste
4 limpio   d libre
5 libre   e ocupado
6 reservado   f vacío
7 deprimido   g tranquilo

Gramática

ESTAR

Usamos *estar* para describir:
● estados de ánimo de las personas:
  *Mi madre **está cansada** de trabajar.*
● estados temporales de las cosas:
  *Este café **está muy caliente**.*

● Algunos adjetivos cambian totalmente de significado si se usan con *ser* o con *estar*.
  – *ser / estar despierto: Juan es un niño muy despierto* (muy listo), *Juan está despierto* (no está dormido).
  – *ser / estar bueno: Juan es bueno* (tiene buen corazón) / *Juan está bueno* (no está enfermo).
  – *ser / estar listo: Juan es listo* (es inteligente) / *Juan está listo* (está preparado).
  – *ser / estar reservado: Juan es un chico reservado* (no habla de sí mismo) / *el libro está reservado* (está guardado para alguien).

3 Lee las conversaciones siguientes y complétalas con un adjetivo del recuadro.

cansado • harta • enamorada
rara • desordenada • caliente • agobiada
preocupada • asustado

1 ■ Javier, ¿qué te pasa?, tienes mala cara.
  ● Hoy he tenido mucho trabajo y estoy *cansado*.

2 ■ Hola, María, ¿qué tal?
  ● Fatal, estoy _____ de limpiar y de ordenar la casa, y mis hijos no ayudan nada.

3 ■ Jesús, toma ya la sopa.
  ● No puedo, está muy _____.

4 ■ ¿Qué le pasa a Aida?
  ● No sé, está muy _____, yo creo que está _____.

5 ■ Luis, tu mesa está muy _____, así no puedes estudiar bien.

6 ■ Marta, ¿qué te pasa? ¿Estás enferma?
  ● No, qué va. Estoy _____ con el trabajo, mi jefe no me deja descansar un minuto.

7 ■ ¿Qué le pasa al niño?
  ● Está _____ porque un perro se ha acercado mucho a él.

8 ■ ¿Tú sabes por qué Paloma está tan _____?
  ● Sí, su madre está en el hospital.

4 🔊143 Escucha y comprueba.

5 Subraya el verbo adecuado.

1 Ya *soy* / *estoy* harta de ver siempre los mismos programas de la tele.
2 Javier, limpia tu cuarto, *es* / *está* muy sucio.
3 Las verduras *son* / *están* muy buenas para la salud.
4 Mamá, estos macarrones *son* / *están* buenísimos.
5 Ayer *éramos* / *estábamos* aburridos y fuimos al cine.
6 A mí no me gusta la clase de historia, *es* / *está* muy aburrida.
7 Mis padres *son* / *están* mayores, pero *son* / *están* bien de salud.
8 Esta mesa *está* / *es* reservada, no pueden sentarse ahí.
9 En agosto las calles de mi ciudad *están* / *son* vacías pero la playa *está* / *es* llena de gente.
10 Felipe *es* / *está* muy tranquilo, pero hoy *está* / *es* nervioso.
11 Estas cortinas *están* / *son* sucias, hay que lavarlas.
12 Mira, ese taxi *es* / *está* libre.
13 Cada uno *es* / *está* libre de casarse con quien quiera.
14 Esta película *es* / *está* aburridísima, me voy.
15 Tu coche *es* / *está* mal aparcado.
16 El vino de esta botella no *es* / *está* bueno, tíralo.
17 Ahora los pisos *están* / *son* más baratos que antes.
18 No *estamos* / *somos* muy animados para ir al crucero.
19 Federico *está* / *es* muy agobiado con su trabajo.
20 El ascensor *está* / *es* estropeado otra vez.

6 Relaciona.

1 Ser bueno
2 Estar bueno
3 Estar despierto
4 Ser despierto
5 Ser listo
6 Estar listo
7 Ser reservado

a ser inteligente
b estar preparado
c no estar dormido
d tener buen corazón
e no hablar de sí mismo
f no estar enfermo
g ser hábil

7 Escribe frases con estas expresiones y léeselas a tus compañeros.

Andrés es un chico despierto, sabe muchas cosas.

Escuchar

8 🔊 144 Carmen y Marisa se encuentran y hablan de su familia. Escucha y señala V o F.

1 La madre de Marisa está enferma.　Ⓥ
2 El padre tiene la tensión alta.　☐
3 La hermana de Marisa se ha separado.　☐
4 El cuñado de Marisa está deprimido.　☐
5 Los niños están con la cuñada.　☐
6 Carmen tiene un nuevo trabajo.　☐

9 Lee la historieta de Leo Verdura y responde a las preguntas.

1 ¿Qué le pasa a Raad?
2 ¿Qué expresiones utiliza Leo para animar a su amigo?
3 Al final está más animado Raad? ¿Por qué?

1 ¿A quién se dice la expresión "¡que te mejores!", en español?

a A alguien que está enfermo. ☐
b A alguien que tiene pronto un examen. ☐
c A alguien que es muy mala persona. ☐

¿En tu idioma se dicen cosas similares?

2 Mira las imágenes y relaciónalas con las expresiones.

1 ¡Que te mejores! ☐ c
2 ¡Que tengas buen viaje! ☐
3 ¡Que le aproveche! ☐
4 ¡Que seáis felices! ☐
5 ¡Que cumplas muchos más! ☐

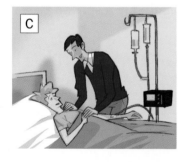

Gramática

PRESENTE DE SUBJUNTIVO

Regulares

descansar	comer	vivir
descanse	coma	viva
descanses	comas	vivas
descanse	coma	viva
descansemos	comamos	vivamos
descanséis	comáis	viváis
descansen	coman	vivan

Irregulares frecuentes

tener	ser	ir	venir
tenga	sea	vaya	venga
tengas	seas	vayas	vengas
tenga	sea	vaya	venga
tengamos	seamos	vayamos	vengamos
tengáis	seáis	vayáis	vengáis
tengan	sean	vayan	vengan

● El presente de subjuntivo se utiliza aquí para expresar buenos deseos ante una situación:
*¡Que **seáis** felices! (En una boda).*

● También se utiliza en frases que dependen de un verbo principal:
*Espero que tú **vengas** a mi boda.*
*Mis padres esperan que mi hermana Julia **vaya** a la Universidad.*

● Si el sujeto del verbo principal y el de la subordinada es el mismo, se usa el infinitivo:
*Espero **llegar** a tiempo.*
(yo)   (yo)

3 Forma frases, hay más de una opción.

1 Yo espero que
2 Miguel espera que
3 Irene espera que
4 Nosotros esperamos que
5 Mi jefe espera que
6 Mis abuelos esperan que
7 El profesor espera que

a mi novia sea feliz.
b yo vaya a verlos todos los domingos.
c no la despidan de su trabajo.
d nuestros hijos estén bien.
e vayamos a su fiesta.
f los estudiantes entiendan el uso del subjuntivo.
g yo termine pronto el informe.

4 Todos los padres tienen expectativas y buenos deseos para sus hijos. ¿Qué esperan los padres de Ricardo de él? Forma frases con las expresiones del recuadro.

> estudiar mucho • trabajar pronto • ser feliz
> casarse con un buen/a chico/a • tener hijos
> comprar una casa • ir a verlos

1 Los padres de Ricardo esperan que él estudie mucho.

Escuchar

5 🔘145 Roberto y Maribel hablan de sus deseos para el futuro. Escucha y completa la información.

a Roberto espera _____
b Maribel espera que sus hijos _____

6 Piensa y escribe en un papel algunos deseos y expectativas. Luego háblalo con tus compañeros.

Yo espero encontrar un buen trabajo.
Yo espero que mi novia encuentre un buen trabajo.

Escribir

7 Completa el correo con los datos del recuadro.

> Un abrazo • Cómo están • tiene que ir
> Te escribo • que estés • esté mejor
> me digas • espero • El curso dura

> **Mensaje nuevo** _ ↗ ✕
>
> Querida Araceli: ¿Qué tal estás? Espero (1) <u>que estés</u> bien. Nosotros estamos bien, trabajando, como siempre.
>
> (2) _____ para pedirte un favor. Resulta que Julia (3) _____ este verano a Barcelona a hacer un curso de Derecho Internacional y he pensado que podía estar en tu casa. ¿Qué te parece? (4) _____ dos semanas, exactamente del 1 al 15 de julio. Si tienes algún problema no tienes más que decírmelo.
>
> ¿Y tus padres? ¿(5) _____? Espero que tu padre ya (6) _____ de su enfermedad. ¿Y tu trabajo? ¿Sigues en el mismo hospital? Bueno, (7) _____ que me escribas y (8) _____ qué piensas del tema.
>
> (9) _____ muy fuerte de tu amiga,
>
> Rosa.
>
> **Enviar**   A   📎   +   🗑   ▾

Pronunciación y ortografía

/r/ y /rr/

1 🔘146 Escucha y señala la palabra que oyes.

1 a) pero
   b) perro
2 a) poro
   b) polo
3 a) pala
   b) para
4 a) tara
   b) tala
5 a) morar
   b) molar
6 a) caro
   b) carro
7 a) poro
   b) porro
8 a) pero
   b) perro

2 🔘147 Escucha y completa con *r* o *rr*.

1 Dame una pala pa_a trabajar.
2 Este jersey es muy ca__o, y además tiene una ta__a.
3 Quie__o un polo de mo__as.
4 El pe__o de __osa se llama Toby.
5 Maribel tiene la ca__a sucia.
6 En México los coches se llaman ca__os.

3 Comprueba con tu compañero.

Leer

1 Lee el texto y subraya los buenos hábitos de Jesús.

¿Qué edad tiene tu cuerpo?

¿Cuántos años tienes? ¿Qué edad tiene tu cuerpo? La respuesta a estas dos preguntas no es siempre la misma. Nuestro cuerpo puede estar más joven o más viejo, independientemente de nuestra edad. Se puede calcular la edad de nuestro cuerpo teniendo en cuenta nuestra forma de vida. Y, si es necesario, tendremos que cambiarla.

Jesús, 34 años, informático

- **Deporte:** Sé que estoy un poco gordo porque no hago mucho ejercicio. Paso demasiado tiempo sentado. Todo lo que hago es jugar alguna vez al tenis con mis amigos, pero no muy a menudo. Quiero ir al gimnasio, pero no tengo tiempo.

- **Dieta:** Como algo de verdura y fruta, pero también como mucha carne. Mi novia dice que no bebo nada de agua y, sin embargo, bebo demasiado café.

- **Hábitos:** Trabajo mucho. Paso más de diez horas al día en mi oficina. Con frecuencia estoy estresado y nervioso. No fumo normalmente, solo algunas veces, cuando salgo con los amigos.

- **Vida social:** No tengo mucho tiempo libre, pero tengo algunos buenos amigos e intento verlos cuando puedo. Si estoy muy ocupado, hablo con ellos por teléfono.

Nuestras recomendaciones: Jesús debe hacer más ejercicio, por ejemplo, ir andando a trabajar. Esto le ayudará a controlar su estrés. Su dieta es sana, pero tiene que beber algo más de agua y menos café. No tiene que fumar nada. Debe intentar trabajar algunas horas menos y pasar más tiempo con sus amigos.

2 ¿Verdadero o falso? Corrige las respuestas falsas.

1 La edad de nuestro cuerpo depende de nuestros hábitos diarios. ☐

2 Jesús no hace nada de deporte. ☐

3 No va al gimnasio. ☐

4 Come mucha fruta y verdura. ☐

5 No bebe mucha agua. ☐

6 No fuma nada. ☐

7 Sale todos los días con sus amigos. ☐

8 Habla todos los días por teléfono con sus amigos. ☐

9 Le aconsejamos no ir en coche a trabajar. ☐

10 Le sugerimos cambiar de dieta. ☐

Escuchar

3 ⏺148 Vas a oír a dos amigos hablando de la salud. Todas las afirmaciones siguientes son falsas. Escucha la conversación y corrígelas.

1 José Miguel ha engordado más de ocho kilos.
2 José Miguel ha pasado mucha hambre.
3 El médico le dijo a José Miguel que tenía la cabeza por las nubes.
4 Beatriz ayuda a José Miguel a preparar la comida.
5 Beatriz cree que su amigo ahora es un deportista.
6 Beatriz no quiere ver más a Yolanda.

4 ⏺148 Escucha otra vez y contesta:

1 ¿Qué dice Beatriz para indicar que hace mucho tiempo que no se ven?
2 ¿Cómo expresa Beatriz su sorpresa por el cambio que ha realizado su amigo?
3 ¿Qué dice Beatriz cuando su amigo le cuenta que hace algo de ejercicio?
4 ¿Cómo se despide Beatriz de José Miguel?

Hablar

Alumno A (alumno B, ver «En parejas»)

5 Pregunta a tu compañero por sus hábitos.

Prepara al menos 8 preguntas sobre:

a Caminar
 ¿Caminas todos los días?
b Ir de excursión al campo
c Meditar
d Hacer yoga
e Comer carne / pescado / frutas / dulces
f Hacer ejercicio
g Dormir
h Beber agua / refrescos

¿Lleva una vida saludable?

6 Ahora responde a las preguntas de B.

Escribir

7 Lee el correo y subraya las dos formas o expresiones que utiliza Susana para recomendar, sugerir:

a *Debes* + verbo en _____
b _____

Mensaje nuevo

Enviar Chat Adjuntar Agenda Tipo de letra Colores Borrador Navegador de fotos Mostrar plantillas

Para: Carol
Asunto: Un consejo

Hola, Carol, ¿qué tal?

Leí anoche tu correo y me quedé preocupada, no puedes seguir así, o te vas a poner enferma. Está claro que lo que tienes es estrés, que tienes más trabajo y preocupaciones de lo que puedes soportar. Debes pararte y reflexionar si te conviene continuar con ese trabajo o es mejor dejarlo y dedicarte a cuidar a tus hijos. Por lo menos durante un tiempo.

¿Por qué no te apuntas a alguna terapia de relajación o ejercicio físico suave? Seguro que en tu barrio hay algún centro de yoga, taichí, pilates... Yo practico yoga desde hace dos años y estoy mucho mejor de mi dolor de espalda, duermo ocho horas seguidas y, sobre todo, ahora me tomo las cosas con más calma.

Te llamaré un día para tomar un café y hablar tranquilamente.

Un abrazo,

Susana

---

8 Escribe:

A El correo que imaginas que ha escrito Carol a Susana anteriormente.
B Un correo a un/a amigo/a explicándole algún problema de salud.

1 Completa la tabla.

Afirmativo	Negativo
1 báñate	no te bañes
2 pasa	
3 ábrelo	
4	no lo compres
5	no lo comas
6 sal	
7	no entres
8 espere	
9	no beba
10 siéntate	

2 Completa la conversación.

Médico: Pase y siéntese. ¿_____?

Fernando: No sé, no me _____ bien, _____ la cabeza y _____ mucha tos.

Médico: ¿_____ empezó el dolor y la tos?

Fernando: _____ dos días, el lunes.

Médico: ¿_____ usted fiebre?

Fernando: Sí, esta mañana me he puesto el _____ y tenía 38,5 grados.

Médico: Creo que es un resfriado. _____ estas pastillas para el dolor de cabeza y este jarabe para la tos. _____ mucho líquido y no _____ a la calle. _____ a verme la semana próxima.

Fernando: Gracias, doctor.

3 Escribe el adjetivo contrario.

1 tranquilo _____
2 limpio _____
3 contento _____
4 ordenado _____
5 libre _____
6 vacío _____
7 cansado _____
8 aburrido _____
9 caliente _____

4 Utiliza dos adjetivos de la actividad anterior para cada uno de estos nombres.

1 película *divertida*, _____
2 profesor _____, _____
3 café _____, _____
4 taxi _____, _____
5 madre _____, _____
6 botella _____, _____

5 ¿Qué se dice en estas situaciones? Mira el recuadro.

- Que tengas buen viaje
- Que te diviertas
- Que les aproveche
- Que descanses
- Que te mejores
- Que tengas suerte

1 A un amigo que se va a una fiesta.
   ¡*Que te diviertas*!
2 A alguien que va a examinarse del carné de conducir.
3 A una persona que se va a dormir.
4 A una pareja que está comiendo.
5 A alguien que está enfermo.
6 A alguien que se va de viaje.

6 Ordena las frases.

1 mañana / no / esperamos / Nosotros / que / llueva
   Nosotros esperamos que mañana no llueva.
2 hijo / su / estudie / que / Medicina / Él espera
3 Ricardo / pronto / que / Espero / venga
4 espera / estudios / los / acabar / ya / María
5 estéis / Esperamos / bien / que
6 pases / buen / de / cumpleaños / día / que / Espero
7 que / Lucía / conmigo / se case / Espero
8 me / pronto / Espero / que / escribas
9 Juan / que / amigos / vayan / a / visitarlo / espera / sus

¿Qué sabes?

	☺	😐	☹
· Utilizar el imperativo para dar consejos.	☐	☐	☐
· Hablar de estados de ánimo.	☐	☐	☐
· Expresar deseos. Presente de subjuntivo.	☐	☐	☐
· Hablar de hábitos saludables.	☐	☐	☐

El periódico

- ·· Hablar de condiciones de trabajo
- ·· Noticias del periódico
- ·· Estilo indirecto
- ·· **Cultura:** Escritores hispanos

17

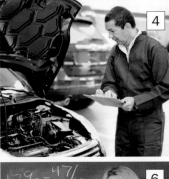

1 Comenta con tu compañero/a.

¿Cuántos trabajos has tenido?
¿Qué día de la semana es el mejor para ti?
¿Qué día es el peor? ¿Por qué?

2 Mira las fotos y escribe el número correspondiente.

a mecánico ☐
b profesora ☐
c periodista ☐
d dependiente ☐
e conductor de autobús ☐
f guía turístico ☐
g enfermera ☐
h cocinero ☐
i peluquera ☐
j programador ☐

3 Relaciona las profesiones del ejercicio anterior con los siguientes lugares de trabajo.

1 periódico: *periodista*
2 agencia de viajes: _____
3 taller mecánico: _____
4 peluquería: _____
5 supermercado: _____
6 colegio / instituto: _____

7 restaurante: _____
8 empresa de transportes: _____
9 hospital: _____
10 empresa informática: _____

4 ¿Quién dice las siguientes frases?

1 Llevo a la gente en mi autobús: *el conductor de autobús*.
2 Corto el pelo a mis clientes: _____
3 Me gusta arreglar coches: _____
4 Informo a los turistas: _____
5 Enseño a mis alumnos: _____
6 Cuido a mis pacientes: _____

Hablar

5 ¿Y tú, qué haces? Elige una de las profesiones anteriores y descríbela para que la adivine tu compañero.

6 Lee y completa con las expresiones del recuadro.

> ¿Cuánto es el sueldo? • ¿Qué piden?
> Llamo por el anuncio del periódico
> ¿qué horario de trabajo tienen?

Taller mecánico necesita
PINTOR DE AUTOMÓVILES

Se requiere:
experiencia - carné de conducir - residencia en Madrid

Alicia: Mira, aquí hay un anuncio pidiendo un pintor de coches.

Pedro: (1) _____

Alicia: Piden algo de experiencia, tener el carné de conducir y vivir en Madrid.

Pedro: ¡Ah, muy bien! Voy a llamar. Buenos días. (2)_____. Soy pintor de coches y quiero informarme de las condiciones del trabajo.

Empresario: Sí, dígame, ¿qué quiere saber?

Pedro: ¿Dónde está el taller?

Empresario: En el km 16 de la carretera de La Coruña.

Pedro: Y, (3)_____

Empresario: Empezamos a las 8.30 de la mañana y acabamos a las 17.30 de la tarde, con una hora para comer. Trabajamos un sábado sí y otro no.

Pedro: (4)_____

Empresario: Para empezar, son catorce pagas de 1000 euros, y luego... ya hablaremos.

Pedro: Bueno, pues..., me pasaré mañana para hablar con ustedes.

7 En parejas, A es el candidato y B el jefe de personal. Llama a cada uno de los anuncios para informarte de las condiciones. Pregunta por el lugar de trabajo, el horario, el sueldo...

ACADEMIAS VIVAR
Estamos buscando secretaria/recepcionista para una de nuestras academias. Contrato a tiempo parcial. Interesados, contactar con nosotros a través de nuestra página HYPERLINK "http://www.academiasvivar.es" o llamando al teléfono 654 725 490.

RESTAURANTE NOROESTE
Necesitamos cocinero con jornada completa para restaurante con cocina de alta calidad. Perfil: cocinero/a profesional con titulación. Para más información llamar al 690 120 090.

8 Lee el texto. Luego contesta las preguntas.

> Carlos es peluquero. Trabaja en una peluquería de señoras en Madrid. Es una de las peluquerías más caras del centro de la ciudad. Trabaja seis días a la semana, de lunes a sábado. Su horario empieza a las 10 de la mañana y termina a las 6 de la tarde.
>
> Normalmente atiende a muchos clientes cada día. A veces, a su peluquería van artistas famosas. Su clienta más conocida es Penélope Cruz. A Carlos le gusta hablar con sus clientas sobre sus familias y vacaciones.
>
> No gana mucho dinero, pero a veces le dan muy buenas propinas. "Me encanta mi trabajo", dice Carlos. "Es muy interesante. Algún día abriré mi propia peluquería".

1 ¿Cuál es el trabajo de Carlos?
2 ¿Dónde trabaja?
3 ¿Cuántos días trabaja a la semana?
4 ¿A qué hora termina de trabajar?
5 ¿Quién es su clienta más famosa?
6 ¿Tiene un sueldo muy alto?
7 ¿Qué planes tiene para el futuro?

Escuchar

9 🔊149 Escucha a Sofía hablando sobre su trabajo. ¿Son las frases verdaderas o falsas?

1 Sofía es enfermera. ☑
2 Trabaja en un hospital en Barcelona. ☐
3 Trabaja cinco días a la semana. ☐
4 Trabaja por la noche. ☐
5 Trabaja con personas mayores. ☐
6 A ella le encanta su trabajo. ☐

Hablar

10 En grupos de cuatro, uno piensa en un trabajo y los otros adivinan cuál es, haciendo preguntas como las de los recuadros.

> *¿Trabajas... en una oficina? en casa?*
> *en una empresa grande? los fines de semana?*
> *por la mañana / tarde / noche?*

> *¿Tienes que... viajar? conducir?*
> *llevar uniforme? trabajar con el ordenador?*
> *utilizar algún tipo de máquina?*

> *¿Normalmente... hablas mucho?*
> *conoces a mucha gente?*
> *utilizas un idioma extranjero? das órdenes a otros?*

1 ¿Hay periódicos locales y nacionales en tu país? ¿Cuáles son los más importantes? ¿Qué tipo de noticias encuentras en un periódico local?

2 Mira los extractos de este periódico y relaciónalos con las distintas secciones.

> **a** cartelera **b** locales **c** sucesos **d** nacionales **e** anuncios por palabras **f** internacionales **g** cartas al director **h** deportes

3 Mira los dibujos y relaciona.

1 Cuando estaba esperando el autobús...
2 Mientras estábamos viendo el partido...
3 Cuando se estaba duchando...
4 Mientras estaban de vacaciones...
5 Cuando estaba estudiando...

a ... la llamaron por teléfono.
b ... me robaron el bolso.
c ... su casa se estaba quemando.
d ... se estropeó la televisión.
e ... Juan vino a buscarme.

El Congreso aprueba los presupuestos para el próximo año.
1 ☐

Cuatro goles de Cristiano Ronaldo
Real Madrid – 5
Sevilla – 1
2 ☐

El Festival de Verano de El Escorial presenta una nueva producción de *El Barbero de Sevilla.*
3 ☐

Los líderes de la Unión Europea alcanzan nuevos acuerdos económicos para fortalecer el euro.
4 ☐

Bicicleta de montaña, muy buenas condiciones.
200 €. Tfno: 915743289
5 ☐

Detenido un atracador que actuaba en las paradas de autobuses.
6 ☐

Escribo esta carta para expresar mi indignación por la mala organización...
7 ☐

El alcalde ha inaugurado la exposición del pintor Antonio López en el Museo Thyssen-Bornemisza en Madrid
8 ☐

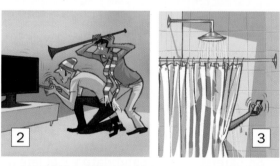

Gramática

- El **pretérito indefinido** describe una acción acabada en el pasado.
  *Me **robaron** el bolso*
- La forma ***estaba* + gerundio** describe una acción en desarrollo en el pasado.
  ***Estaba esperando** el autobús.*
- Ambas formas se utilizan juntas cuando una acción puntual ocurre en el transcurso de otra acción.
  *Cuando **estaba esperando** el autobús, me **robaron** el bolso.*

4 Elige la forma correcta de los verbos.

Dos hombres (1) intentaron / <u>estaban intentando</u> escapar de la prisión cuando otro recluso se quejó a los guardias del ruido. Los guardias inmediatamente (2) detuvieron / estaban deteniendo a los dos hombres.

En Italia un hipnotizador (3) encontró / estaba encontrando a dos ladrones en su oficina. Los ladrones (4) buscaron / estaban buscando dinero. El hipnotizador trató de hipnotizarlos, pero ellos no le escucharon y (5) escaparon / estaban escapando con el dinero.

Un ladrón no encontró nada de dinero cuando intentaba robar en una cafetería de Valladolid. Escondió al dueño de la cafetería y (6) empezó / estaba empezando a servir a los clientes. El ladrón (7) sirvió / estaba sirviendo a dos policías cuando ellos le (8) arrestaron / estaban arrestando.

5 Mira las fotos y forma frases.

1 (el) esquiar / caerse.
  Cuando estaba esquiando, se cayó.
2 (ellos) llegar a Madrid / el coche tener una avería.
3 esperar a mi novia / encontrarse con unos amigos.
4 (yo) correr por la playa / ver a Juan.
5 (nosotros) ver el partido / estropearse la televisión.
6 (yo) hablar con mi hermana / quemarse la comida.

- ***Estaba* + gerundio** indica una acción en desarrollo no acabada. Muchas veces se puede intercambiar con el **pretérito imperfecto**.
  *Lo vi cuando **salía** / **estaba saliendo** de clase.*
  No se puede utilizar para expresar hábitos en el pasado.
  *Aurora antes **cantaba** / **estaba cantando** en un coro, pero ahora no tiene tiempo.*

6 Elige la forma correcta. En algunas frases, las dos opciones son correctas.

1 *Estábamos paseando / Paseábamos* por la playa cuando vimos una tortuga.
2 Antes *estaba saliendo / salía* con sus amigos todos los fines de semana.
3 De pequeños *pasábamos / estábamos pasando* el verano en el pueblo de los abuelos.
4 Comimos en el restaurante en el que *trabajaba / estaba trabajando* Arturo.
5 Cuando *estaban escalando / escalaban*, vieron una serpiente.
6 Marcos antes *dormía / estaba durmiendo* la siesta todos los días, pero ahora no, porque va al cole.

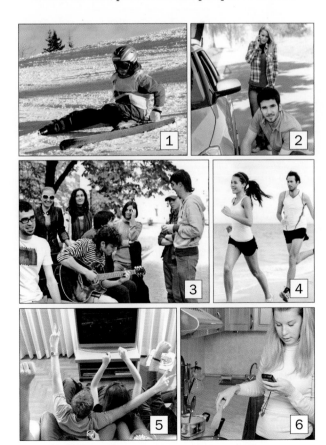

1 Lee los textos.

¿Vienes el domingo a mi fiesta?

"Pues... no sé porque..."

¿Vas a hacer la fiesta el domingo?

"Ana me dijo que tenía clase de danza del vientre".

"Enrique me dijo que este domingo iba a cortarle el pelo a su primo".

"Mmm... es que este domingo tengo clase de danza del vientre".

"Mmm... es que este domingo es el cumpleaños de mi abuela y tenemos una fiesta aquí en mi casa".

"María me dijo que era el cumpleaños de su abuela y tenían una fiesta allí en su casa".

"Mmm... es que voy a llevar a mi perro a un concurso de belleza canina".

"Mmm... es que el domingo voy a cortarle el pelo a mi primo".

"Ángel me dijo que iba a llevar a su perro a un concurso de belleza canina".

Gramática

Estilo directo
... dijo...
"tengo clase".
"voy a ver a mi primo".
"este domingo es el cumpleaños de mi abuela".
"tenemos una fiesta aquí".
"voy a llevar a mi perro...".

Estilo indirecto
... me dijo que...
... tenía clase.
... iba a ver a su primo.
... este domingo era el cumpleaños de su abuela.
... tenían una fiesta allí.
... iba a llevar a su perro...

PREGUNTAS EN ESTILO INDIRECTO

● En preguntas con **pronombre interrogativo**, se mantiene el interrogativo:
¿**Cuántos** años tienes?, preguntó Juan.
Juan le preguntó que **cuántos** años tenía.

● En preguntas **sin interrogativo**, se utiliza la **conjunción si**.
¿Tienes tres hijos?, preguntó Juan.
Juan preguntó **si** tenía tres hijos.

2 Transforma a estilo indirecto las frases seleccionadas de una entrevista realizada por la *Cadena Ter* al famoso fotógrafo Juan Cebreros sobre su trabajo:

1 Este año quiero hacer un trabajo para una ONG.
Juan dijo que este año quería hacer un trabajo para una ONG.
2 Me gusta mucho mi trabajo.
3 Tengo un equipo de tres compañeros estupendos.
4 En verano voy a hacer un reportaje sobre Brasil.
5 Tengo muchos premios nacionales e internacionales.
6 El mes que viene vamos a viajar a Costa Rica para realizar un nuevo trabajo.

Escuchar

3  Rosa recibió ayer los siguientes mensajes en su móvil. Escúchalos y complétalos.

1 ¡Hola, soy Carlos! Ya tengo *las entradas* para el concierto. ¿Quedamos *mañana* a las *7 de la tarde* en la puerta del Auditorio?

2 Soy Paloma. Acabo de terminar _____. ¿_____ paso a dejártelo?

3 ¡Buenos días! Llamamos del _____. Su pedido ya está preparado. Puede recogerlo _____.

4 ¡Hola, soy Manuel! _____ a Luisa. Voy a quedar con ella para _____. ¿Te vienes?

5 Llamo de la consulta del Dr. Ramírez. Tenemos que aplazar la cita del _____ para el _____ a la misma hora. Gracias.

Escribir

4 Rosa comenta con una amiga los mensajes que recibió. Lee cómo cuenta el primer mensaje. Escribe tú los otros.

Me llamó Carlos y me dijo que ya tenía las entradas para el concierto y quería saber si quedábamos mañana a las 7 de la tarde en la puerta del Auditorio.

Pronunciación y ortografía

Oposición p/b

1 Escucha y repite.

padre pelo **puedo** pongo **polo** papá **pipa** perro **piso** pan **playa**

2 Escucha y repite.

vamos ven **bien** balón **abuelo** visto **beber** vivo **billete** volver

3 Escucha y señala la palabra que oyes.

1	a) Valencia	6	a) piso
	b) Palencia		b) viso
2	a) pan	7	a) patata
	b) van		b) batata
3	a) baño	8	a) pino
	b) paño		b) vino
4	a) pista	9	a) pollo
	b) vista		b) bollo
5	a) bota	10	a) perro
	b) poda		b) berro

Leer

1 ¿Qué escritores de habla hispana conoces? Lee sobre estos dos famosos escritores.

Isabel Allende (1942)

Novelista y periodista chilena nacida en Lima, Perú. Su padre era diplomático. Trabajó como periodista y también hizo cine y televisión. Se exilió a Venezuela en 1973 cuando su tío Salvador Allende, presidente de Chile, murió asesinado. En el exilio escribió su primera novela: *La casa de los espíritus*, que fue muy bien acogida por la crítica y llevada al cine.

En sus siguientes novelas continuó tratando asuntos personales y políticos: *De amor y de sombra*, *Eva Luna* y *Cuentos de Eva Luna*.

En 1995 publicó *Paula*, un libro de recuerdos dedicado a su hija. Con sus obras ha ganado reconocimiento internacional.

En septiembre de 2010 fue galardonada con el Premio Nacional de Literatura de Chile.

Manuel Vázquez Montalbán (1939-2003)

Poeta, periodista y novelista nacido en Barcelona. La política y la crítica social fue constante en su obra. Recibió el Premio Nacional de Literatura en 1991 por la novela *Galíndez* y el Premio Planeta en 1978 con la novela *Los mares del sur*. Como periodista colaboró en revistas y diarios con artículos sobre la actualidad española.

Entre sus obras destaca el ciclo de novelas que protagoniza el detective Pepe Carvalho.

Murió el 18 de octubre de 2003, a causa de un paro cardiaco que sufrió durante un viaje a Tailandia.

2 ¿Verdadero o falso? Corrige las falsas.

1 Los dos escritores empezaron su carrera literaria como periodistas. ☐
2 Los dos escritores han recibido Premios Nacionales de Literatura. ☐
3 Isabel Allende escribió su primera novela en Chile. ☐
4 La temática de ambos escritores está relacionada con la vida política. ☐
5 Han hecho una película basada en su primera novela. ☐
6 *Paula* es la historia de un personaje de ficción. ☐
7 Isabel Allende solo es conocida en Hispanoamérica. ☐
8 Manuel Vázquez Montalbán no solo escribió novela. ☐
9 Pepe Carvalho fue un personaje muy importante en su obra. ☐
10 Vázquez Montalbán murió en su casa de Barcelona. ☐

Escribir

3 Lee el texto y elige la opción correcta.

El verano pasado, (1) *mientras / cuando* mis amigos y yo fuimos a la playa de vacaciones vimos un accidente en la carretera. Dos coches chocaron y en uno de ellos un hombre y dos niños estaban pidiendo ayuda porque no podían abrir las puertas. Mi amigo Pedro y yo nos bajamos del coche y fuimos a ayudarlos.

(2) *Mientras / Finalmente* estábamos intentando abrir las puertas, llegó la policía. Como no podíamos sacarlos del coche, la policía llamó a los bomberos, que (3) *cuando / finalmente* consiguieron liberarlos sanos y salvos.

(4) *Mientras / En el momento* en el que el hombre y sus hijos estuvieron fuera del coche nos dieron las gracias y nosotros continuamos nuestro viaje.

4 Imagina que viviste una situación en la que tuviste que prestar ayuda. Escribe un texto contándolo. Sigue los siguientes pasos.

1 ¿Dónde estabas? ¿Cuándo ocurrió?
2 ¿Qué estabas haciendo?
3 ¿Cómo ayudaste?
4 ¿Cómo acabó la historia?

Escuchar

5 🔊 154 Escucha y ordena las siguientes frases.

a Fueron al hospital. ☐
b Montaron en bicicleta. ☐
c Participaron en la Maratón. ☐
d En Burgos llovió mucho. ☐
e Fueron andando hasta Santiago. ☐
f Javier se hizo daño en un brazo. ☐

6 🔊 154 Escucha de nuevo y contesta a las preguntas:

1 ¿Qué estaban haciendo cuando decidieron correr la Maratón de Madrid?
2 ¿Cuántos kilómetros tiene el Camino de Santiago Francés?
3 ¿En cuánto tiempo pensaban hacer el recorrido?
4 ¿Cuántos días tardaron en total?
5 ¿Dónde estaban montando en bicicleta cuando Javier se cayó?
6 ¿Por qué no pudieron seguir el camino en bicicleta?
7 ¿Cuántos kilómetros les faltaban para llegar a Santiago?
8 ¿Cómo hicieron el resto del recorrido?
9 ¿Quién les estaba esperando cuando llegaron a Santiago?
10 ¿Cómo volvieron a casa?

Roncesvalles, Camino de Santiago

Catedral de Burgos

Hablar

Alumno A (alumno B, ver «En parejas»)

7 Imagina que tú has hecho esta foto. Contesta a las preguntas que te haga tu compañero.

8 Imagina que tu compañero ha hecho esta foto. Hazle estas preguntas:

1 Esta foto es muy buena, ¿la has hecho tú?
2 ¿Dónde estabas cuando la hiciste?
3 ¿Qué están haciendo las personas de la foto?
4 ¿Por qué estaban haciendo eso?
5 ¿Tú también lo hiciste?
6 ¿Por qué?

1 Completa el crucigrama y encuentra la palabra oculta.

1 Enseña a sus alumnos.
2 Corta el pelo a sus clientes.
3 Cuida a los enfermos en el hospital.
4 Prepara comidas en un restaurante.
5 Trabaja con ordenadores.
6 Lleva un autobús.
7 Arregla coches.
8 Compone música.
9 Pinta cuadros.
10 Acompaña a los turistas.

2 Completa las preguntas con la forma *estar* + gerundio de los verbos del recuadro.

> jugar • pasear • estudiar • desayunar
> hablar • hacer

1 María _____ matemáticas cuando la llamé por teléfono.
2 ¿De qué _____ vosotros cuando llegué?
3 Mis amigos y yo _____ a las cartas cuando se fue la luz.
4 ■ ¿Qué _____ tú esta mañana a las ocho?
   ● _____ un café con leche.
5 Adrián y Antonio _____ por la montaña cuando empezó a nevar.

3 Un policía ha parado a un motorista y le hace las siguientes preguntas. Cambia la conversación a estilo indirecto.

Policía: ¿Cómo se llama?
Motorista: Juan Gutiérrez.
P: ¿De quién es la moto?
M: Es de mi hermano.
P: ¿Tiene permiso de conducir?
M: Sí, lo tengo.
P: ¿Puedo verlo?
M: No lo llevo encima.
P: ¿Puede llevarlo a la Oficina de Tráfico lo antes posible?
M: Sí, no hay ningún problema.
P: Puede continuar.

El policía le preguntó que cómo se llamaba y el motorista respondió que Juan Gutiérrez. Luego le preguntó......

4 El sábado por la mañana Susana llamó a su amigo Pedro para quedar. Pon los verbos en su forma más adecuada (*estar* + gerundio / pretérito indefinido).

1 Pedro _estaba escuchando_ (escuchar) la radio cuando Susana lo _llamó_ (llamar) por teléfono.
2 Ellos _____ (pensar) qué hacer cuando Pedro _____ (sugerir) jugar un partido de tenis.
3 Cuando _____ (llegar), otras dos personas _____(usar) la pista de tenis.
4 Pedro _____ (comprar) unos helados mientras _____ (esperar) para jugar.
5 Cuando ellos _____ (jugar), _____ (empezar) a llover.
6 Mis amigos y yo _____ (ver) el mundial de fútbol por televisión cuando _____ (irse) la luz.
7 Cuando el avión _____ (despegar) mi teléfono _____ (empezar) a sonar.

¿Qué sabes?

· Hablar del trabajo.
· Leer y entender noticias del periódico.
· Utilizar el estilo indirecto.
· Usar el verbo *estar* + gerundio.

Predicciones

- ·· Hablar de la duración de una actividad actual
- ·· Hablar del futuro
- ·· Hacer predicciones
- ·· Expresar gustos y opiniones
- ·· **Cultura:** Emigrar a otro país

■ *Hablar de la duración de una actividad actual*

Escuchar

1 Mira las imágenes. ¿Dónde están? ¿Qué están haciendo?

A _____

B _____

C _____

2 🔊155 Lee y escucha.

A

Pilar: ¿Cuánto tiempo llevas trabajando en este hospital?

Mónica: Tres meses, ¿y tú?

Pilar: Yo llevo solo un día. Empecé ayer. Estoy un poco nerviosa.

B

Álvaro: Hablas muy bien español. ¿Cuánto tiempo llevas estudiándolo?

Claire: En mi país estudié cuatro años y ahora llevo cinco meses en Barcelona.

C

Alberto. ¿Cuánto tiempo llevas esperando?

Ignacio: Más de una hora. Llegué a las siete y ya son las ocho y cuarto.

Virginia: Yo llevo dos horas, desde las seis.

3 Completa según la información de los diálogos.

1 ■ ¿Cuánto tiempo lleva Pilar _____ en el hospital?
  ● Pilar _____ _____ en el hospital un día.

2 ■ ¿Cuánto tiempo _____ _____ español Claire?
  ● Claire lleva _____ español cuatro años y cinco meses.

3 ■ ¿Cuánto tiempo llevan _____ en la cola?
  ● Ignacio _____ esperando más de una hora y Virginia _____ _____ desde las seis.

4 Responde con *sí* o *no*.

1 ¿Trabajan Pilar y Mónica en el hospital ahora?
2 ¿Estudia Claire español actualmente?
3 ¿Están esperando en la cola Ignacio y Virginia?

Gramática

- Utilizamos la expresión *llevar* + gerundio para hablar de una acción que empezó en el pasado y continúa en el presente, especialmente cuando estamos interesados en expresar la duración de la acción.

  Manuel está trabajando ahora. Empezó hace dos horas.
  *Manuel **lleva trabajando** dos horas.*
  Son las seis. Empezó a trabajar a las cuatro.
  *Manuel **lleva trabajando** desde las cuatro.*

- También se utiliza el marcador temporal entre *llevar* y el verbo en **gerundio**.

  *Manuel **lleva** dos horas **trabajando**.*
  *Manuel **lleva** desde las cuatro **trabajando**.*

---

5 Sigue el ejemplo.

1 Carlos está tocando el piano (1 hora).
  Carlos lleva tocando el piano una hora.
2 Yo vivo en Segovia (6 meses).
3 Los niños están viendo la tele (las tres).
4 David sale con Margarita (septiembre).
5 Diana trabaja en Argentina (1 año).
6 Mis amigos estudian español (2 años).
7 Nosotros cantamos en un coro (mucho tiempo).
8 Miguel juega al ajedrez (varios años).
9 Ellos están esperándonos (media hora).

6 Retoma la actividad anterior y escribe la pregunta y la respuesta correspondiente:

1 ■ *¿Cuánto tiempo lleva tocando el piano Carlos?* o
   ¿Cuánto tiempo lleva Carlos tocando el piano?
   ● *Carlos lleva tocando el piano una hora.*

7 Practica con tu compañero los diálogos anteriores: *A* pregunta y *B* responde.

Escuchar

8  Escucha a estos dos jóvenes que viven en España, hijos de padres extranjeros. Señala V o F. Corrige las afirmaciones falsas.

A Chen, 15 años, padres chinos

1 Los padres de Chen tienen un restaurante en Toledo.	V
2 Llevan en España 19 años.	☐
3 Los padres no hablan español.	☐
4 A Chen no le gusta la cultura española.	☐
5 Los españoles son más abiertos que los chinos.	☐
6 Chen lleva dos años en un equipo de fútbol.	☐

B Miguel Thompson, padres británicos

1 Los padres de Miguel son de Toledo.	F
Los padres son británicos.	
2 Miguel se siente más cerca de los españoles.	☐
3 Los padres llevan casi trece años en España.	☐
4 Los españoles son más abiertos que los ingleses.	☐
5 Algunas veces Miguel choca con gente cerrada.	☐

Hablar

9 Imagina una serie de actividades que estás realizando actualmente. Luego practica con tu compañero como en el ejemplo. Utiliza la lista siguiente como ayuda.

- Estudiar un idioma: árabe, italiano, chino…
- Salir con un chico-a.
- Trabajar en una empresa de informática / seguros / construcción.
- Jugar al fútbol / tenis / baloncesto en un equipo.
- Bailar flamenco / tango / danza del vientre…
- Vivir en el campo…

■ *¿Sabes? Estoy estudiando árabe.*
● *¿Ah sí? ¿Cuánto tiempo llevas estudiando (árabe)?*
■ *Llevo seis meses.*

1 ¿Dónde crees que estarás dentro de veinte años?

Dentro de veinte años yo estaré en...

Leer

2 Lee el siguiente texto.

Durante el siglo XX la vida en la Tierra experimentó cambios importantísimos. En este siglo XXI,

¿QUÉ CAMBIOS HABRÁ?

- ¿Habrá más contaminación atmosférica o menos?
- ¿Se curarán enfermedades como el cáncer, el sida, la malaria?
- ¿La gente vivirá en el campo o en ciudades cada vez más grandes?
- ¿Habrá guerras o se acabarán para siempre?
- ¿Cómo viajará la gente: en coche, en avión, en nave espacial?
- ¿Podremos ir de vacaciones a la Luna o a Marte por poco dinero?

Invitamos a nuestros lectores a hacer predicciones. Escríbannos, por favor.

3 Lee otra vez el texto y señala la predicción que te interesa más.

Que iremos de vacaciones a la Luna por poco dinero.

Gramática

FUTURO IMPERFECTO

Verbos regulares en -ar, -er, -ir

hablar

yo hablar**é**	nosotros/as hablar**emos**
tú hablar**ás**	vosotros/as hablar**éis**
él / ella / Ud. hablar**á**	ellos / ellas / Uds. hablar**án**

Irregulares

haber habré	**tener** tendré
hacer haré	**salir** saldré
poder podré	**poner** pondré

El futuro se usa:

● Con **marcadores temporales** como *mañana, el año próximo, la semana que viene, el mes próximo*, para **hacer promesas y predicciones**:
*El año que viene **iré** a verte a tu país.*

4 Forma frases.

1 Mañana / ir / al cine contigo (yo).
   Mañana iré al cine contigo.
2 Dentro de un año / terminar / mis estudios (yo).
3 El sábado / salir / con ellos (nosotros).
4 El mes que viene / haber / una fiesta de disfraces.
5 Esta noche / hacer la cena / Olga.
6 Mañana / no poder / venir a clase (él).
7 Dentro de un mes / volver / a su país (ellos).
8 Este fin de semana / venir / mis amigos a casa.
9 Esta tarde / salir / a dar una vuelta (nosotros).
10 El año que viene / tener / un mes de vacaciones (yo).

Escribir y hablar

5 Escribe dos predicciones para dentro de 50 años. Coméntalas con tus compañeros.

Yo creo que habrá menos contaminación porque los coches funcionarán con agua. Además, la gente vivirá más de cien años.

6 Escribe en un papel tus expectativas para el futuro. No pongas el nombre en tu papel. Luego dáselo a tu profesor. El profesor te dará otro, ¿sabes quién lo ha escrito?

Dentro de 10 años seré una actriz famosa. Tendré mucho éxito y haré un montón de películas.

A

B

C

7 Relaciona cada frase con las fotos.

1 ☐ **Si no está contento con su compra, le devolvemos su dinero.**

2 ☐ **Si te gusta el sol y la playa, ven al Caribe.**

3 ☐ Si invierte aquí, ganará el doble.

8 Subraya los verbos en las frases anteriores.

Gramática

ORACIONES CONDICIONALES
● *Si + presente de indicativo*, presente.   *Si no lluve, salgo todos los días.*
● *Si + presente de indicativo*, imperativo.   *Si no lluve, ven a mi casa.*
● *Si + presente de indicativo*, futuro.   *Si no lluve, iré a tu casa.*

9 Forma frases con los elementos de las columnas. Hay más de una opción.

1 Si no hay autobuses,
2 Si puedes,
3 Si salgo pronto de trabajar,
4 Si compras tres paquetes,
5 Si dejas de fumar,
6 Si me dan vacaciones en junio,
7 Si Rosa e Ignacio no vienen pronto,
8 Si hace aire,
9 Si tienen un niño,
10 Si tomas el sol,

a compra el pan y el periódico.
b iré a ver a Marta.
c cierra la ventana.
d me iré al Caribe.
e pide un taxi.
f ahorrarás dinero.
g le llamarán Álvaro.
h perderemos el tren.
i ponte crema.
j te encontrarás mejor.

Escuchar

10 En las elecciones, los políticos suelen hacer promesas. Completa las promesas siguientes.

1 Si mi partido gana las elecciones, (crear, nos.) _____ más puestos de trabajo.
2 Si ustedes nos (votar) _____ , nosotros (subir) _____ las pensiones.
3 Si (salir, yo) _____ elegido, les prometo que el gobierno (gastar) _____ más dinero en educación y sanidad.
4 Por último, les prometo que todo el mundo (tener) _____ lo que necesita si ustedes (votar) _____ a mi partido.

11 🔊157 Escucha y comprueba.

12 En parejas. Piensa una buena frase para cada uno de estos productos, luego vota las mejores.

1 Una máquina de afeitar
   Si utiliza la máquina de afeitar "Piel", las mujeres no le abandonarán.
2 Un gel de baño
3 Un detergente para la ropa
4 Un restaurante
5 Una escuela de idiomas
6 Un perfume
7 Un coche
8 Un helado

1 Mira los pósteres y piensa en adjetivos para cada uno.

> horrible • precioso • no está mal
> impresionante • aburrido • romántico
> original • bonito • soso

2 Pablo y Julia están buscando pósteres para su habitación. Lee lo que dicen.

1 Pablo: Mira este del hombre y la nieve, qué bonito. ¿Te gusta?
Julia: No mucho, a mí me gusta más el primero, el de las flores.
Pablo: ¿Ese? Es horrible.

2 Julia: A mí el del hombre en la barca me gusta mucho.
Pablo: A mí, también.

3 Julia: ¿No te parece más romántico el de las flores?
Pablo: No, a mí me parece que es un poco aburrido, soso.

Hablar

3 Con tu compañero practica opinando sobre los pósteres.

- ■ *¿Qué póster te gusta más?*
- ● *El 1. Me parece que es (muy)....*
- ■ *¿Qué póster te gusta menos?*
- ● *El... no me gusta nada. Me parece que es...*

4 ¿Cuáles son los problemas que preocupan a los jóvenes? En la lista siguiente, señala de 1 a 10 el orden en que te preocupan a ti.

▸ El paro.
▸ El consumo de drogas.
▸ La adicción al tabaco.
▸ El consumo de alcohol.
▸ Las discusiones con los padres.
▸ La contaminación y el medioambiente.
▸ La corrupción política.
▸ La vivienda.
▸ Las relaciones con los amigos.
▸ El futuro.
▸ La falta de dinero.
▸ Otros:

Escuchar

5 🔘158 Roberto y Ana tienen diecisiete años. Escucha una vez la encuesta y señala en la lista anterior los temas que mencionan.

6 🔘158 Escucha otra vez y señala V o F. Corrige las afirmaciones falsas.

1 A Roberto no le importa la política. [V]
2 Roberto cree que cada vez hay más contaminación. ☐
3 Ana cree que los políticos son sinceros. ☐
4 Los trabajos cada vez son peores. ☐
5 La vivienda no es un problema importante. ☐
6 Roberto discute con sus padres todos los días. ☐
7 Ana piensa que hay muchas formas de pasar el fin de semana. ☐

Comunicación

A mí **me preocupa** *la contaminación del aire.*
A mí también / A mí no.

A Roberto no **le interesa** *la política.*
A mí tampoco / A mí sí.

Yo **creo / piensa** *que los políticos no son sinceros.*
Yo también lo creo / Yo no lo creo.

7 Responde a las afirmaciones siguientes con las expresiones del recuadro.

> A mí sí • A mí no • A mí también
> A mí tampoco • Yo también • Yo no

1 A mí no me interesan nada las noticias.
  A mí tampoco.
2 A mi novio no le importa el dinero.
3 A mí me parece que cada vez hay más contaminación atmosférica.
4 Yo creo que los jóvenes de ahora son más egoístas que los de antes.
5 A mí me parece que las drogas son un problema muy importante.
6 A mí me preocupa mucho la corrupción política.

8 En grupos de 4. Escribe un párrafo opinando sobre los temas del ejercicio 4. Luego, coméntalo con tus compañeros.

> *A mí el problema que más me preocupa es el de la vivienda. Yo tengo novio y quiero casarme, pero no tenemos dinero para alquilar un piso porque están carísimos. Yo creo que nunca me iré de casa de mis padres.*

Pronunciación y ortografía

El sonido /θ/. La c y la z. *Za, ce, ci, zo, zu.*

1 🔘159 Escucha y repite.

cine zapato zona azul cielo
azúcar cigarrillo cerveza cenicero

• Muchos hablantes de español de España (en Canarias y Andalucía) y de Hispanoamérica no suelen realizar este sonido, lo pronuncian como **s**. A este fenómeno se le llama *seseo*.

2 Escribe algunas frases con las palabras del ejercicio 1 y léeselas a tu compañero.

No me gusta el cine.

3 🔘160 Escucha el trabalenguas y después léeselo a tu compañero.

4 🔘161 Escucha ahora cómo lo diría un latinoamericano.

Vivir entre dos mundos

PALOMA DE LA CRUZ es una de los millones de hispanos que viven "entre dos mundos". Nació en Colombia y vive en Estados Unidos desde 1988. Es periodista y actualmente trabaja en la cadena nacional NBC.

¿Por qué viniste a Estados Unidos?

Yo salí de mi país porque era joven, tenía inquietudes y ambiciones. Tenía una prima en Los Ángeles, así que me vine acá. Desde que llegué empecé a trabajar y estudiar. Además de trabajar iba a la escuela nocturna para mejorar mi inglés y estudiar otras materias. Y poco a poco descubrí mi camino, mi vocación. Empecé a trabajar en noticias, en televisión. Me encantó y aquí estoy.

¿Qué significa ser emigrante?

Ser un emigrante no es fácil. Te alejas de la gente que te quería, de lugares conocidos, de tus amigos. Por otro lado empiezas un mundo nuevo, otras maneras de vivir y tienes que adaptarte día a día. Al principio es duro, luego aprendes a desenvolverte en tu nueva vida y te acostumbras. Para ganar algo, para tener una vida mejor, tienes que perder algo. La condición de emigrante es así. Aunque ahora tengo aquí mi vida, voy mucho a mi país, vuelvo cada año a ver a mi familia y mis amigos y trato de ayudarles en lo que puedo.

VIOLETA BARRAGÁN fue campeona de gimnasia en su colegio, en Quito, Ecuador, y se trasladó a Tacoma (estado de Washington) en 2001.

¿A qué te dedicas exactamente?

Profesionalmente soy coreógrafa, pero también creo mucho en la educación. En mi país fundé una compañía de teatro con tres compañeras bailarinas. Mi trabajo actual como directora de BUSCAdanza, proyecto que nació en 2004, incluye un aspecto didáctico. También trabajo como maestra de teatro en la escuela primaria.

¿Qué conexión tienes con Ecuador?

Bueno, uno de mis últimos trabajos, "Fantasmas", lo presenté en mi país después de estrenarlo aquí. Es un espectáculo muy bonito que combina video, música, dibujo, fotografía y danza. Por otro lado, mi esposo y yo vivimos atentos y preocupados por ayudar a quienes más lo necesitan en Ecuador.

Leer

1 Lee los textos y completa las frases con la información de los mismos.

1 Paloma de la Cruz es _____ , llegó a Estados Unidos _____ .

2 Emigró porque _____ y porque tenía _____ en _____ .

3 Durante el día _____ y por la noche _____ para _____ .

4 Ser emigrante es difícil porque _____ .

5 Paloma _____ a Colombia _____ para _____ .

6 Violeta y su marido_____ por las personas que tienen más _____ en Ecuador.

2 ¿Conoces a algún emigrante? ¿Qué problemas tuvo al llegar? Si tú mismo eres un emigrante, ¿qué problemas has tenido?

Escribir

3 Lee el texto y elige la opción correcta.

Una encuesta sobre el futuro

Un grupo de diez personas ha contestado a las siguientes preguntas sobre el futuro:

* ¿Existirán los humanos en el próximo milenio?
* ¿Será el mundo un lugar mejor?
* ¿Serán los humanos más inteligentes?
* ¿Viajará la gente al espacio?
* ¿Vivirán los humanos en otros planetas?
* ¿Viajarás al espacio si tienes la oportunidad?

CONCLUSIONES:

Todo el mundo cree que los humanos existirán dentro de mil años, y más de la mitad piensa que el mundo será un lugar mejor, porque protegeremos mejor a nuestro planeta. Algunos creen que seremos más inteligentes en el futuro. La mayoría de los encuestados piensa que los viajes espaciales serán normales en el siglo próximo y que los humanos vivirán en otros planetas. Todo el mundo dice que viajará al espacio si tiene oportunidad.

1 (8/10) <u>*La mayoría*</u> / *La mitad* cree que habrá viajes espaciales en el futuro.

2 (6/10) *La mitad* / *Más de la mitad* cree que la Tierra será un lugar mejor para vivir.

3 (3/10) *Todo el mundo* / *Algunos* creen que el ser humano será más inteligente en el futuro.

4 (0/10) *Todo el mundo* / *Nadie* tendrá miedo a viajar al espacio.

4 Elabora un cuestionario sobre el futuro del planeta y realiza una encuesta a tus compañeros. Escribe las conclusiones.

Escuchar

5 🔊 162 Escucha la conversación entre Luis y Sara y contesta a las preguntas.

1 ¿Qué piensa Luis sobre el futuro de los viajes en avión? ¿Por qué?

2 ¿Cómo cree Sara que serán los aviones del futuro?

3 ¿Cuántos coches hay en la actualidad en nuestro planeta?

4 ¿Cuántos coches habrá en 2030?

5 ¿Qué le propone Luis a Sara para no contaminar?

Hablar

Alumno A (alumno B, ver «En parejas»)

6 Pregúntale a tu compañero sobre su futuro.

¿Te comprarás una casa?
¿Por qué? / ¿Por qué no?

… comprar una casa?
… casarte?
… tener hijos?
… aprender otros idiomas?
… comprar un coche?
… tener una moto?
… ser muy rico/a?
… ser un personaje famoso?
… vivir en un pueblo o en una ciudad?
… trabajar fuera de tu país?

7 Responde a las preguntas de tu compañero sobre tu futuro.

1 Completa las frases utilizando *llevar* + gerundio con los verbos del recuadro.

> trabajar • bailar • ~~salir~~ • jugar
> vivir • buscar • aprender

1 Javier y Margarita <u>llevan saliendo</u> juntos dos años.
2 Ellos _____ piso desde el año pasado.
3 ¿Cuánto tiempo (tú) _____ al tenis?
4 Juan _____ en esta empresa desde el año pasado.
5 Yo _____ inglés toda la vida.
6 Mis amigos y yo _____ flamenco toda la noche.
7 ¿Cuánto tiempo (vosotros) _____ en Madrid?

2 Ayer hablaste con una jugadora de tenis profesional y descubriste la siguiente información.

1 Lleva jugando al tenis desde que tenía seis años.
2 Lleva participando en torneos profesionales desde los trece años.
3 Lleva viviendo en Mónaco dos años.
4 Lleva haciendo yoga cinco años.
5 Alberto Costa la lleva entrenando dos años
6 Ha regresado con su entrenador de un torneo en Australia. Llevan viajando 28 horas.

¿Qué preguntaste en cada momento? Sigue el modelo.

> 1 *¿Cuánto tiempo llevas jugando el tenis?*

3 Contesta como en el modelo.

1 ■ Rosa, ¿has limpiado los cristales?
  ● No, <u>los limpiaré</u> mañana.
2 ■ Julián, ¿has hecho la cena?
  ● No, _____ más tarde.
3 ■ Alberto, ¿has comprado el periódico?
  ● No, _____ luego.
4 ■ Luisa, ¿has puesto la alfombra?
  ● No, _____ mañana.
5 ■ Mamá, ¿has puesto la lavadora?
  ● No, _____ el viernes que viene.
6 ■ Ana, ¿has planchado mis pantalones?
  ● No, _____ esta tarde.

4 Subraya el verbo correcto.

1 Si *tienes / tendrás* tiempo, ven a mi casa.
2 *Compraremos / compramos* un sofá nuevo si *hay / habrá* rebajas.
3 Si la lavadora no *funcionará / funciona*, llévala a arreglar.
4 Si *tenemos / tendremos* dinero, iremos de vacaciones a Cancún.
5 Para mí, la vida es maravillosa si no *tendré / tengo* nada que hacer y *puedo / podré* hacer lo que quiera.
6 Mis padres me *comprarán / compran* una guitarra si yo *apruebo / aprobaré* el curso.

5 Escribe el final:

1 Si me toca la lotería de Navidad, _____.
2 Si tienes tiempo, _____.
3. Me casaré, _____.
4 Llámame, _____.

6 Completa el texto con las siguientes expresiones.

> preocuparse • ~~me preocupa~~ • creo • no creo • piensan

(1) <u>Me preocupa</u> el futuro de la Tierra. (2)_____ que es un lugar maravilloso para vivir. Algunas personas (3)_____ que es difícil evitar la destrucción del planeta, pero yo no estoy de acuerdo. Según mi opinión, los políticos deben (4)_____ por buscar las soluciones a los problemas. (5)_____ que sea demasiado tarde.

¿Qué sabes?

· Hablar de la duración de una actividad actual.
· Utilizar el futuro para hablar de predicciones y promesas.
· Utilizar verbos de opinión como *me parece, me molesta, (no) me importa...*
· Expresar condiciones posibles.

ANEXOS

Unidad 1

Hablar

Alumno B
(viene de página 23)

5 Responde a A la información sobre los números 1, 3, 5 y 7.

El número 1 se llama Isabel Allende. Es chilena. Es escritora.

1   2   3   4

Isabel Allende   _____   Messi   _____
chilena   _____   argentino   _____
escritora   _____   futbolista   _____

5   6   7   8

Carolina Herrera   _____   Shakira   _____
venezolana   _____   colombiana   _____
diseñadora   _____   cantante   _____

6 ¿Conoces a estos personajes famosos? Pregunta a A la información sobre los números 2, 4, 6 y 8.

¿Cómo se llama el número 2? ¿De dónde es? ¿A qué se dedica?

Unidad 2

Hablar

Alumno B (viene de página 33)

7 Responde a A dónde están sus objetos.

móvil   calcetines   llaves
flauta travesera
diccionario   caja de bombones

Las gafas están encima de la silla.

8 Pregunta a A dónde están los objetos del recuadro.

¿Dónde está el móvil?

Unidad 3

Hablar

Alumno B (viene de página 43)

7 Responde a las preguntas de A.

8 Pregunta a A y completa la siguiente ficha.

NOMBRE: Antonio García
EDAD: 42 años
TRABAJO: Cocinero
PAÍS   España
CIUDAD: Sevilla
LUGAR DE TRABAJO: Restaurante
TRANSPORTE: Coche
FAMILIA: Casado. Tiene dos hijos.

NOMBRE: _____
EDAD: _____
TRABAJO: _____
PAÍS: _____
CIUDAD: _____
LUGAR DE TRABAJO: _____
TRANSPORTE: _____
FAMILIA: _____

Unidad 4

Hablar

Alumno B (viene de página 53)

8 Responde a las preguntas de A.

Hotel *Miramar*

Quinta planta: _____
Cuarta planta: Peluquería
Tercera planta: _____
Segunda planta: Restaurante

Primera planta: _____
Planta Baja: Recepción
Sótano: Garaje

Precios
Habitación individual: 100 €
Habitación doble: _____

Comidas
Desayunos: de 7.30 a 10.30 h
Comidas: de 13 a 15 h
Cenas: _____

9 Pregunta a A la información que falta en el anuncio del Hotel Miramar.

1 ¿En qué planta están: *la cafetería, la sauna y el gimnasio, el salón de conferencias?*
2 Pregunta el precio de la habitación doble: *¿Cuánto cuesta…?*
3 Pregunta el horario de la cena: *¿A qué hora se puede cenar?*

Unidad 5

Hablar

Alumno B (viene de página 63)

4 Responde a A las preguntas sobre tus gustos.

Sí, mucho. / Sí, bastante. / No, no mucho. / No, nada.

5 Pregunta a A sobre sus gustos.

¿Te gusta viajar?
¿Te gustan los perros?

	MUCHO	BASTANTE	NO MUCHO	NADA
viajar				
los perros				
las motos				
navegar en internet				
jugar al fútbol				
andar				
hablar				
los niños				
leer				

Unidad 8

Hablar

Alumno B (viene de página 93)

9 Tú y tu compañero os encontráis en la esquina de la calle Argentina con la calle Ecuador. Escucha a A y dile cómo se va a los lugares que te pregunta.

10 Tú y tu compañero os encontráis en la esquina de la calle Argentina con la calle Ecuador. Pregunta a A cómo se va a los siguientes lugares:

- la panadería
- el banco
- la cafetería
- el cine
- la farmacia

■ *¿Puedes decirme cómo se va a la panadería?*
● *Ve por la calle Argentina y toma la primera a la derecha, la calle Mayor. Sigue recto y, después de cruzar la calle Colombia, a la derecha, junto al bar José, está la panadería.*

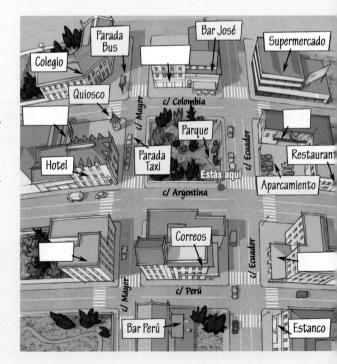

Unidad 10

Hablar

Alumno B (viene de página 113)

6 Prepara preguntas para entrevistar a A, que le ha tocado la lotería. Puedes añadir otras preguntas.

a Con quién / celebrar
b Qué / comprar
c Dónde / ir de vacaciones
d Con quién / ir
e Qué / hacer a la vuelta del viaje

7 Imagina que te vas a estudiar a un país extranjero. Prepara las respuestas para la entrevista que te hará A.

a ¿A qué país vas a ir?
b ¿Qué vas a estudiar?
c ¿Dónde te vas a alojar?
d ¿Con quién vas a vivir?
e ¿En qué vas a trabajar?

Unidad 11

Hablar

Alumno B (viene de página 123)

8 Imagina que eres un periodista y vas a entrevistar al famoso cantante Enrique Iglesias. Aquí tienes algunas preguntas.

¿Dónde naciste?

¿Cuándo naciste?

¿Adónde te trasladaste a vivir?

¿Cuándo grabaste el primer disco?

¿Cuál es el premio más importante que has recibido?

¿Cómo se llama tu disco más famoso?

¿Cuántos discos has vendido en todo el mundo?

9 Ahora imagina que tú eres la cantante Luz Casal y un periodista te va a entrevistar. Contesta a las preguntas con la información que sigue.

* Nació en Galicia el 11-11-1958.
* Estudió piano y bel canto.
* Empezó a acompañar en sus giras a Juan Pardo.
* Grabó su primer disco en 1980.
* En 1994 sacó su disco más famoso, *Como la flor prometida*.
* En 2002, grabó *Con otra mirada*.
* En 2005 publicó un nuevo recopilatorio: *Pequeños, medianos y grandes éxitos*.
* En 2013 apareció en el mercado un nuevo álbum titulado *Almas gemelas*.

Unidad 12

Hablar

Alumno B (viene de página 133)

6 Responde a tu compañero.

Sí, ya lo he comprado.

7 Pregunta a tu compañero si ha hecho las siguientes tareas, las que no están señaladas. Tú has hecho las que están señaladas con V.

¿Has planchado las camisas?

Comprar el pan	V
Planchar las camisas	
Poner la lavadora	
Regar las plantas	V
Fregar los platos	V
Ir al banco	
Llamar por teléfono a Luis	V
Comprar el periódico	V
Abrir el correo	
Comprar las entradas para el fútbol	

Unidad 13

Hablar

Alumno B (viene de página 143)

6 Escribe en un papel.

- Un deporte que te gusta mucho.
- Un libro que has leído últimamente.
- Un lugar donde no has estado nunca.
- Algo que te molesta mucho.
- Algo que no te gusta hacer.
- Algo que no sabes hacer.
- Alguien famoso que te cae bien.
- Un programa de la tele que no te gusta nada.
- Algo que te preocupa.

7 Escucha a tu compañero y responde.

A mí también / A mí no. / A mí tampoco / A mí sí.
Yo también / Yo no. / Yo tampoco / Yo sí.

8 Dile a tu compañero qué es lo que te gusta a ti.

A mí me gusta mucho el baloncesto, ¿y a ti?

Unidad 14

Hablar

Alumno B (viene de página 153)

7 Muévete por la clase y pregunta a los compañeros.

¿El año pasado tenías el pelo largo?

Encuentra a alguien que...
...el año pasado (tener) el pelo largo.
...cuando (ser) niño (tener) perro o gato.
...(jugar) al fútbol o al baloncesto.
...(comer) en el colegio todos los días.

...antes (fumar), pero ahora no.
...(escribir) poesías cuando (ser) adolescente.
...(salir) con los amigos todos los fines de semana.
...(gustar) la música clásica cuando (ser) adolescente.

Unidad 15

Hablar

Alumno B (viene de página 163)

6 Escucha a tu compañero y escribe lo que te dicta. Díctale a él tu parte.

GAZPACHO

Ingredientes:

- 1 kg de tomates maduros.
- _____.
- _____ remojada en agua.
- Sal.
- 6 cucharadas de _____.
- 2 cucharadas de vinagre.
- _____.

Elaboración:

_____ todos los ingredientes _____ y se bate _____, como para una sopa.
_____ en una sopera _____ en el frigorífico.
_____, se añade el agua _____.
_____ trocitos de verduras _____.

Unidad 16

Hablar

Alumno B (viene de página 173)

5 Responde a tu compañero sobre tus hábitos. ¿Llevas una vida saludable?

6 Ahora pregunta a tu compañero por sus hábitos. Prepara al menos 8 preguntas sobre:

a Caminar

b Ir de excursión al campo

c Meditar

d Hacer yoga

e Comer carne / pescado / frutas / dulces

f Hacer ejercicio

g Dormir

h Beber agua / refrescos

Unidad 17

Hablar

Alumno B (viene de página 183)

7 Imagina que tu compañero ha hecho esta foto. Hazle estas preguntas.

1 Esta foto es muy buena, ¿la has hecho tú?

2 ¿Dónde estabas cuando la hiciste?

3 ¿Qué están haciendo las personas de la foto?

4 ¿Por qué estaban haciendo eso?

5 ¿Tú también lo hiciste?

6 ¿Por qué?

8 Ahora imagina que tú has hecho esta foto. Contesta a las preguntas que te haga tu compañero.

Unidad 18

Hablar

Alumno B (viene de página 193)

6 Responde a tu compañero sobre tu futuro.

Sí, porque la mía es muy pequeña.

7 Pregunta a tu compañero sobre su futuro.

¿Tendrás más de tres hijos?
¿Por qué? / ¿Por qué no?
...tener más de tres hijos?
...aprender jardinería?
...viajar por todo el mundo?
...cambiar de marido/mujer?

...ser muy rico/a?
...ser un deportista famoso?
...irte a una isla desierta?
...comprar un barco?
...escribir un libro?
...vivir en el campo?

GRAMÁTICA

VERBOS *SER* Y *TENER*. PRESENTE

	ser	tener
yo	soy	tengo
tú	eres	tienes
él / ella / Ud.	es	tiene
nosotros/as	somos	tenemos
vosotros/as	sois	tenéis
ellos / ellas / Uds.	son	tienen

→ Usamos el verbo **ser** para identificarnos, hablar de la nacionalidad y de la profesión.

   Esta **es** Pilar.   Pilar **es** española.   Pilar **es** azafata.

GÉNERO DE LOS NOMBRES

→ Los nombres de las cosas tienen género masculino o femenino:

   el libro   la ventana

→ Los nombres de las personas y animales tienen género masculino y femenino.

   el gato   la gata
   el profesor   la profesora
   el hombre   la mujer

→ En el caso de los nombres de profesión:

a Si el masculino termina en -o, cambia por -a:
   el abogado   la abogada

b Si el masculino termina en consonante, añade -a:
   pintor   pintora

c Si el masculino termina en -e, puede quedar igual o cambiar por -a.
   el estudiante   la estudiante
   el presidente   la presidenta

d Si el masculino termina en -ista, no cambia.
   el taxista   la taxista

GÉNERO DE LOS ADJETIVOS

→ Los adjetivos tienen el mismo género que el nombre al que se refieren.

   El profesor es **simpático**. *La profesora* es **simpática**.

→ En el caso de los adjetivos de nacionalidad:

a Si el masculino termina en -o, el femenino termina en -a.
   brasileño   brasileña

b Si el masculino termina en consonante, el femenino añade -a.
   alemán   alemana

c Si el masculino termina en -a, -e, -í, no cambia.
   belga / belga   cretense / cretense   iraní / iraní

VERBOS REGULARES. PRESENTE

Tenemos tres conjugaciones (1.ª, 2.ª, 3.ª), según la terminación del infinitivo: -ar, -er, -ir.

trabajar	comer	vivir
trabajo	como	vivo
trabajas	comes	vives
trabaja	come	vive
trabajamos	comemos	vivimos
trabajáis	coméis	vivís
trabajan	comen	viven

PRONOMBRES PERSONALES SUJETO

→ Tenemos 12 pronombres personales sujeto:

> yo • tú • él • ella • usted (Ud.) • nosotros • nosotras
> vosotros • vosotras • ellos • ellas • ustedes (Uds.)

→ Estos pronombres no se utilizan siempre, solo cuando queremos distinguir bien entre diferentes sujetos.

TÚ / USTED, VOSOTROS / USTEDES

→ Usamos **tú** y **vosotros** cuando hablamos con conocidos, amigos y personas de igual o inferior rango.
→ Usamos **usted** y **ustedes** cuando hablamos con desconocidos, personas mayores y de mayor rango.
→ En América Latina se usa **ustedes** en lugar de **vosotros** y, en algunos países, **vos** en lugar de **tú**.

VOCABULARIO

GENTILICIOS

> alemán/a • andaluz/a • brasileño/a • catalán/a
> estadounidense • francés/a
> inglés/a • japonés/a • marroquí • mexicano/a

PROFESIONES

> ciclista • actriz • camarero/a • cantante
> cartero/a • escritor/a • estudiante • futbolista
> médico/a • policía • peluquero/a • profesor/a
> secretario/a • taxista • torero/a

NÚMEROS

> 0 cero   1 uno 2 dos 3 tres 4 cuatro 5 cinco 6 seis
> 7 siete 8 ocho 9 nueve 10 diez 11 once 12 doce
> 13 trece 14 catorce 15 quince 16 dieciséis
> 17 diecisiete 18 dieciocho 19 diecinueve 20 veinte

Ejercicios prácticos

EL VERBO *SER*. PRESENTE

1 Completa con el verbo *ser*.

1 ¿De dónde _____? (tú)
2 Lisandro _____ de Colombia.
3 Nosotros _____ estudiantes.
4 Carla y Lola _____ abogadas.
5 Yo no _____ español.
6 Mi hija _____ periodista.
7 ¿_____ alemanas? (vosotras)
8 ¿_____ profesor? (tú)
9 ¿De dónde _____ usted?
10 ¿_____ brasileña? (tú)
11 Mis padres_____ mexicanos.
12 María y yo_____ profesoras.

2 Escribe el pronombre adecuado.

1 *Él* es francés.
2 _____ somos mexicanas.
3 _____ somos peruanos.
4 ¿_____ sois españoles?
5 ¿_____ eres de Sevilla?
6 _____ no son profesores.
7 _____ soy peluquero.
8 _____ son actrices.
9 ¿_____ eres actor?
10 _____ no es española.

EL GÉNERO DE LOS NOMBRES

3 Clasifica en cada columna.

casa • hotel • oficina • leona • coche
hombre • libro • mujer • camarero
calle • compañero • hospital
azafata • gata • lección • hijo

MASCULINO	FEMENINO
el hotel	la casa

GÉNERO DE LOS ADJETIVOS

4 Completa la tabla con el género que falta.

1	la gata blanca	
2	la niña simpática	
3	la profesora amable	
4		el actor bueno
5	la taxista buena	
6	la turista alemana	
7	la abogada china	
8		el pianista inglés
9		el periodista estadounidense

VERBOS REGULARES. PRESENTE

5 Escribe las frases en la forma adecuada.

1 Yo / estudiar / Matemáticas
2 Nosotros / comer / en casa
3 Rosa / no / beber / agua
4 Luis y Ana / vivir / en Galicia
5 Nosotras / trabajar / mucho
6 ¿Tú / vivir / en París?
7 ¿Ud. / hablar / inglés?
8 Yo / trabajar / en un banco
9 ¿Ustedes / escribir / los datos?
10 Mi marido / no / hablar / mucho
11 ¿Tú / trabajar / aquí?
12 ¿Dónde / vivir / Ud.?
13 ¿Dónde / trabajar / Ud.?
14 ¿Dónde / trabajar / tú?
15 Yo / vivir / en Valencia

PRONOMBRES PERSONALES SUJETO

6 ¿Qué pronombre personal corresponde?

1 ¿Qué estudia Alicia? *Ella*
2 Elena y Alberto tienen dos hijos.
3 Estos chicos no estudian nada.
4 ¿A qué hora comen los españoles?
5 ¿Cuántos idiomas habla?
6 ¿Llamáis todos los días por teléfono a Óscar?
7 ¿Cómo se llama tu marido?
8 ¿Dónde viven Lola y María?

GRAMÁTICA

PLURAL DE LOS NOMBRES

→ Si el singular termina en vocal (excepto **í**), el plural se forma añadiendo una **-s**.

un libro   dos libros

→ Si el singular termina en consonante, se añade **-es**.

un hotel   dos hoteles   un lápiz   dos lápices

ADJETIVOS POSESIVOS

sujeto	Posesivos	
	singular	plural
yo	mi	mis
tú	tu	tus
él / ella / Ud.	su	sus
nosotros/as	nuestro/a	nuestros/as
vosotros/as	vuestro/a	vuestros/as
ellos/as / Uds.	su	sus

→ Los adjetivos posesivos concuerdan en número con el nombre al que acompañan.

*Esta es **mi** <u>hermana</u> y estos son **mis** <u>padres</u>.*

VERBO *ESTAR*. PRESENTE

Presente del verbo *estar*	
yo	estoy
tú	estás
él / ella / Ud.	está
nosotros/as	estamos
vosotros/as	estáis
ellos / ellas / Uds.	están

→ Usamos el verbo **estar** para expresar ubicación.

*Pedro **está** en casa.*

DEMOSTRATIVOS

→ Los pronombres demostrativos *esta, este, estas, estos* se refieren a algo o alguien cercano.

	singular	plural
masculino	este	estos
femenino	esta	estas

Esta es <u>mi prima</u>.
Este es <u>mi perro</u> Miko.
Estas son <u>las bicicletas</u> de mis hermanos.
Estos son <u>mis compañeros</u> de clase.

VOCABULARIO

MARCADORES DE LUGAR

El móvil está...

al lado del libro

debajo del libro

encima del libro

delante de los libros

detrás de los libros

entre el libro y la lámpara

a la derecha   **a la izquierda**

FAMILIA

abuelo/a • padre • madre • hijo/a • primo/a
marido • mujer • hermano/a

ESTADO CIVIL

soltero/a • casado/a • divorciado/a

LA CLASE

bolígrafo • cuaderno • diccionario • lápiz • libro
mapa • mesa • silla • televisión • ventana

NÚMEROS

20 veinte	100 cien
21 veintiuno	101 ciento uno
22 veintidós	200 doscientos/as
23 veintitrés	300 trescientos/as
24 veinticuatro	400 cuatrocientos/as
25 veinticinco	500 quinientos/as
26 veintiséis	600 seiscientos/as
27 veintisiete	700 setecientos/as
28 veintiocho	800 ochocientos/as
29 veintinueve	900 novecientos/as
30 treinta	1 000 mil
31 treinta y uno	1 105 mil ciento cinco
40 cuarenta	1 500 mil quinientos
50 cincuenta	1 940 mil novecientos
60 sesenta	cuarenta
70 setenta	2 001 dos mil uno
80 ochenta	5 000 cinco mil
90 noventa	

Ejercicios prácticos

PLURAL DE LOS NOMBRES

1 Completa las frases con el plural de las palabras del recuadro.

> amiga • lápiz • profesor • hermano
> hotel • diccionario • autobús
> mapa • televisión • silla

1 En mi familia somos seis _____.
2 Tenemos cinco _____ en mi ciudad.
3 Tengo dos _____ colombianas.
4 Mis _____ son españoles.
5 Los _____ son de Laura.
6 Las _____ de la cocina están rotas.
7 En mi casa tenemos dos _____, una en el salón y otra en la cocina.
8 Los _____ de español están en la estantería.
9 Tengo dos _____ de España, uno de Madrid y otro de Barcelona.
10 ¿Cuándo llegan los _____ para la excursión?

ADJETIVOS POSESIVOS

2 Elige la palabra correcta.

En (1) mi / mis clase somos veinticinco alumnos. (2) Mi / Mis compañeros son de distintos países. (3) Yo / Mi amigo Henry es de Canadá. (4) Él / Su familia vive en Toronto. (5) Nuestra / Nosotros profesora de Español se llama Ana. Es argentina y vive con (6) él / su marido cerca de la escuela.

VERBO *ESTAR*. PRESENTE

3 Completa las frases con la forma correcta del verbo *estar*.

1 Mi familia _____ en Andalucía.
2 El gato _____ debajo del sofá.
3 ¿Dónde _____ las llaves?
4 Mis zapatillas no _____ en mi habitación.
5 Mi marido _____ en la oficina.
6 El ordenador _____ encima de la mesa.
7 Mis padres no _____ en casa.
8 ¿Cuándo _____ tú en la oficina?
9 Yo _____ en el parque con mis hijos.
10 ¿Dónde _____ nosotros ahora?

MARCADORES DE LUGAR

4 Mira el dibujo y di dónde están los siguientes objetos.

1 El ordenador *está encima de* la mesa.
2 La lámpara _____ del ordenador.
3 El móvil _____ la lámpara y el ordenador.
4 Las zapatillas _____ la cama.
5 La ventana _____ la mesa.
6 La silla _____ la mesa.

DEMOSTRATIVOS

5 Elige la palabra correcta.

1 *Este / Estos* es mi hermano Luis.
2 *Este / Esta* es el mapa de España.
3 *Este / Esta* ordenador es de mi padre.
4 ¿*Estos / Este* libros son de Pedro?
5 *Estas / Esta* chicas son de mi clase.
6 *Estas / Esta* es mi familia.

VOCABULARIO

6 Encuentra la palabra que no pertenece al grupo.

1 diccionario • mapa • bolígrafo • coche
2 primo • madre • profesora • tío
3 abuelo • soltero • divorciado • casado
4 treinta • cuarto • cuarenta • sesenta
5 encima • debajo • sofá • al lado
6 hijo • padre • abuelo • tía
7 prima • madre • marido • novia
8 es • este • esta • estos
9 casas • autobús • mapas • mesas
10 autobús • silla • gafas • ordenador

GRAMÁTICA

VERBOS REFLEXIVOS. PRESENTE

		levantar(se)	acostar(se)
yo	**me**	levanto	acuesto
tú	**te**	levantas	acuestas
él / ella / Ud.	**se**	levanta	acuesta
nosotros/as	**nos**	levantamos	acostamos
vosotros/as	**os**	levantáis	acostáis
ellos / ellas / Uds.	**se**	levantan	acuestan

→ Los pronombres reflexivos se usan con verbos que expresan acciones que el sujeto realiza sobre sí mismo: *lavarse, ducharse, peinarse, afeitarse,* etcétera.

→ Cuando la acción del sujeto no se realiza sobre sí mismo estos verbos no llevan pronombre.

María **se lava** <u>la cara</u>.
María **lava** <u>la ropa</u>.

→ Tenemos otros verbos que se utilizan con estos pronombres, aunque no son reflexivos: *llamarse, quedarse, casarse,* etcétera.

VERBOS IRREGULARES. PRESENTE

Verbos con irregularidades vocálicas	
empezar	volver
(e>ie)	(o>ue)
emp**ie**zo	v**ue**lvo
emp**ie**zas	v**ue**lves
emp**ie**za	v**ue**lve
empezamos	volvemos
empezáis	volvéis
emp**ie**zan	v**ue**lven

Otros verbos irregulares		
ir	venir	salir
voy	vengo	salgo
vas	vienes	sales
va	viene	sale
vamos	venimos	salimos
vais	venís	salís
van	vienen	salen

PREPOSICIONES DE TIEMPO

Días		
El lunes		la mañana
Hoy	por	la tarde
El sábado		la noche

Horas			
Son	las diez		la mañana
A	las cinco	de	la tarde
	las tres		la noche
			la madrugada

*Rosa se levanta **a** las siete.*
*Carlos sale de casa **a** las ocho.*
*Yo trabajo **desde** las ocho **hasta** las tres.*
*Yo no trabajo **por** la tarde.*
*Ella termina su trabajo **a** las cinco **de** la tarde.*
*Rosa vuelve a su casa **a** las cuatro.*
*Mi jefe trabaja **de** ocho **de** la mañana **a** ocho **de** la tarde.*

VOCABULARIO

VERBOS DE ACCIONES COTIDIANAS

> levantarse • acostarse • lavarse • ducharse
> bañarse • peinarse • afeitarse
> desayunar • comer • cenar
> estudiar • trabajar • empezar • terminar

VERBOS DE MOVIMIENTO

> salir • ir • venir • entrar • llegar • volver

PROFESIONES

> médico/a • enfermero/a • informático/a
> cocinero/a • camarero/a • secretario/a
> cajero/a • profesor/a • dependiente/a
> estudiante • recepcionista • azafato/a

DESAYUNOS

> leche • té • mantequilla • mermelada
> zumo • huevo • queso • bollos
> café • bocadillo • tostada

DÍAS DE LA SEMANA

> lunes • martes • miércoles • jueves
> viernes • sábado • domingo

Ejercicios prácticos

VERBOS REFLEXIVOS. PRESENTE

1 Completa con el verbo entre paréntesis en presente.

1 ■ ¿A qué hora _se levantan_ tus hijos? (levantarse)
  ● El niño ____ _____ a las siete y las niñas, a las ocho, porque sus clases empiezan más tarde. (levantarse)

2 ■ ¿____ _____ por la mañana o por la noche? (ducharse, tú)
  ● Normalmente por la noche, pero los domingos siempre ____ _____ por la mañana. (ducharse, yo)

3 ■ ¿A qué hora ____ _____ los sábados? (acostarse, vosotros)
  ● ____ _____ tarde, a la una o las dos de la madrugada. (acostarse, nosotros)

4 Juan no ____ _____ todos los días. (afeitarse)

5 Nuestros vecinos ____ _____ muy temprano porque trabajan a las afueras de la ciudad. (levantarse)

6 Yo nunca ____ _____ pronto porque llego del trabajo a las nueve de la noche. Después ceno y veo un rato la tele. (acostarse)

VERBOS IRREGULARES. PRESENTE

2 Escribe el verbo.

1	empezar, él	_empieza_
2	volver, yo	
3	ir, nosotros	
4	empezar, vosotros	
5	ir, ellos	
6	volver, Ud.	
7	venir, yo	
8	salir, yo	
9	venir, ellos	
10	ir, yo	
11	volver, ellos	
12	salir, Ud.	
13	venir, Uds.	
14	empezar, tú	
15	volver, nosotros	

PREPOSICIONES

3 Completa con la preposición adecuada.

1 Yo empiezo a trabajar _a_ las ocho _de_ la mañana.
2 José no trabaja ____ la tarde.
3 Paloma trabaja ____ las ocho ____ las tres.
4 Los domingos ____ la mañana voy al Rastro.
5 Los sábados ____ la noche voy ____ la discoteca.
6 Yo salgo ____ casa ____ las ocho ____ la tarde.
7 Mi hija va ____ la escuela ____ la mañana.
8 Los días de fiesta nos levantamos ____ las diez.
9 María va al trabajo ____ coche. Sale de su casa ____ las ocho y llega ____ las ocho y media.
10 Mi marido trabaja ____ ocho ____ la mañana ____ ocho ____ la tarde.

PROFESIONES

4 Relaciona.

1 médico	a colegio
2 azafata	b hospital
3 profesor	c restaurante
4 camarero	d hotel
5 recepcionista	e aeropuerto

DESAYUNOS

5 Relaciona.

1 café	a de naranja
2 zumo	b de queso
3 pan	c con leche
4 leche	d con tomate
5 bocadillo	e con cacao

6 Completa con las palabras del recuadro.

zumo de naranja • qué desean • dos
también • y tú • una tostada

■ Buenos días, ¿[1] _____?
● Yo quiero un té con leche, ¿[2] _____?
▲ Yo un zumo de naranja y [3] _____.
● Sí, yo [4] _____ quiero una tostada.
■ Muy bien, entonces un té con leche, un [5] _____ y [6] _____ tostadas.

GRAMÁTICA

ORDINALES

1.º / 1.ª primero/a	6.º / 6.ª sexto/a
2.º / 2.ª segundo/a	7.º / 7.ª séptimo/a
3.º / 3.ª tercero/a	8.º / 8.ª octavo/a
4.º / 4.ª cuarto/a	9.º / 9.ª noveno/a
5.º / 5.ª quinto/a	10.º / 10.ª décimo/a

→ Los ordinales se usan, por ejemplo, para nombrar los pisos de una casa y el número de orden en un grupo.

*Mi amigo vive en el **cuarto** piso.*
*Luis siempre llega el **primero**.*

→ Los ordinales concuerdan en género y número con el sustantivo al que acompañan.

*Mi clase está en la **segunda** <u>planta</u>.*
*Yo tengo los **primeros** <u>discos</u> de este grupo.*

→ Los ordinales **primero** y **tercero** pierden la -o delante de un nombre masculino singular.

*Estudio **tercer**(o) curso de Inglés.*
*Vivo en el **primer**(o) piso.*

ARTÍCULOS

	Determinados		Indeterminados	
	Para algo que conocemos		Para algo que mencionamos por primera vez	
	masc.	fem.	masc.	fem.
singular	el	la	un	una
plural	los	las	unos	unas

→ Los artículos determinados se usan:
- Cuando hablamos de algo que conocemos.
  *Cierra **la** <u>ventana</u>.*
- Con la hora.
  *Son **las** <u>cinco</u>.*
- Con los días de la semana.
  ***Los** <u>viernes</u> vamos al cine.*

→ Los artículos indeterminados se usan:
- Cuando mencionamos algo por primera vez.
  *Tengo **un** <u>coche nuevo</u>.*
- Con el verbo **haber**.
  *¿Dónde <u>hay</u> **una** silla?*

HAY / ESTÁ(N)

→ Se utiliza **hay** para hablar de la existencia o no de personas, animales, lugares y objetos.

***Hay** vasos en la cocina.*

→ Con **hay**, a los nombres nunca les pueden acompañar los artículos determinados.

*En mi pueblo no **hay** (la) universidad.*

Mamá, no hay leche.

→ Se utiliza **está(n)** para indicar un lugar.

*La leche **está** en la nevera.*
*¿Dónde **están** mis libros?*

VOCABULARIO

COSAS DE LA CASA

armario • ascensor • frigorífico / nevera
espejo • sillón • lavabo • lámpara • llave
microondas • cocina • cuarto de baño
dormitorio / habitación • salón / comedor
garaje • jardín • piscina • patio

¿DÓNDE?

derecha • izquierda • arriba • abajo

Ejercicios prácticos

ORDINALES

1 Escribe los números ordinales.

a 9.º *noveno*
b 1.º _____
c 3.ª _____
d 6.º _____
e 8.ª _____
f 10.º _____
g 4.º _____
h 2.ª _____
i 5.ª _____
j 7.ª _____

ARTÍCULOS

2 Elige el artículo correcto.

1 *La / Un* televisión está en el salón.
2 Tengo *un / las* microondas nuevo.
3 *Los / Unos* platos blancos están en el armario de *la / una* cocina.
4 *Una / La* cartera de Pablo está en *una / la* silla.
5 *Los / Unas* cojines del sofá son azules.
6 *Una / La* familia de Concha cena siempre en *la / una* cocina.
7 Este es *el / un* ordenador de mi hermano.
8 Desayuno *un / el* vaso de leche todas *unas / las* mañanas.
9 Limpio *un / el* cuarto de baño de mi casa todos *unos / los* días.
10 *Los / Unos* sábados me levanto a *las / los* nueve.

3 Completa con el artículo correcto.

1 Estudio español desde _____ doce años.
2 Empiezo _____ clases a _____ nueve de _____ mañana.
3 ■ ¿Cuándo recoges _____ cocina?
   ● Cuando termino de ver _____ televisión.
4 _____ reloj está encima de _____ mesa.
5 En _____ países árabes no trabajan _____ viernes.
6 _____ veranos en Andalucía son calurosos.
7 Mi padre está en _____ jardín con _____ hijos de Javier.
8 ¿Dónde están _____ llaves de _____ puerta?
9 En el salón hay _____ sofá, seis sillas y _____ mesa.
10 Tienen _____ casa en _____ campo con _____ jardín muy bonito.

HAY / ESTÁ(N)

4 Completa el texto con *hay / está / están*.

En mi casa (1) _____ dos dormitorios, un salón, una cocina y un baño. En el cuarto de baño (2) _____ una ducha. En el salón (3) _____ una librería, y allí (4) _____ los libros de lectura. Tenemos dos ordenadores. (5) _____ uno en mi habitación y el otro (6) _____ en el salón. También (7) _____ en el salón el equipo de música y la televisión. En los dormitorios no (8) _____ televisión. ¿Cuántas televisiones (9) _____ en tu casa? ¿Dónde (10) _____?

5 Haz preguntas para estas respuestas.

1 ¿_____?
La leche está en el frigorífico.
2 ¿_____?
No hay mucho café en la cafetera.
3 ¿_____?
Hay un vaso en la cocina.
4 ¿_____?
Mis amigos están en el cine.
5 ¿_____?
Hay tres sillas en el salón.
6 ¿_____?
Mis padres están bien, gracias.
7 ¿_____?
El microondas está encima del horno.
8 ¿_____?
Hay tres coches en el garaje.

VOCABULARIO

6 Encuentra la palabra que no pertenece al grupo.

1 cocina • salón • frigorífico • garaje
2 tercero • seis • quinto • primero
3 fregadero • horno • microondas • sillón
4 televisión • espejo • toalla • lavabo
5 librería • lavadora • televisión • lámpara
6 derecha • izquierda • norte • arriba
7 el • los • las • unos
8 una • la • un • unas
9 recepcionista • hotel • restaurante • colegio
10 los • la • unas • una

GRAMÁTICA

VERBO *GUSTAR*. PRESENTE

(a mí)	me	**gusta**	el cine
(a ti)	te		la música
(a él / ella / Ud.)	le		viajar
(a nosotros/as)	nos	**gustan**	los museos
(a vosotros/as)	os		los deportes
(a ellos / ellas / Uds.)	les		las plantas

→ El verbo *gustar* se utiliza en la tercera persona del singular o del plural, dependiendo del sujeto gramatical.

A mí **me gusta** el cine.

A mí **me gustan** las películas de terror.

A ti **te gusta** la música clásica.

A ti **te gusta** bailar.

¿A ti **te gustan** los videojuegos?

A él **le gusta** el chocolate.

A ella no **le gustan** los deportes.

¿A usted **le gusta** el pescado?

A nosotros **nos gusta** el fútbol.

A nosotras **nos gustan** los pasteles.

¿A vosotros **os gusta** esquiar?

¿A vosotras **os gustan** los museos?

A ellas **les gusta** el arte.

A ellos **les gustan** los animales.

¿A ustedes **les gusta** pescar?

GUSTAR
+ Me **encanta** escuchar música.
Me gusta **mucho** cocinar.
Me gusta **bastante** leer.
No me gustan **mucho** los deportes.
No me gusta bailar.
− **No** me gusta **nada** ir de compras.

TAMBIÉN / TAMPOCO - SÍ / NO
● *Me encanta el cine.* ☺
■ *A mí también.* ☺
▲ *Pues a mí no.* ☹
● *No me gusta montar en bicicleta.* ☹
■ *A mí tampoco.* ☹
▲ *Pues a mí sí.* ☺

VERBO *QUERER*. PRESENTE

Presente del verbo *querer*	
yo	quiero
tú	quieres
él / ella / Ud.	quiere
nosotros/as	queremos
vosotros/as	queréis
ellos / ellas / Uds.	quieren

*Mamá, **quiero** un helado.*

*Mamá, hoy no **quiero** sopa, quiero pasta.*

→ Utilizar el verbo *querer* en presente para expresar deseo normalmente no es cortés: así, para suavizar, se suele utilizar el verbo en pretérito imperfecto (*quería…*). Pero en este caso concreto, en un restaurante, sí es habitual el uso de *quiero…*

IMPERATIVO (VERBOS REGULARES)

	cortar	comer	abrir
tú	corta	come	abre
usted	corte	coma	abra

→ El imperativo se usa para dar instrucciones, órdenes y pedir favores.

Corta *la lechuga en trozos pequeños.*

Come *la sopa, por favor.*

Abre *el libro, Peter.*

VOCABULARIO

COMIDA BÁSICA

arroz • pan • carne • ensalada
pescado • fruta • huevos • queso
patatas • sal • azúcar

BEBIDAS

agua • cerveza • refresco • vino • zumo

ACTIVIDADES DE TIEMPO LIBRE

bailar • escuchar música
navegar en internet • ir al teatro
ir de compras • ir a la discoteca
montar en bicicleta • viajar
hacer deporte • andar

Ejercicios prácticos

VERBOS *GUSTAR* Y *QUERER*

1 Elige la opción correcta.

1 A Luis *quiere / le gustan* mucho los macarrones.
2 Óscar no *quiere / le gusta* carne.
3 Marisa hoy no *quiere / le gusta* beber agua, quiere vino.
4 A nosotros *nos gusta / queremos* el gazpacho.
5 A Elena no *quiere / le gustan* nada las verduras.
6 Federico *quiere / le gustan* muchos caramelos.
7 A Rosa *le gusta / quiere* mucho leer.
8 No *queremos / gustan* más café.
9 Javier y Clara *les gusta / quieren* comer más.
10 A Javier y a Clara no *les gusta / quieren* comer mucho.

2 Construye frases con el verbo *gustar* o *encantar*.

1 Luis / helados
 A Luis le gustan mucho los helados.
 A Luis le encantan los helados.
 A Luis no le gustan los helados.
2 Marta / jugar al tenis
3 Los niños / Matemáticas
4 Elvira / montar en bici
5 Juanjo / películas de ciencia-ficción
6 Nosotros / viajar
7 Ellas / ir de compras
8 Mi marido / ópera
9 ¿Vosotros / comida española?
10 ¿Tú / carne?
11 Yo / música clásica
12 Mis hermanas / plantas

3 Ordena para formar frases.

1 Pablo / mucho / ir / gusta / cine / a / al / le
2 café / no / el / gusta / me / mí / a
3 Pablo / les / a / Rosa / gusta / a / nadar / y
4 Ana / no / los / hacer / deberes / nada / le / a / gusta
5 nosotros / no /gustan / nos / lunes / a / los
6 viajar / mucho / les / a / ellas / gusta
7 ¿ a / gatos / gustan / vosotros / os / los?
8 tío / encanta / a / la / clásica / mi / música / le
9 ¿gustan / te / caracoles / los?
10 trabajar / a / Ismael / mucho / le / no / gusta
11 gazpacho / el / María /no / mucho / gusta / a / le
12 verduras / los / las / niños / gustan / no / a / les

IMPERATIVO

4 Escribe el imperativo.

1 Beber / agua
 Bebe agua
2 Comer / más
3 Escribir / en tu cuaderno
4 Cortar / el pan
5 Trabajar / más
6 Hablar / menos
7 Estudiar / Historia
8 Entrar / por aquí
9 Mirar / a la pizarra
10 Abrir / la puerta

COMIDA Y BEBIDA

5 Clasifica los platos siguientes en primero, segundo y postre.

natillas • helado • sopa de fideos • vino blanco
fruta • ensalada • merluza a la plancha
escalope de ternera • cerveza • pollo asado
agua mineral • flan • chuletas de cordero
vino tinto • espárragos con mayonesa • queso

Primero	Postre
‑‑‑‑‑‑‑‑‑	‑‑‑‑‑‑‑‑‑
‑‑‑‑‑‑‑‑‑	‑‑‑‑‑‑‑‑‑
‑‑‑‑‑‑‑‑‑	‑‑‑‑‑‑‑‑‑
Segundo	**Bebida**
‑‑‑‑‑‑‑‑‑	‑‑‑‑‑‑‑‑‑
‑‑‑‑‑‑‑‑‑	‑‑‑‑‑‑‑‑‑
‑‑‑‑‑‑‑‑‑	‑‑‑‑‑‑‑‑‑

ACTIVIDADES DE TIEMPO LIBRE

6 Completa las palabras con las vocales (*a, e, i , o, u*).

1 b _ _l _ r
2 v _ _ j _ r
3 n _ d _ r
4 l _ _ r
5 _ nd _ r
6 n _ v _ g _ r por _ nt _ r n _ t
7 m _ nt _ r en b _ c _ cl _ t _
8 _ r al t _ _ tr _
9 v _ r _ n _ p _ l _ c _ l _
10 h _ c _ r d _ p _ rt _

7 Relaciona.

1 andar
2 navegar
3 ir
4 ver
5 montar
6 leer
7 jugar

a al fútbol / al tenis
b el periódico / una novela
c de compras
d por la montaña / por el campo
e en el mar / en internet
f una película / una exposición
g en bicicleta

GRAMÁTICA

IMPERATIVOS IRREGULARES

→ Los verbos en imperativo tienen la misma irregularidad que en presente.

Infinitivo	Presente	Imperativo
cerrar	cierro	cierra, cierre
dormir	duermo	duerme, duerma
sentarse	me siento	siéntate, siéntese
poner	pongo	pon, ponga
decir	digo	di, diga
venir	vengo	ven, venga
hacer	hago	haz, haga
irse	voy	vete, váyase
salir	salgo	sal, salga
hervir	hiervo	hierve, hierva
tener	tengo	ten, tenga
torcer	tuerzo	tuerce, tuerza
seguir	sigo	sigue, siga

→ Se usa el imperativo:
- Para dar instrucciones o consejos.
  Primero **eche** una cucharada de sal, luego **hierva** el arroz durante…
  Si te duele la cabeza, **toma** una pastilla y **acuéstate**.
- Hacer peticiones o dar órdenes, especialmente seguido de **por favor**.
  Habla más despacio, <u>por favor</u>.
  Siéntese, <u>por favor</u>.
  ¡**Ven** aquí ahora mismo!

Toma este vaso de leche y acuéstate.

SER / ESTAR

Ser

→ Se usa para describir características o cualidades de algo o de alguien: tamaño, color, carácter…
  Luis **es** alto y delgado.
  Su casa **es** pequeña.
  Su coche **es** rojo.
  Luis **es** muy simpático.

→ Expresa también nacionalidad, profesión, posesión…
  Mary **es** inglesa.
  ¿Ellos **son** médicos?
  Ese libro no **es** mío.

Estar

→ Expresa lugar o posición.
  El colegio **está** en la c/ Velázquez.
  La parada de autobús **está** enfrente de mi casa.

→ Sirve para expresar también estados de salud o de ánimo.
  Clara **está** enferma, tiene gripe.
  Hoy **estoy** muy contenta.

→ Con los adverbios bien y mal siempre usamos **estar**.
  Este ejercicio **está** (es) mal.

VOCABULARIO

TRANSPORTES

billete • autobús • metro • tren
línea de metro • viaje • estación • parada

ADJETIVOS

tranquilo • ruidoso • céntrico • rápido • frío
lento • malo • pequeño • fácil • difícil • bueno

ADVERBIOS

cerca • lejos • bien • mal

Ejercicios prácticos

IMPERATIVOS IRREGULARES

1 Escribe el imperativo.

1	dormir (usted)	
2	hacer (tú)	
3	salir (tú)	
4	poner (usted)	
5	tener (usted)	
6	irse (usted)	
7	venir (tú)	
8	decir (usted)	
9	hervir (usted)	
10	cerrar (usted)	
11	torcer (tú)	
12	seguir (tú)	
13	acostarse (usted)	
14	poner (tú)	
15	venir (usted)	
16	sentarse (tú)	
17	ponerse (usted)	
18	tomar (tú)	

2 Completa las frases utilizado el imperativo de los verbos del recuadro.

> sentarse • decir • cerrar • irse • tener • dormir
> hacer • venir • ponerse • salir • acostarse

1 (usted) _____ con cuidado. El suelo está mojado.
2 Hace mucho frío. (tú) _____ la ventana, por favor.
3 (tú) _____ paciencia. Vuelvo enseguida.
4 Pedro, _____ la gorra. Hace mucho sol.
5 (tú) _____ temprano. Mañana es lunes.
6 (usted) _____ el ejercicio número seis para mañana.
7 _____ tu nombre y tu fecha de nacimiento.
8 (tú) _____ a la cama y _____ tranquilo. Yo me encargo de todo.
9 (usted) _____ un momento, por favor. El doctor la atiende enseguida.
10 (tú) _____ a mi casa a ver el partido.

SER / ESTAR

3 Elige la forma correcta.

1 Alicia y José Luis *son / están* en Málaga.
2 El piso *es / está* en un barrio tranquilo.
3 La profesora de mi hijo *es / está* muy joven.
4 ¿Dónde *están / está* mi móvil?
5 Siempre *es / está* de buen humor.
6 Estos zapatos *son / están* muy caros.
7 ¿Quién *está / es* ese chico nuevo?
8 Tu barrio no *es / está* muy lejos del centro.
9 Mis amigos no *son / están* aficionados al baloncesto.
10 Mi madre *es / está* muy mayor, pero *es / está* muy bien de salud.
11 Mi novio *es / está* informático. Trabaja mucho.
12 Susana hoy *es / está* muy nerviosa, pero normalmente *es / está* una persona tranquila.

4 Completa las frases con la forma adecuada de *ser* o *estar*.

1 Mañana _____ el día de mi cumpleaños.
2 Faysal y Nizha _____ de Marruecos.
3 Hoy la paella _____ muy buena.
4 Galicia _____ en el norte de España.
5 Mi amigo Miguel _____ muy inteligente.
6 Mi casa no _____ muy grande.
7 ¿(tú) _____ en casa por las tardes?
8 ¿Tu barrio _____ tranquilo?
9 ¿(vosotros) _____ preparados para empezar?
10 Los padres de María _____ periodistas.

VOCABULARIO

5 Encuentra la palabra que no pertenece al grupo.

1 metro • tren • céntrico • avión
2 rápido • billete • lento • ruidoso
3 bueno • cerca • lejos • bien
4 ven • haz • toma • viajo
5 coches • arroz • calles • estación
6 Roma • Inglaterra • París • perro
7 grande • pequeño • tranquilo • bien
8 cierra • toma • ven • habla
9 pon • diga • ven • vete
10 venga • haga • vete • váyase

GRAMÁTICA

GERUNDIO DE VERBOS REGULARES

Infinitivo	Gerundio
llorar	llor**ando**
comer	com**iendo**
escribir	escrib**iendo**

GERUNDIO DE VERBOS IRREGULARES

Infinitivo	Gerundio
leer	leyendo
dormir	durmiendo

ESTAR + GERUNDIO

Estar + gerundio		
yo	estoy	
tú	estás	
él / ella / Ud.	está	hablando
nosotros/as	estamos	
vosotros/as	estáis	
ellos / ellas / Uds.	están	

→ *Estar* + gerundio suele expresar acciones que se desarrollan en el momento en que se habla.

- ¿Qué *estás haciendo?*
- *Estoy leyendo* el *periódico.*

ESTAR + GERUNDIO (VERBOS REFLEXIVOS)

Estoy lavándome. / Me estoy lavando.
Estás lavándote. / Te estás lavando.
Está lavándose. / Se está lavando.
Estamos lavándonos. / Nos estamos lavando.
Estáis lavándoos. / Os estáis lavando.
Están lavándose. / Se están lavando.

VOCABULARIO

HABLAR POR TELÉFONO

¿Sí? • No está en este momento
¿Quiere dejar un recado? • ¿Diga?

VERBOS DE ACTIVIDADES

leer el periódico

jugar a las cartas

lavarse

pintar

ir al cine

bañarse

bailar

pasear

jugar al fútbol

DESCRIPCIÓN DE PERSONAS

- PELO: rubio / moreno / largo / corto
- OJOS: claros / oscuros / marrones / verdes
- ES: mayor / joven / alto / bajo / delgado / gordo
- LLEVA: barba / bigote / gafas

CARÁCTER

simpático • antipático • tacaño
generoso • hablador • serio
alegre • educado • callado

Ejercicios prácticos

ESTAR + GERUNDIO (VERBOS REFLEXIVOS)

1 Completa siguiendo el ejemplo.

1 ■ ¿Qué estás haciendo?
   ● Me estoy duchando. = *Estoy duchándome.*

2 ■ ¿Dónde está Manolo?
   ● Se está afeitando. = _____

3 ¿Todavía te estás bañando? = _____

4 ■ ¿Qué hacéis?
   ● _____ = Nos estamos arreglando.

5 _____ = Los niños ya se están acostando.

6 María se está lavando los dientes. = _____

7 ■ ¿Qué haces ahora?
   ● _____ = Me estoy pintando las uñas.

8 ■ ¿Qué está haciendo Raquel?
   ● _____ = Se está vistiendo.

HABLAR POR TELÉFONO

2 Completa con las palabras del recuadro.

muchas gracias • recado • momento

■ Agencia Segurarte. Buenos días.
● Buenos días. ¿Puedo hablar con el Sr. González?
■ Lo siento, en este _____ no está. ¿Quiere dejarle un _____?
● Sí, por favor, dígale que soy Laura García y que mañana no puedo ir a la cita.
■ De acuerdo. Le dejo una nota.
● Muy bien. _____.

VERBOS DE ACTIVIDADES

3 Relaciona.

1 jugar
2 dormir
3 bañarse
4 lavar
5 pintarse
6 salir
7 conectarse
8 ir

a la siesta
b el coche
c a internet
d a los videojuegos
e con los amigos
f en la piscina
g al teatro
h los labios

DESCRIPCIÓN DE PERSONAS

4 Completa según el dibujo.

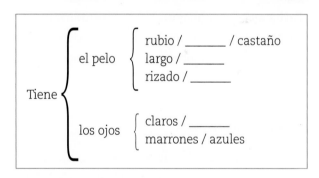

Tiene
  el pelo
    rubio / _____ / castaño
    largo / _____
    rizado / _____
  los ojos
    claros / _____
    marrones / azules

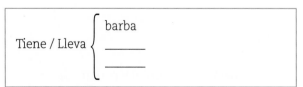

Tiene / Lleva
  barba
  _____
  _____

Es
  mayor / _____
  alto / bajo
  _____ / gordo

GRAMÁTICA

PRETÉRITO INDEFINIDO (VERBOS REGULARES)

Trabajar	Comer	Salir
trabajé	comí	salí
trabajaste	comiste	saliste
trabajó	comió	salió
trabajamos	comimos	salimos
trabajasteis	comisteis	salisteis
trabajaron	comieron	salieron

→ El pretérito indefinido expresa acciones acabadas en un momento determinado del pasado.

Ayer **trabajé** *mucho.*

El verano pasado **estuve** *en Cancún.*

PRETÉRITO INDEFINIDO (VERBOS IRREGULARES)

Hacer	Ir / Ser	Estar
hice	fui	estuve
hiciste	fuiste	estuviste
hizo	fue	estuvo
hicimos	fuimos	estuvimos
hicisteis	fuisteis	estuvisteis
hicieron	fueron	estuvieron

VOCABULARIO

ESTABLECIMIENTOS

farmacia • oficina de correos • comisaría
iglesia • museo • quiosco • mercado • estanco

OBJETOS

medicinas • cartas • periódicos
sellos • tabaco

ESTACIONES DEL AÑO

el invierno   la primavera   el verano   el otoño

MESES DEL AÑO

enero • febrero • marzo • abril • mayo
junio • julio • agosto • septiembre • octubre
noviembre • diciembre

EL TIEMPO

llover • llueve • está lloviendo • nevar • nieva
está nevando • hace frío • hace (mucho) calor
hace viento • está nublado

está lloviendo   está nevando

hace mucho calor   hace viento

hace frío   está nublado

Ejercicios prácticos

PRETÉRITO INDEFINIDO (VERBOS REGULARES)

1 Completa las frases con el pretérito indefinido de los verbos del recuadro.

> ver • ganar • invitar • escuchar
> jugar • salir • vivir • escribir
> comprar • llegar

1 El sábado pasado _____ (yo) muy tarde de trabajar.
2 ¿(tú) _____ ayer las noticias en la tele?
3 Ayer, después de cenar, Pablo y yo _____ un rato al ajedrez.
4 Mis primos nos _____ a la fiesta de cumpleaños de su hija el domingo pasado.
5 Pablo Picasso _____ muchos años en París.
6 La semana pasada (yo) _____ en la radio el último disco de Serrat.
7 Cervantes _____ *El Quijote* en el siglo XVII.
8 Mi compañero _____ tarde a la reunión del jueves.
9 ¿Dónde (tú) _____ los libros de español ayer?
10 ¿Quién _____ el partido el domingo?

PRETÉRITO INDEFINIDO (VERBOS IRREGULARES)

2 Completa las frases con el pretérito indefinido de *ir / ser / estar*.

1 El jueves por la tarde no _____ en casa. _____ al cine con los niños. (nosotros)
2 El domingo pasado no hizo sol. _____ un día muy frío.
3 ■ ¿Cuándo _____ Ana y tú a Buenos Aires?
  ● _____ las Navidades pasadas.
4 ¿Quién _____ el primero en llegar en la carrera del sábado pasado?
5 No _____ ayer a trabajar. _____ en el médico. (yo)

3 Haz preguntas como en el ejemplo.

1 Ir al teatro el jueves. (tú)
  ¿Fuiste al teatro el jueves?
2 Ver la última película de Almodóvar. (vosotros)
3 Mandar un correo electrónico a Carlos. (Elena)
4 Estar en la montaña el fin de semana pasado. (tú)
5 Vivir en París. (Joan Miró)
6 Comer fabada en Asturias. (vosotros)
7 Conocer a los padres de Ana el verano pasado. (tú)
8 Levantarse muy tarde ayer. (tus hijos)
9 Ir a la playa el verano pasado. (vosotros)
10 Ser el último en llegar. (tú)
11 Trabajar hasta muy tarde ayer. (vosotros)

4 Completa el texto con las palabras del recuadro.

> fue • hace • estuvo • hizo • está

Ayer el tiempo estuvo variable en las distintas zonas de España. En el norte (1) _____ lloviendo e (2) _____ mucho frío. En el este hizo viento y estuvo nublado. En el centro y en el sur, la temperatura (3) _____ más suave. Hoy también (4) _____ lloviendo en el norte de España y en el sur (5) _____ sol y calor.

VOCABULARIO

5 Encuentra la palabra que no pertenece al grupo.

1 farmacia • medicinas • mercado • estanco
2 verano • periódicos • sellos • fruta
3 primavera • verano • agosto • invierno
4 septiembre • enero • mayo • otoño
5 viento • nieve • verano • calor
6 frío • llover • nevar • hacer
7 compró • nevó • salió • llueve
8 salió • termino • empezó • comió
9 trabajé • comí • estuve • fue
10 sale • lleva • fue • corre

GRAMÁTICA

DEMOSTRATIVOS (ADJETIVOS Y PRONOMBRES)

Demostrativos (adjetivos y pronombres)		
	singular	plural
masculino	este /ese / aquel	estos / esos / aquellos
femenino	esta / esa / aquella	estas / esas / aquellas

Pronombres demostrativos (neutro)		
esto	eso	aquello

→ Los adjetivos demostrativos van delante del nombre y concuerdan con él en género y número.

Este <u>coche</u> es de mi vecino.

Esas <u>chicas</u> son muy simpáticas.

→ Los pronombres demostrativos *esto, eso, aquello* nunca van con el nombre. Se refieren a una idea o a algo de lo que no sabemos el género.

Esto no me gusta nada.

¿Qué es **aquello** que se ve en el cielo?

→ El uso de un pronombre u otro nos indica la cercanía o lejanía del objeto señalado.

Este coche. (cerca del hablante, aquí)

Ese coche. (cerca del oyente, ahí)

Aquel coche. (lejos de los dos, allí)

PRONOMBRES PERSONALES DE OBJETO DIRECTO

sujeto	objeto
yo	me
tú	te
él / ella / Ud.	lo / la / le
nosotros/as	nos
vosotros/as	os
ellos / ellas / Uds.	los / las / les

¿Compramos <u>las flores</u>? = ¿**Las** compramos?

Hoy no he visto <u>a tu padre</u>. = Hoy no **lo** he visto.

¿Sabes que vendo <u>mi casa</u>? = ¿Sabes que la vendo?

→ Normalmente, los pronombres personales de objeto directo van delante del verbo y separados.

Te quiero.

→ Pero con el imperativo afirmativo van detrás y unidos al verbo.

¡Míra**me**!

Cómpra**lo**, por favor.

→ Con algunas construcciones pueden ir delante o detrás.

<u>La puerta</u> está abierta, ¿puedes cerrar**la**? = ¿**la** puedes cerrar?

CONCORDANCIA DEL NOMBRE Y LOS ADJETIVOS DE COLOR

→ Los adjetivos concuerdan en género y número con el nombre al que se refieren.

¿Puedo coger el <u>bolígrafo</u> **rojo**?

Tengo unos <u>pantalones</u> **marrones**.

	singular	plural
masculino	blanc**o** / verd**e** / azul	blanc**os** / verd**es** / azul**es**
femenino	blanc**a** / verd**e** / azul	blanc**as** / verd**es** / azul**es**

→ Hay colores que son nombres de plantas, flores y frutos que normalmente no cambian en género ni en número:

pantalones **rosa**   zapatos (de color) **naranja**

COMPARATIVOS

más + adjetivo + que
Juan es **más simpático que** Pedro.

menos + adjetivo + que
Pedro es **menos simpático que** Juan.

tan + adjetivo + como
Juan (no) es **tan alto como** Pedro.

COMPARATIVOS IRREGULARES

bueno	mejor / mejores + que
Esta película **es mejor que** esa.	

malo	peor / peores + que
Esos pasteles **son peores que** estos.	

grande	mayor / mayores + que
Yo soy **mayor que** ella.	

pequeño	menor / menores + que
Sus hijos son **menores que** los míos.	

→ **Mayor** y **menor** se refieren sobre todo a la edad, no al tamaño.

Mi hermano **mayor** es arquitecto.

Él es el **menor** de sus hermanos.

Su casa es **más grande que** la mía.

Mi ciudad es **más pequeña que** la tuya.

VOCABULARIO

ROPA Y COMPLEMENTOS

anillo • camisa • camiseta • cartera • collar
corbata • falda • gafas • jersey • medias
pendientes • vaqueros • zapatos
zapatillas deportivas

Ejercicios prácticos

DE COMPRAS

1 Ordena la siguiente conversación.

☐ Dependiente: 180 euros.
☐ Clienta: ¿Puedo probármelas?
☐ Dependiente: Buenos días, ¿puedo ayudarla?
☐ Cliente: Me gustan, me las llevo.
☐ Dependiente: Sí, estas están rebajadas, cuestan 120 euros.
☐ Cliente: Sí, ¿cuánto cuestan estas gafas de sol rojas?
☐ Dependiente: ¿Cómo paga, con tarjeta o en efectivo?
☐ Cliente: ¿No tiene otras más baratas?
☐ Dependiente: Sí, claro.
☐ Cliente: Con tarjeta.

PRONOMBRES PERSONALES DE OBJETO DIRECTO

2 Sustituye la parte subrayada por un pronombre (lo, la, los, las).

1 ■ ¿Vendiste el ordenador antiguo?
 ● Sí, lo vendí el lunes pasado.
2 ■ ¿Viste ayer a Rocío?
 ● No, al final no ____ vi.
3 ■ ¿Viste anoche la película de la tele?
 ● No, no ____ vi.
4 ■ ¿Compraste el periódico el sábado pasado?
 ● No, no ____ compré.
5 ■ ¿Y compraste los zapatos que te encargué?
 ● No, no ____ compré, no tuve tiempo.
6 ■ ¿Estudiaste los verbos ayer?
 ● Sí, ____ estudié antes de acostarme.
7 ■ ¿Llevaste al niño al médico?
 ● Sí, ____ llevé el lunes.
8 ■ ¿Escuchaste las noticias en la radio?
 ● No, no ____ escuché, ¿por qué preguntas?
9 ■ ¿Llevaste el coche a arreglar?
 ● No, no ____ llevé, no tuve tiempo.
10 ■ ¿Llamaste por teléfono a tus padres?
 ● Sí, ____ llamé el domingo.
11 ■ ¿Y llamaste a tus hermanas?
 ● Sí, ____ llamé el sábado.
12 ■ ¿Hiciste la cena?
 ● No, no ____ hice, no tuve tiempo.
13 ■ ¿Viste el cuadro que ha comprado Luis?
 ● Sí, ____ vi el martes, es precioso.

3 Completa con un pronombre de objeto directo: *me, te, lo (le), la, nos, os, los (les), las.*

1 Santiago, ¿vamos a tomar algo?, ____ invito.
2 Alicia ____ invitó a comer el día de su cumpleaños. (a nosotros)
3 ¿A vosotras no ____ invitó? Yo creo que se olvidó.
4 A mí ____ invita todos los años.
5 ■ ¿A ti ____ invitó?
 ● No, a mí no ____ invitó.
6 ■ Alicia, ¿el año pasado invitaste a Jaime y Paloma?
 ● Sí, claro que ____ invité.
7 Ana no tiene mucho dinero, ¿____ invitamos a ir al cine?
8 ■ ¿Y las hermanas de Jaime?
 ● A ellas yo no ____ invito, no me caen bien.
9 ■ Hoy ____ invito yo a tomar café, y mañana ____ invitas tú a mí, ¿vale?
 ● Vale.
10 ■ ¡Qué rollo! A nosotras no ____ invita nadie a café.
 ● Sí, yo ____ invito hoy.
11 Y a Andrés, ¿quién ____ invita?

COMPARATIVOS

4 Completa con los comparativos del recuadro.

| menos… que • tan… como • mejor(es) |
| más… que • peor(es) • mayor(es) |

1 Nadar es ____ relajante ____ jugar a fútbol.
2 El pescado es ____ digestivo ____ la carne.
3 Estos zapatos no son ____ cómodos ____ esos.
4 Aquel coche es mucho ____ caro ____ este.
5 El vestido gris es ____ elegante ____ el rojo, pero no es ____ bonito.
6 Yo voy a este dentista porque es ____ que el otro.
7 Este restaurante es ____ que el otro. No me gusta nada.
8 Los productos de este mercado son ____ que los del otro mercado, por eso vengo siempre aquí.
9 Julia tiene veintiséis años, es ____ que su hermana, que tiene diez años.

GRAMÁTICA

VERBO *DOLER*. PRESENTE

(a mí)	me	
(a ti)	te	
(a él / ella / Ud.)	le	**duele** la cabeza
(a nosotros/as)	nos	**duelen** los oídos
(a vosotros/as)	os	
(a ellos / ellas / Uds.)	les	

→ El verbo **doler**, al igual que el verbo *gustar*, se utiliza en la tercera persona del singular o del plural, según sea el sujeto.

¿Te duele <u>la cabeza</u>?

A Ana **le duelen** <u>los oídos</u>.

PRETÉRITO IMPERFECTO (VERBOS REGULARES)

viajar	tener	salir
viaj**aba**	ten**ía**	sal**ía**
viaj**abas**	ten**ías**	sal**ías**
viaj**aba**	ten**ía**	sal**ía**
viaj**ábamos**	ten**íamos**	sal**íamos**
viaj**abais**	ten**íais**	sal**íais**
viaj**aban**	ten**ían**	sal**ían**

→ Usamos el pretérito imperfecto para expresar acciones habituales en el pasado.

*Cuando éramos jóvenes, **íbamos** a la discoteca.*

*Ahora no salimos, pero antes **salíamos** mucho.*

→ También se usa para describir en el pasado.

*Mi profesor de matemáticas **era** simpático y nunca nos **castigaba**.*

PRETÉRITO IMPERFECTO (VERBOS IRREGULARES)

ir	ser	ver
iba	era	veía
ibas	eras	veías
iba	era	veía
íbamos	éramos	veíamos
ibais	erais	veíais
iban	eran	veían

IR A + INFINITIVO

Ir a + infinitivo		
yo	voy a	
tú	vas a	
él / ella / Ud.	va a	estudiar
nosotros/as	vamos a	
vosotros/as	vais a	
ellos / ellas / Uds.	van a	

VOCABULARIO

EL CUERPO HUMANO

brazo • cabeza • cara • cuello
dedo • espalda • estómago • garganta
hombro • mano • oído • oreja
pecho • pie • pierna • rodilla

rodilla • pie • pierna • espalda • pecho • oreja • hombro • cuello • cara • brazo • mano • dedo

Ejercicios prácticos

VERBO *DOLER*. PRESENTE

1 **Completa el hueco con el pronombre y elige la forma correcta.**

1 La música está muy alta. A mí ____ *duele / duelen* los oídos.
2 Cuando tomo mucho el sol ____ *duele / duelen* la cabeza.
3 Mi hermano lleva unos zapatos nuevos y ____ *duele / duelen* los pies.
4 ¿____ *duelen / duele* la garganta? Tómate un vaso de leche caliente.
5 Ayer comimos mucho y hoy ____ *duele / duelen* el estómago.

PRETÉRITO IMPERFECTO

2 **Escribe la forma correspondiente.**

1	ganar, yo	*ganaba*
2	entrar, tú	
3	ser, ella	
4	vivir, nosotros	
5	ir, ellos	
6	levantarse, yo	
7	leer, vosotros	
8	hacer, él	
9	comprar, ellos	
10	salir, tú	
11	ver, yo	

3 **Escribe frases con el pretérito imperfecto.**

1 Elías / no tener / mucho dinero
2 Cuando / ser (yo) / joven / no comer / muchas verduras
3 ¿Dónde / vivir / Juan y Marta / cuando / estar / en Argentina?
4 Antes / le / ver (yo) / casi todos los días
5 Daniel / no estudiar / español / en la escuela.
6 ¿Cuál / ser (él) / asignatura favorita / cuando / ir / al colegio?
7 ¿Dónde / vivir (tú) / en Argentina?
8 ¿A qué hora / acostarse (tú) / cuando / ser / pequeño?

4 **Corrige los errores.**

1 Ayer, a la salida del cine, llueve mucho.
2 ¿Dónde iba Isabel y Fernando cuando los visteis?
3 ¿A qué hora salir del colegio cuando eras pequeño?
4 Yo tenía dos horas de clase a la semana cuando estudio español.
5 Antes siempre desayunamos en una cafetería.

IR A + INFINITIVO

5 **Completa las frases con *ir a* + infinitivo con los verbos del recuadro.**

> jugar • visitar • comer • participar • celebrar
> ayudar • trabajar • repasar • viajar • comprar

1 Juanjo y Carlos _____ en una pizzería.
2 ¿Dónde _____ tu cumpleaños?
3 Manuel y yo _____ en un campeonato de ajedrez.
4 ¿(vosotros) _____ el partido de mañana?
5 ¿(tú) _____ a José a recoger la cocina?
6 Beatriz _____ a Brasil este verano.
7 El próximo verano (yo) _____ a mis amigos escoceses.
8 El año que viene Concha y yo _____ en una nueva empresa.
9 Mi hermano y su mujer _____ un coche nuevo.
10 (yo) _____ el vocabulario para el examen de mañana.

EL CUERPO HUMANO

6 **Elige la palabra correcta.**

1 Ayer monté en bicicleta y hoy me duele la *cabeza / rodilla*.
2 Hoy no puedo comer porque me duele el *estómago / oído*.
3 Tengo gripe y me duele la *cara / cabeza*.
4 ¡Ten cuidado! No te cortes un *dedo / ojo* al partir el pan.
5 Tengo mucha tos y me duele el *hombro / pecho*.
6 Tengo que ir al dentista. ¡Me duelen mucho las *muelas / manos*!

GRAMÁTICA

PRONOMBRES INTERROGATIVOS

→ Invariables
- *Qué + verbo / nombre*
  *¿**Qué** quieres: un libro o un disco?*
  *¿**Qué** libro quieres?*
- *Dónde + verbo*
  *¿**Dónde** estuviste ayer?*
- *Cuándo + verbo*
  *¿**Cuándo** llega tu hermano?*
- *Cómo + verbo*
  *¿**Cómo** están tus padres?*

→ Variables
- *Quién / Quiénes + verbo*
  *¿**Quién** te llamó ayer?*
  *¿**Quiénes** vinieron a tu fiesta?*
- *Cuál / Cuáles + verbo*
  *¿**Cuál** te gusta más: el rojo o el verde?*
  *¿**Cuáles** son los más caros?*
- *Cuánto / -a / -os / -as + verbo / nombre*
  *¿**Cuántos** años tienes?*
  *¿**Cuántas** horas trabajas?*
  *¿**Cuánto** cuesta esto?*

→ Acentuación de los pronombres
- Los pronombres *qué, cómo, cuándo, cuánto,* etc., llevan tilde cuando son interrogativos, tanto directos como indirectos:
  *¿**Cómo** te llamas?*
  *¿**Dónde** vives? Yo no sé **dónde** vives.*

PRETÉRITO INDEFINIDO

→ El **pretérito indefinido**, que también se llama pretérito perfecto simple, se usa cuando queremos expresar una acción pasada, acabada y puntual en un momento determinado del pasado. Se utiliza especialmente en las biografías.
  *Carmen **nació** en 1956.*

→ También se usa para hablar de periodos de tiempo cerrados o acabados.
  *Durante los años 80 **se dedicó** a la enseñanza.*

NÚMEROS

→ De 1 a 30 tenemos una sola palabra.
  *Hay **veinticinco** alumnos en la clase.*

→ Las centenas tienen forma masculina y femenina.
  *Este abrigo cuesta **doscientos** euros.*
  *Tiene una finca de **trescientas** hectáreas.*

- 100 cien.
- 125 ciento veinticinco.
- 1975 mil novecientos setenta y cinco.
- 20 359 veinte mil trescientos/as cincuenta y nueve.
- 137 460 ciento treinta y siete mil cuatrocientos/as sesenta.
- 2 000 000 dos millones.
- 25% veinticinco por ciento.

FECHAS

2/01/1976 dos de enero de mil novecientos setenta y seis.
15/08/05 quince de agosto de dos mil cinco.
25/06/1992 veinticinco de junio de mil novecientos noventa y dos.
29/02/2004 veintinueve de febrero de dos mil cuatro.

VOCABULARIO

VERBOS PARA BIOGRAFÍAS

nacer • estudiar • empezar a… • trabajar
actuar • conocer • casarse • tener hijos
trasladarse • divorciarse
ganar/recibir (premios) • morirse

Ejercicios prácticos

PRONOMBRES INTERROGATIVOS

1 Completa las preguntas con los pronombres del recuadro.

> cuántos • qué • dónde • cuánta • cómo
> cuánto • quién • cuántas • cuál • cuándo

1 ¿_____ fuiste de vacaciones el verano pasado?
2 ¿_____ de estas camisetas te gusta más?
3 ¿A _____ hora empiezas a trabajar?
4 ¿_____ compraste tu primer coche?
5 ¿_____ vienes a clase?
6 ¿_____ libros has leído?
7 ¿Con _____ vives?
8 ¿_____ naranjas hay en la bolsa?
9 ¿_____ dinero te costó tu móvil?
10 ¿_____ agua bebes al día?

2 Inventa preguntas para estas respuestas.

1 _____
   Prefiero los coches pequeños.
2 _____
   Trabajo ocho horas diarias.
3 _____
   La conocí en un crucero.
4 _____
   El último tren salió a las 7:30.
5 _____
   El abrigo rojo es el que más me gusta.
6 _____
   Anoche estuve con mis amigos en el teatro.
7 _____
   Me fui a la cama después de cenar.
8 _____
   Es el novio de mi hermana.
9 _____
   El sábado cenamos en un restaurante peruano.
10 _____
   Voy a trabajar en bicicleta.

PRETÉRITO INDEFINIDO

3 Escribe la forma correcta del pretérito indefinido:

1 yo / comer: _____

2 tú / jugar: _____
3 él / perder: _____
4 nosotros / ir: _____
5 vosotros / nacer: _____
6 ellos / estar: _____
7 ella / hacer: _____
8 yo / pagar: _____
9 tú / ser: _____
10 usted / ver: _____

4 Escribe frases con el pretérito indefinido.

1 Vargas Llosa / ganar / el Premio Nobel en 2010.
2 Mis amigos / comer / en un restaurante mexicano.
3 (Yo) / hacer / la comida / después de limpiar la casa.
4 A nosotros / no gustar / la película.
5 ¿(tú) / estar / en casa toda la tarde?
6 (nosotros) tener / muchos exámenes la semana pasada.
7 Miguel / venir / a cenar a casa el sábado.
8 ¿Con quién / ir (tú) / a la ópera?

5 Completa el texto con el pretérito indefinido de los verbos entre paréntesis.

> Mi abuelo (1) _____ (nacer) en un pequeño pueblo de Salamanca. Cuando tenía 16 años (2) _____ (empezar) a trabajar en un comercio de la capital. Allí (3) _____ (conocer) a mi abuela. Dos años más tarde (4) _____ (ellos/casarse) y (5) _____ (abrir) una tienda de frutas y verduras. Mis abuelos (6) _____ (tener) cuatro hijos y 12 nietos. Mi abuelo (7) _____ (morirse) cuando tenía 80 años y mi abuela (8) _____ (venir) a Madrid a nuestra casa. Nosotros (9) _____ (vivir) con ella hasta que (10) _____ (morir) a los 93 años.

FECHAS

6 Escribe las siguientes fechas:

1 23 – 6 – 2011 _____
2 30 – 5 – 1999 _____
3 7 – 7 – 1957 _____
4 14 – 4 – 1931 _____
5 11 – 9 – 2001 _____

GRAMÁTICA

VERBO SER

→ Con el verbo **ser** expresamos cualidades o características de las personas y las cosas. Se utiliza para hablar del carácter.

*Mi primo **es** muy inteligente y simpático.*

→ También se utiliza para hablar de la nacionalidad y la profesión.

*Él **es** médico y ella **es** profesora de música.*

VERBO ESTAR

→ El verbo **estar** se usa para expresar estados de salud y anímicos.

*Mi jefe **está** enfadado conmigo y no sé por qué.*

SER / ESTAR

→ Con muchos adjetivos (*nervioso, tranquilo, cariñoso, simpático, amable, pesado, guapo*) se pueden utilizar tanto **ser** como **estar**. Con **ser** se define al sujeto, con **estar** se habla de un estado temporal.

*Este profesor **es** muy pesado.*

*Hoy los niños **están** muy pesados, no sé qué les pasa.*

PRETÉRITO PERFECTO

yo	he	
tú	has	
él / ella / Ud.	ha	+ participio
nosotros/as	hemos	
vosotros/as	habéis	
ellos / ellas / Uds.	han	

Participios regulares		
viajar	tener	salir
via**jado**	ten**ido**	sal**ido**

Participios irregulares	
ver	visto
hacer	hecho
decir	dicho
escribir	escrito
morir	muerto
poner	puesto
abrir	abierto
volver	vuelto
romper	roto

→ El **pretérito perfecto**, que también se llama pretérito perfecto compuesto, se utiliza para hablar de una acción acabada en un pasado reciente o muy reciente. Se usa con marcadores temporales como *hoy, esta mañana, este verano, hace un rato, últimamente…*

*Esta mañana no **he ido** a trabajar.*

→ También se usa para preguntar e informar sobre experiencias personales.

*¿**Has estado** alguna vez en España?*

*Luisa se **ha casad**o tres veces (= a lo largo de toda su vida).*

*Roberto Gómez es famoso porque **ha escrito** muchos libros.*

HAY QUE + INFINITIVO

→ Es invariable y sirve para expresar obligaciones generales.

*Para aprobar **hay que estudiar**.*

(NO) SE PUEDE + INFINITIVO

→ Indica permiso y prohibición.

***No se puede entrar**, está cerrado.*

VOCABULARIO

ADJETIVOS DE CARÁCTER Y ESTADOS DE ÁNIMO

> amable • grosero • cariñoso • egoísta
> tranquilo • nervioso • divertido • aburrido
> alegre • contento • simpático • antipático

FAMILIA

> marido • mujer • madre • padre
> hijo/a • hermano/a • sobrino/a • primo/a
> abuelo/a • cuñado/a • nieto/a
> suegro/a • novio/a

ACTIVIDADES COTIDIANAS

> llevar a los niños al colegio • ver la tele
> hacer la compra • planchar la ropa
> tener mucho trabajo • hacer la comida
> tener una reunión • leer el periódico

Ejercicios prácticos

SER / ESTAR

1 Completa con *ser* o *estar*.

1 ■ A mí no me gusta Mario porque _____ muy egoísta.
  ● Pues yo creo que _____ encantador.

2 ■ ¿Cómo _____ tus hijas, Susi?
  ● No me puedo quejar. Las dos ____ buenas estudiantes, aunque la pequeña ____ un poco perezosa.

3 ■ Manu, ¿____ bien?
  ● No, la verdad es que ____ nervioso y preocupado por mi trabajo.

4 ■ ¿_____ enfermo Nicolás?
  ● No, solo _____ cansado.

5 ■ Tu hijo _____ muy tranquilo, ¿no?
  ● ¿Tranquilo?, ¡qué va!, solo cuando _____ dormido.

6 ¡Uff! _____ harta de oír a los compañeros hablar de fútbol.

7 Ahora Emilio _____ tranquilo, pero ha _____ unos días muy nervioso por su examen.

8 ■ Tus padres ____ jóvenes, ¿no?
  ● Bueno, no ____ jóvenes, tienen más de setenta años, pero _____ bien de salud, la verdad.

9 ■ ¿Qué te parece la profesora nueva?
  ● No _____ mal, pero la otra _____ más eficiente.

10 ■ Irene, ¿_____ mejor tu suegra?
   ● Sí, gracias, ya _____ mejor.

11 ■ Carlos no _____ muy guapo, pero ____ una buena persona.
   ● Sí, y además siempre _____ de buen humor.

12 ■ ¿Tú crees que Ernesto _____ sincero?
   ● Yo creo que sí, pero para mí ____ demasiado hablador.

PRETÉRITO PERFECTO

2 Forma preguntas siguiendo el modelo.

1 ¿Ver / hoy / a María?
  ¿Has visto hoy a María?

2 ¿Llamar / por teléfono / a Gloria?

3 ¿Enviar / el correo / al jefe?

4 ¿Hacer / el informe para Ramón?

5 ¿Hacer / las facturas?

6 ¿Hablar / con el director?

7 ¿Volver a llamar / al comercial de SGEL?

8 ¿Abrir / el ordenador?

9 ¿Decir / la verdad / al gerente?

10 ¿Poner / en orden / las facturas?

3 Mario tiene ocho años y nos cuenta sus actividades. Completa con el pretérito perfecto de los verbos entre paréntesis.

1 Esta semana (pelearse) _____ dos veces con mi amigo Jorge.

2 Hoy la profesora me (castigar) ____ porque no (hacer) ____ los deberes.

3 Mi padre también me (castigar) _____ porque le (quitar) _____ una muñeca a mi hermana.

4 En el colegio (jugar) _____ al fútbol con mis compañeros.

5 Luego (ir) _____ al entrenamiento de baloncesto.

6 En la clase de Música (tocar) _____ la flauta.

7 En la clase de Matemáticas (hacer) _____ cuatro problemas.

8 En la clase de Lengua (escribir) _____ una redacción.

9 En el recreo (romper) _____ un cristal de una ventana.

10 Al salir del cole (merendar) _____ un bocadillo de jamón.

11 No (ver) _____ la tele porque estaba castigado.

12 A pesar de todo, hoy (ser) _____ un buen día.

4 Elige la forma correcta del verbo.

Esta mañana *(1) leí / he leído* en la prensa la noticia de que el famoso grupo Pasión Imposible *(2) decidió / ha decidido* separarse. Ya el año pasado *(3) se oyeron / se han oído* rumores de que el grupo *(4) estaba / ha estado* en crisis. La situación *(5) se resolvió / se ha resuelto* con la grabación de un nuevo disco. Pero por fin en las últimas 24 horas *(6) saltó / ha saltado* la noticia. *(7) Se suspendió / Se ha suspendido* el concierto previsto para hoy en Madrid y la noticia añade que hace unas horas *(8) decidieron / han decidido* dar por terminada su relación profesional, a pesar del gran éxito que *(9) tuvieron / han tenido* en la gira del último año.

GRAMÁTICA

ME GUSTARÍA + INFINITIVO

→ Para expresar deseos, tanto probables como poco probables, usamos la forma **me, te, le... gustaría +** infinitivo.

(A mí) **Me gustaría vivir** en el campo.

¿Te gustaría ir al concierto del sábado?

A Lucía **le gustaría cambiar** de trabajo.

A nosotros **nos gustaría comprar** un apartamento en la playa.

¿Os gustaría ver otra vez El señor de los anillos?

A mis amigos **les encantaría tener** tres o cuatro hijos.

PRETÉRITO INDEFINIDO / PRETÉRITO PERFECTO

→ En el español peninsular, usamos el **pretérito perfecto** para hablar de actividades (y estados) acabadas que llegan hasta el presente. Se utiliza con marcadores como *hoy, esta semana, este mes, estas vacaciones, este año, últimamente.*

Este año **hemos vendido** menos coches que el año pasado. (en diciembre)

¡Profesor, ya **he terminado** los ejercicios! (ahora mismo)

→ El **pretérito indefinido** se utiliza para hablar de acciones acabadas en un momento determinado del pasado. Lo usamos con marcadores como *ayer, la semana pasada, el lunes / viernes... pasado, el año pasado, hace dos / ocho meses...*

El año pasado **fuimos** de viaje a Brasil.

→ En la conversación es muy frecuente mezclar ambos tiempos. El **pretérito perfecto** se utiliza preferentemente cuando el hablante no conoce el contexto temporal o con uno de los marcadores de pretérito perfecto. El **pretérito indefinido** se utiliza siempre con un contexto temporal definido o cerrado, explícito o no.

- ¿**Has llamado** a tu madre?
- Sí, la **llamé** ayer por la tarde.
- ¿Qué **has hecho** estas vacaciones?
- Nada especial. En julio **fui** a la playa con mi familia y en agosto **estuve** aquí, en Barcelona.

- ¿Qué tal el fin de semana, **has salido**?
- ¿Salir? ¡No **he entrado** en casa! El viernes **fui** a una fiesta, el sábado **fui** a ver al Real Madrid y ayer **estuve** en casa de mis padres...

PRONOMBRES DE OBJETO DIRECTO E INDIRECTO

Sujeto	Objeto directo	Objeto indirecto
yo	me	me
tú	te	te
él	lo (le)	le (se)
ella	la	le (se)
nosotros/as	nos	nos
vosotros/as	os	os
ellos	los	les (se)
ellas	las	les (se)

Yo he dado un regalo a María.
Sujeto   O.D.   O.I.

¿Le has dado el regalo a María?
O.I.   O.D.   O.I.

Sí, ya ~~le~~ lo he dado.
        se

→ El pronombre de **objeto directo** suele ir antes del verbo.

¿Dónde están mis gafas? No **las** veo.

→ Si tenemos dos pronombres complemento, primero va el objeto indirecto y luego el objeto directo. El objeto indirecto se convierte en *se.*

¿Tus gafas? **Se las** he dado a Pedro.

→ Con frecuencia el **objeto indirecto** aparece en forma de pronombre y en forma de nombre.

¿Le has dado a Pedro mis gafas?
O.I.   O.I.

VOCABULARIO

HABITACIONES Y MUEBLES

Salón-comedor: mesa • librería • sillón silla • sofá
Dormitorio: cama • alfombra • armario mesita de noche
Cuarto de baño: lavabo • ducha • bañera espejo • váter
Cocina: frigorífico • cocina • horno lavadora

TIPOS DE PELÍCULAS

policíaca • comedia • ciencia ficción terror • guerra • acción • oeste • musical

Ejercicios prácticos

PRETÉRITO INDEFINIDO / PRETÉRITO PERFECTO

1 Forma frases tomando un elemento de cada recuadro. Hay más de una opción.

Yo
Roberto
Pepa
Mis padres

este fin de semana
esta semana
este año
el sábado
ayer
hoy
el año pasado

...no he salido.
...se han cambiado de casa.
...he visitado tres veces a mi madre.
...fue a la playa.
...fui al médico.
...compró un cuadro nuevo.
...fue a ver a Carmen.
...comieron en mi casa.
...he comprado unas flores.
...se casó con Florinda.

2 Completa las frases con la forma del pretérito perfecto de los verbos.

1 ¿(tú) _____ (comprar) las entradas para el concierto de esta noche?
2 El ayuntamiento _____ (abrir) un polideportivo nuevo en mi barrio este mes.
3 (nosotros) _____ (perder) el partido de fútbol este fin de semana.
4 (yo) _____ (participar) en varias carreras ciclistas últimamente.
5 ¿Quién _____ (romper) el jarrón?
6 Hoy (nosotros) _____ (hacer) una comida especial.
7 ¿Cuántos libros (tú) _____ (leer) estas vacaciones?
8 (yo) No _____ (ir) a la playa este verano.
9 Este curso (nosotros) ____ (conocer) a muchos compañeros nuevos.
10 Los pintores ya _____ (terminar) de pintar mi habitación.

11 (yo) _____ (vivir) en Sevilla estos tres últimos años y estoy muy contenta.
12 Desde el mes de septiembre (nosotros) _____ (tener) clases de español y dentro de unos días hacemos el examen.

PRONOMBRES OBJETO

3 Contesta afirmativamente, como en el ejemplo.

1 ■ ¿Me has comprado el periódico?
   ● Sí, *te lo he comprado* esta mañana.
2 ■ ¿Habéis hecho los ejercicios?
   ● Sí, _____ esta tarde.
3 ■ ¿Le has traído el libro a tu hermana?
   ● Sí, _____ esta mañana.
4 ■ ¿Les has devuelto el dinero a tus amigos?
   ● Sí, _____ hoy.
5 ■ ¿Le has mandado los paquetes a Ana?
   ● Sí, _____ hace unos días.
6 ■ ¿Te has puesto la camisa nueva?
   ● Sí, _____ este domingo.

4 Subraya los pronombres de objeto directo y de objeto indirecto en las siguientes frases.

1 Ayer le compré a mi hermano un libro que le gustó mucho. Se lo compré porque mañana es su cumpleaños.
2 Si ves a tu hermano dile que ayer lo llamé por teléfono y no lo encontré.
3 Yo no veo películas de terror, pero mis hijos sí las ven.

EXPRESAR OPINIÓN

5 Responde con *a mí sí / a mí no / a mí también / a mí tampoco*.

1 No me gustan nada los deportes.
2 Me preocupan mucho los problemas de los jóvenes.
3 No me importan nada los problemas de los famosos.
4 Me encanta la música clásica
5 Me encanta la música reggae.
6 No me interesa lo que dicen los políticos.
7 No me gusta la gente hipócrita.

GRAMÁTICA

PRETÉRITO IMPERFECTO

Pretérito imperfecto		
estudiar	tener	salir
estudiaba	tenía	salía
estudiabas	tenías	salías
estudiaba	tenía	salía
estudiábamos	teníamos	salíamos
estudiabais	teníais	salíais
estudiaban	tenían	salían

→ El **pretérito imperfecto**, en general expresa acciones pasadas no acabadas. Se utiliza para hacer descripciones del pasado.

*Antes en mi ciudad **había** menos coches que ahora.*

→ También se utiliza para expresar hábitos en el pasado.

*Hace años Joaquín **cantaba** en un coro.*

PRETÉRITO IMPERFECTO / PRETÉRITO INDEFINIDO

→ Cuando los dos verbos aparecen en la misma frase (o texto), con el **pretérito indefinido** se expresa la acción principal y con el **pretérito imperfecto** se expresan las circunstancias (o causas) donde se da la acción principal.

*Cuando **venía** del trabajo me **encontré** con Roberto.*
*Roberto **se fue** de su casa porque **se llevaba** mal con su padre.*

COMPARATIVOS

→ De los adjetivos

Más / menos / tan + adjetivo + que / como
*Mi casa es **más antigua que** la tuya.*
*La cocina es **menos luminosa que** el salón.*
*Tu hijo está **tan alto como** el mío.*

→ De los sustantivos

Verbo + más / menos + sustantivo + que
Verbo + tanto / a / os / as + sustantivo + como
*Ellos tienen **más tiempo libre que** nosotros.*
*La niña come **más fruta que** el niño.*
*Nadie tiene **tanta paciencia como** él.*
*No tengo **tanto trabajo como** tú.*

→ Comparativos y superlativos irregulares.

Más bueno / bien	(el) mejor
Más malo / mal	(el) peor
Más grande / viejo	(el) mayor
Más pequeño / joven	(el) menor

→ **Mayor** y **menor** se utilizan especialmente para hablar de la edad, no del tamaño.

*Ignacio es **mayor** que Pablo.*

SUPERLATIVOS

→ Relativo

El / La / Los / Las + más / menos + adjetivo + de / que
*Marina es **la más joven de** las hermanas.*
*Es **el hombre más simpático que** conozco.*

→ Absoluto

a. Muy + adjetivo.
b. Raíz del adjetivo + -ísimo.

*Nuria es **muy simpática** y su marido es **educadísimo**.*

rico	riquísimo	cerca	cerquísima
amable	amabilísimo	lejos	lejísimos

VOCABULARIO

EXPRESIONES DE LUGAR

> delante de • cerca de • lejos de • enfrente de
> en la esquina • en el cruce • detrás de • al lado de
> a la derecha de • a la izquierda de

MEDIOS DE TRANSPORTE

> autobús • bicicleta • autocar
> metro • moto • taxi • tren • avión
> barco • andando

Ejercicios prácticos

PRETÉRITO IMPERFECTO

1 Completa los párrafos con el verbo en pretérito imperfecto:

A Me llamo Akiko, soy japonesa y vivo en España desde hace cuatro años. Antes de venir a España yo (conocer) _____ (1) algunas costumbres de los españoles. Yo (creer) _____ (2) que todos (bailar) _____ (3) flamenco, que (dormir) _____ (4) la siesta, que les (gustar) _____ (5) los toros.

B Me llamo Marcelo y soy brasileño, de Río. Vine aquí hace dos años para trabajar. Antes de venir a España no (conocer) _____ (6) las corridas de toros, ni la paella. En mi país no (trabajar) _____ (7), solo (estudiar) _____ (8). E (ir) _____ (9) a la playa todos los fines de semana. Allí (vivir) _____ (10) con mis padres y mis hermanas. Los domingos (comer) _____ (11) todos juntos con mis abuelos. Les echo de menos.

C Yo me llamo Agnieska y soy polaca. He venido a Salamanca a estudiar español porque quiero ser profesora en mi país. Antes de venir yo (saber) _____ (12) muchas cosas de España por mis lecturas.
   Bueno, en mi país la vida no (ser) _____ (13) tan divertida como aquí, pero allí (tener) _____ (14) mis amigos de toda la vida.
   Allí no (salir) _____ (15) tanto por las noches como aquí.
   Por otro lado, allí (nadar) _____ (16) todos los días en la piscina, e (ir) _____ (17) en bicicleta a todas partes y en invierno (ir) _____ (18) a esquiar a las montañas. En España no puedo hacerlo, de momento.

2 Completa con el verbo en la forma adecuada.

1 Cuando (conocer, yo) _____ a Ana, (trabajar, ella) _____ en el hospital Central de Valladolid.
2 Antes de casarse, Felipe no (saber) _____ cocinar.
3 Antes de venir a España, Sungjing (trabajar) _____ en un estudio de arquitectura.

4 Ana y Luis (trabajar) _____ muchos años en el mismo banco, hasta que los (despedir) _____ en 2011.
5 Elena (estar) _____ trabajando de camarera en Noruega en 2008.
6 Ayer, cuando Pedro y yo (estar) _____ tomando un café, (ver) _____ pasar a Lucía y a su jefe.
7 Mis abuelos (vivir) _____ en un pueblo de Castilla hasta que (morir) _____.
8 Mi abuela (ser) _____ cantante de ópera, pero (dejar) _____ de cantar cuando (nacer) _____ mi madre.
9 Pedro antes (trabajar) _____ mucho, pero un día (sufrir) _____ un ataque al corazón y (dejar) _____ los negocios.
10 Antonio (estudiar) _____ tres cursos de alemán cuando (vivir) _____ en Alemania.

COMPARATIVOS

3 Forma frases siguiendo el modelo:

1 Ahora gano mucho dinero, antes ganaba menos.
   Antes ganaba menos dinero que ahora.
2 Ahora se porta mal, antes se portaba mejor.
3 Ahora come poco, antes comía más.
4 De día duerme mucho, de noche, poco.
5 En Galicia llueve mucho, en Jaén, poco.
6 En Polonia tenía muchos amigos, aquí menos.
7 Mis padres son mayores, tus padres son jóvenes.
8 Fernando es inteligente, Mercedes no tanto.
9 El cine nos gusta mucho. El teatro no tanto.
10 Este reloj es bueno, aquel también.

4 Relaciona.

1 La Universidad de Salamanca es ☐
2 Roberto es el chico ☐
3 Lucía es ☐
4 Estos son ☐
5 Estas son ☐
6 Esta es ☐
7 Este bar de tapas es ☐
8 Esta tienda es ☐

a ...el más barato de la ciudad.
b ...más antipático que conozco.
c ...la más antigua de España.
d ...la peor cantante que conozco.
e ...la mujer más guapa que conozco.
f ...los peores días de mi vida.
g ...las flores más bonitas del mundo.
h ...la más grande del barrio.

GRAMÁTICA

INDEFINIDOS

→ Invariables
- Para personas: *alguien, nadie*.

  ■ *¿Ha llamado alguien?*
  - *No, esta mañana no ha llamado nadie.*

- Para cosas: *algo, nada*.

  ■ *¿Quiere usted tomar algo?*
  - *No, gracias, no me apetece nada.*

→ Variables.
- Para personas y cosas:
  algún / alguno / -a / -os / -as
  ningún / ninguno / -a

  ■ *¿Tienes alguna revista de coches?*
  - *No, no tengo ninguna.*

- *Algún(o)* y *ningún(o)* pierden la -o delante de un nombre masculino singular.

  ■ *¿Te queda algún bocadillo de jamón?*
  - *No, de jamón no tengo ninguno.*

  No queda ningún sitio libre.

EXPRESIÓN DE LA IMPERSONALIDAD

→ Se utiliza la forma impersonal pasiva cuando no se conoce el sujeto o no es importante.

  Se venden casas.

→ Se usa para hablar de hechos generales.

  En España se cena a las diez de la noche.

→ Y también se usa muy frecuentemente en instrucciones de todo tipo, para recetas, instrucciones de empleo de aparatos, etc.

  Para utilizar este aparato, primero se enchufa a la red eléctrica y luego se aprieta el botón verde.

→ El verbo tiene que concordar con el sujeto (pasivo) en plural.

  Antes de nada, se limpian los calamares y se trocean.

VOCABULARIO

INGREDIENTES DE COCINA BÁSICA

gambas

calamar

mejillones

cebolla

tomate

pimiento

azafrán

ajo

aceite de oliva

guisantes

judías verdes

VERBOS DE COCINA BÁSICA

cocer • picar • freír • trocear • machacar
lavar • añadir • servir • revolver
mezclar • reposar

EN EL BAR / RESTAURANTE

camarero/a • aperitivo • tapa
bebida • merienda • desayuno
vino • cerveza • refrescos
primer plato • segundo plato • postre
café solo • comida • agua • café con leche
té con limón • tostadas • churros
chocolate • cuenta

Ejercicios prácticos

INDEFINIDOS

1 Elige la palabra correcta.

1 ¿Has preparado *algún / alguno* bocadillo de queso?
2 ■ ¿Queda *algo / alguna* de leche en la nevera?
　● No, no queda *ninguna / nada*.
3 No he comido *ninguno / ningún* caramelo porque son de fresa y no me gustan.
4 ■ ¿Tienes *alguna / algún* reunión hoy?
　● No, no tengo *ninguno / ninguna*.
5 ■ ¿Has preparado *algún / algo* de comer?
　● No, no he tenido tiempo. No he preparado *algo / nada*.
6 ■ ¿Has comido *alguna / algún* vez empanada?
　● Sí, *alguna / algunas* veces, cuando estuve en Galicia.

2 Corrige los errores.

1 No hay ninguno coche en el aparcamiento. _____
2 ■ ¿Hay alguien en casa?
　● No, no hay ninguno _____
3 Alguna manzanas se han estropeado. _____
4 ¿Hay nada que hacer? _____
5 Esta sopa no tiene ninguna de sal. _____
6 Algunas profesores están de excursión. _____
7 Esta casa está deshabitada. No vive nada. _____
8 Durante el viaje hemos comido en algunas restaurantes buenísimos. _____

3 Completa las frases con el indefinido correspondiente.

1 Estoy aburrido. Quiero hacer _____.
2 No tengo hambre. No quiero comer _____.
3 ¿Ponen _____ programa interesante en la televisión esta noche?
4 No compres naranjas. Quedan _____ en el frutero.
5 ¿Hay _____ trabajando en la oficina?
6 A _____ le ha gustado su última novela. Es muy aburrida.
7 Hay _____ hombres que usan sombrero.
8 Tengo _____ muy importante que deciros.
9 No tengo _____ hermano. Soy hijo único.

ORACIONES IMPERSONALES

4 Completa el texto con los verbos del recuadro.

> lavar • poder • añadir • comprar
> cortar • poner

Consejos para preparar una buena ensalada:
Primero se (1) _____ unas verduras frescas y, si es posible, de cultivo ecológico, después se (2) _____ con agua fría, luego se (3) _____ en trozos no muy grandes, se (4) _____ en una ensaladera y, por último, se (5) _____ sal, aceite y vinagre.
Se (6) _____ completar con otros ingredientes como atún, maíz…

5 Elige el verbo adecuado y escribe su forma correcta.

UN PASEO POR SAN RAFAEL

Vamos a dar un paseo por el núcleo urbano de San Rafael en la sierra segoviana.

Empezamos en la plaza de Castilla, desde donde se (1) _____ (cruzar / parar) la avenida del Alto del León. Allí podemos contemplar el monumento al leñador. Después se (2) ____(ver / subir) por la calle principal y se (3) _____ (parar / torcer) a la izquierda, para llegar al hermoso paseo de los Cedros, donde se conservan antiguas y misteriosas villas. Al final del paseo se (4) _____ (coger / girar) un sendero por el que los caminantes pueden pasear sin ser molestados por el ruido de los coches. Se (5) _____ (terminar / ascender) en dirección sur y nos internamos en el pinar. Se (6) _____ (dejar / llegar) atrás las últimas casas para llegar a una explanada, donde el caminante se (7) _____ (tener / deber) detener y apreciar el paisaje. Allí nos encontraremos los restos de una antigua ermita. Se (8) _____ (descender / llevar) por la calle de la Calzada, donde están la biblioteca, la iglesia y el centro cultural y se (9) _____ (volver / empezar) al punto de partida. Aquí se (10) _____ (tener / poder) tomar unas excelentes tapas en alguno de los bares y restaurantes de este hermoso pueblo.

GRAMÁTICA

IMPERATIVO AFIRMATIVO Y NEGATIVO

→ Se usa el imperativo para dar órdenes e instrucciones.

Antes de tomar el sol, **póngase** *crema protectora.*

→ Pedir un favor.

Rosa, **compra** *tú el pan, yo no puedo.*

→ Se usa también en la publicidad.

No lo dude, **compre** *aquí.*

→ Los imperativos irregulares tienen la misma irregularidad que los presentes irregulares.

Infinitivo	Presente	Imperativo
dormir	duermo	duerme (tú), duerma (Ud.) no duermas...
salir	salgo	sal (tú), salga (Ud.) no salgas tú...
poner	pongo	pon (tú), ponga (Ud.) no pongas...

IMPERATIVO + PRONOMBRES

→ **Imperativo afirmativo**. Los pronombres personales van después del verbo y junto a él.

¡Rafa, **siéntate***!*

*Nuria, ¿dónde están los caramelos? ¡***Dámelos***!*

→ **Imperativo negativo**. Los pronombres van delante del verbo.

Lucía, **no te sientes** *ahí.*

Roberto, ahora no puedo ver tu cuaderno, **no me lo des***.*

Laura, **no le pegues** *a Iván. Mohammed,* **no pintes** *en la pared. Li,* **siéntate***.*

ESTAR + ADJETIVO

→ Se usa el verbo *estar* siempre con algunos adjetivos que significan estados de ánimo: *deprimido, enfermo, harto, enfadado, enamorado, preocupado.*

Creo que la profesora **está enfadada** *con nosotros por algo.*

→ Con muchos otros adjetivos podemos usar *ser* para indicar una valoración del sujeto o *estar* para hablar de algo temporal.

Manu **es guapo***, ¿verdad?*

Manu hoy **está más guapo** *que ayer.*

→ Otras veces el uso de *ser* o *estar* cambia por completo el significado.

Manu **es listo***, ¿no te parece?* (= inteligente)

*Manu, ¿***estás listo** *para salir?* (= preparado)

ESPERO QUE + SUBJUNTIVO

→ Se usa el subjuntivo en oraciones subordinadas dependientes de verbos de deseo como *quiero, espero, deseo, necesito.*

(Yo) **espero que** *(tú)* **descanses** *bien.*

→ Si el sujeto del verbo principal (*espero*) y el del verbo subordinado (*descansar*) es el mismo, entonces usamos el infinitivo.

(Yo) **espero descansar** *bien esta noche.*

→ Se utiliza en fórmulas de cortesía para expresar buenos deseos. En este caso no aparece el verbo principal (*deseo*).

*(Deseo) ¡***Que tengas** *buen viaje! ¡***Que seáis** *felices!*

→ Forma del presente de subjuntivo.

trabajar	comer	vivir
trabaje	coma	viva
trabajes	comas	vivas
trabaje	coma	viva
trabajemos	comamos	vivamos
trabajéis	comáis	viváis
trabajen	coman	vivan

→ Las irregularidades del presente de subjuntivo son las mismas que las del presente de indicativo. Algunas formas son también las del imperativo.

Infinitivo	Presente indic.	Presente subj.
tener	tengo	tenga, tengas, tenga, tengamos, tengáis, tengan.
poder	puedo	pueda, puedas, pueda, podamos, podáis, puedan.
poner	pongo	ponga, pongas, ponga, pongamos, pongáis, pongan

VOCABULARIO

ESTADOS DE ÁNIMO

enamorado • contento • preocupado
harto • animado • deprimido • enfadado
cansado • enfermo • de buen / mal humor

ESTADO DE LAS COSAS

lleno • vacío • sucio • limpio • abierto
cerrado • reservado • roto • viejo • libre
caliente • frío • ocupado • desordenado

Ejercicios prácticos

IMPERATIVO

1 Completa las frases con el imperativo adecuado.

1. Rosa, no *salgas* a la calle sin gorro. (salir)
2. Arturo, _____ la crema protectora para el sol. (ponerse)
3. Eduardo, no _____ más vino, no es bueno. (beber)
4. Señor Castaño, _____ en mi despacho, por favor, yo iré ahora. (entrar)
5. Usted, señora, _____ aquí y no moleste. (ponerse)
6. Laura, hija, no _____ ahora, acabas de comer. (bañarse)
7. Ana, _____ (le) el cubo y la pala a ese niño. (dar)
8. Usted, _____ la camisa y _____ en la camilla, voy a auscultarle. (quitarse, tumbarse)

IMPERATIVOS IRREGULARES

2 Sigue el modelo.

1. ¿Por qué dices esas tonterías?
   No digas tonterías.
2. ¿Por qué le pides dinero a Joaquín?
3. ¿Por qué duermes tanto?
4. ¿Por qué tienes tanta prisa?
5. ¿Por qué cierras la ventana?
6. ¿Por qué sales tan pronto?
7. ¿Por qué pones ahí las flores?
8. ¿Por qué vienes en taxi?
9. ¿Por qué juegas con Manu?

SER / ESTAR

3 Completa las frases con la forma adecuada de *ser* o *estar*.

1. ¿Tú _____ segura de que Mario va a venir?
2. Mira la cocina, ¡_____ sucísima!
3. Cuando yo _____ pequeño _____ muy ordenado.
4. Mi hermana Rocío _____ harta de estudiar Medicina, creo que va a cambiar de carrera.
5. Elena _____ preocupada porque su hijo mayor _____ un poco deprimido.
6. Los vecinos del piso de arriba _____ insoportables, están todo el día haciendo ruido.
7. Aunque _____ muy inteligente, Clara no _____ preparada para el examen final.

8. Todavía no _____ seguros de si quieren casarse o no.
9. Creo que mi hija no _____ muy enamorada de Héctor.
10. Jorge no _____ seguro de que le admitan en la Universidad.
11. He comprado un candado para la maleta, pero no _____ bastante seguro.
12. María dice que su novio _____ muy reservado y no le cuenta nada de su vida.
13. ¿Este taxi _____ libre?
14. Por favor, ¿_____ ocupada esta silla?, ¿puedo cogerla?
15. Niños, ¿_____ listos? El autocar no espera.
16. Vamos a la esquina, allí _____ aparcado el coche de Jaime.
17. ¿Ya tienes hambre? Solo _____ la una de la tarde.
18. Mi abuela siempre _____ de buen humor.
19. ¿Qué día _____ hoy?
20. No te levantes, todavía _____ de noche.

SUBJUNTIVO

4 Escribe la forma del subjuntivo.

1. Ella, ir: *vaya*.
2. Ellos, venir: _____
3. Nosotros, tener: _____
4. Yo, ser: _____
5. Usted, venir: _____
6. Tú, cumplir: _____
7. Ellos, estudiar: _____
8. Yo, casarse: _____
9. Tú, vivir: _____
10. Él, ser: _____
11. Ella, tener: _____
12. Ellos, terminar: _____
13. Nosotros, ser: _____
14. Uds. mejorar: _____
15. Yo, ir: _____
16. Tú, escribir: _____
17. Vosotros, venir: _____
18. Tú, tener: _____

5 Completa con el verbo adecuado.

1. Rosa espera que su hijo _____ Medicina. (estudiar)
2. Mi padre espera que yo _____ pronto con David. (casarse)
3. Pablo espera que María _____ este verano de vacaciones con él. (ir)
4. Nosotros esperamos que Julia _____ de Holanda. (volver)
5. Yo espero que Clara _____ una chica responsable. (ser)
6. La profesora espera que sus alumnos _____ sus deberes. (hacer)
7. Elena espera que Juan no _____ muchas tonterías. (decir)

GRAMÁTICA

ESTABA + GERUNDIO

→ La forma *estaba* + **gerundio** describe una acción en desarrollo en el pasado.

> *Ayer a las cuatro de la tarde todavía* **estaba comiendo.**

→ Se utiliza junto al pretérito indefinido cuando una acción puntual interrumpe la acción en desarrollo.

> *Cuando* **estábamos comiendo,** *sonó el teléfono.*

Estar (imperfecto) + gerundio		
yo	estaba	
tú	estabas	
él / ella / Ud.	estaba	comiendo
nosotros/as	estábamos	
vosotros/as	estabais	
ellos / ellas / Uds.	estaban	

ESTABA + GERUNDIO / PRETÉRITO IMPERFECTO

→ Indica una acción en desarrollo no acabada. Muchas veces se puede intercambiar con el pretérito imperfecto.

> *La conocí cuando* **estudiaba / estaba estudiando** *en el instituto.*

→ Pero no se puede utilizar para expresar hábitos en el pasado, en este caso es necesario utilizar el pretérito imperfecto.

> *Pedro antes* **compraba** *el periódico todos los días, pero ahora lo lee en internet.*

ESTILO INDIRECTO

→ Utilizamos el estilo indirecto para informar de lo que otra persona ha dicho, sin citar sus palabras exactas.

> *Estilo* **directo:** *(Yo)* **Quiero** *visitar España.*
> *Estilo* **indirecto:** *(Él)* **Dijo que quería** *visitar España.*

→ Al repetir la información hay que cambiar algunos elementos de la frase como los pronombres y el verbo.

Estilo directo	Estilo indirecto
"…dijo…"	*…me dijo que…*
Presente	Imperfecto
"vivo en Cádiz"	*…vivía en Cádiz*
Imperfecto	Imperfecto
"antes veía bien"	*…antes veía bien*

PREGUNTAS EN ESTILO INDIRECTO

→ Se mantienen las mismas reglas que en las oraciones enunciativas.

> *Juan me preguntó: "¿Vas a ir al cine?".*
> *Juan me preguntó* **que si iba a ir** *al cine.*

→ En preguntas con pronombre interrogativo, se mantiene el interrogativo.

> *"¿Dónde estabas?".*
> *Me preguntó que dónde* **estaba.**

→ En preguntas sin pronombres interrogativos, utilizamos la conjunción "si".

> *"¿Has leído El Quijote?".*
> *Me preguntó* **que si he leído** *El Quijote.*

VOCABULARIO

PROFESIONES

> mecánico • profesor/a • periodista
> dependiente/a • conductor/a de autobús
> guía turístico/a • enfermero/a • cocinero/a
> peluquero/a • programador/a • pintor/a

LUGARES DE TRABAJO

> hospital • oficina • empresa • colegio
> taller en casa • periódico • restaurante
> peluquería • tienda

SECCIONES DE UN PERIÓDICO

> nacionales • internacionales • locales
> sucesos • anuncios • cartelera • editorial
> economía • deportes • cartas al director

Ejercicios prácticos

ESTABA + GERUNDIO

1 Completa las frases con el imperfecto de *estar* + gerundio.

1 Juan _____ (escribir) un *e-mail*.
2 Cuando llegué, _____ (llover).
3 ■ ¿Qué _____ (hacer / vosotros) cuando llamé por teléfono?
   ● _____ (leer / nosotros).
4 Mientras yo veía la televisión, Sofía y Elena _____ (jugar) al ajedrez.
5 Julián _____ (recorrer) Europa cuando tuvo el accidente.
6 _____ (dormir / yo) cuando oí un ruido muy fuerte.
7 ■ Ayer te llamé a casa y no estabas.
   ● A esa hora _____ (ver) una exposición.
8 El sábado por la noche, Fernando y Carolina _____ (cenar) en un restaurante peruano cuando vieron a Luis.
9 Ángel se rompió un brazo cuando _____ (montar) en bicicleta.
10 Anoche, cuando salía de tu casa, _____ (empezar) a nevar.

2 Elige la forma correcta.

1 Cuando Elena *llegó / estaba llegando* al aeropuerto, su madre la *esperó / estaba esperando*.
2 *Empezó / Estaba empezando* a nevar mientras *vimos / estábamos viendo* el partido.
3 *Vi / Estaba viendo* a un actor muy famoso en el restaurante. *Cenó / Estaba cenando* con sus amigos.
4 Jorge *conoció / estaba conociendo* a su novia cuando *viajó / estaba viajando* por Andalucía.
5 *Estábamos esquiando / Esquiamos* cuando Tomás se *estaba rompiendo / rompió* una pierna.
6 Roberto *llegó / estaba llegando* cuando *vimos / estábamos viendo* una película.
7 ¿De qué *hablasteis / estabais hablando* cuando Ana os *estaba interrumpiendo / interrumpió*?
8 Me estaba *duchando / duché* cuando *estaba sonando / sonó* el teléfono.
9 Cuando *comimos / estábamos comiendo*, estaba *llamando / llamó* Felipe.

3 Completa el texto con las formas del pretérito indefinido o *estaba* + gerundio.

El año pasado mi novio y yo (1) _____ (estar) de vacaciones en las Islas Canarias. Nuestro avión (2) _____ (aterrizar) en Tenerife, pero solo (3) _____ (dormir) allí una noche. Al día siguiente, (4) _____ (ir) a La Gomera en barco y mientras (5) _____ (navegar), un grupo de delfines (6) _____ (nadar) junto a nosotros. La isla es volcánica, pero en el sur (7) _____ (haber) playas de arena y aguas transparentes. (8) _____ (alojarse) en un hotel junto a la playa. (9) _____ (hacer) muchas actividades diferentes. Un día, cuando (10) _____ (bucear), (11) _____ (ver) unas preciosas estrellas de mar. Otro día, mientras (12) _____ (hacer) una excursión en catamarán por la costa, (13) _____ (encontrarse) con un grupo de ballenas. Fueron unas vacaciones inolvidables.

ESTILO INDIRECTO

4 Transforma en estilo indirecto.

1 Voy al cine con mi novia.
   Dijo que _____.
2 Ayer comimos con tu hermano.
   Dijeron que ayer_____.
3 Había mucha gente en el concierto.
   Dijo que _____.
4 Nunca hemos estado en la India.
   Dijeron que_____.
5 Vi a María la semana pasada.
   Dijo que _____.

5 Transforma las preguntas en estilo indirecto.

1 ¿Por qué no vienes a mi fiesta?
   Me preguntó _____.
2 ¿Has leído el correo que te mandé ayer?
   Me preguntó _____.
3 ¿Cuándo jugaréis el próximo partido?
   Quería saber_____.
4 ¿Habéis hecho los ejercicios que os mandé la semana pasada?
   Nos preguntó _____.
5 ¿Tienes trabajo ahora?
   Me preguntó _____.

GRAMÁTICA

LLEVAR + GERUNDIO

Llevar (presente) + gerundio		
yo	llevo	
tú	llevas	
él / ella / Ud.	lleva	+ viviendo
nosotros/as	llevamos	
vosotros/as	lleváis	
ellos / ellas / Uds.	llevan	

→ Se utiliza la expresión **llevar + gerundio** para expresar actividades que empezaron en el pasado y continúan en el presente. Normalmente expresamos la duración de la acción.

Llevo estudiando español más de dos años.

→ Cuando hablamos de *vivir* o *trabajar*, es normal suprimir el gerundio (*viviendo* o *trabajando*).

- ¿Cuánto tiempo **llevas (trabajando)** en este hospital?
- *Tres meses.*

FUTURO IMPERFECTO

→ La forma del **futuro imperfecto** es igual para las tres conjugaciones (-ar, -er, -ir).

estudiar	
yo	estudi**aré**
tú	estudi**arás**
él / ella / Ud.	estudi**ará**
nosotros/as	estudi**aremos**
vosotros/as	estudi**aréis**
ellos / ellas / Uds.	estudi**arán**

→ **Irregulares** más frecuentes.

Decir: diré, dirás, dirá, diremos, diréis, dirán.

Haber: habré, habrás, habrá, habremos, habréis, habrán.

Hacer: haré, harás, hará, haremos, haréis, harán.

Tener: tendré, tendrás, tendrá, tendremos, tendréis, tendrán.

Poder: podré, podrás, podrá, podremos, podréis, podrán.

Poner: pondré, pondrás, pondrá, pondremos, pondréis, pondrán.

Salir: saldré, saldrás, saldrá, saldremos, saldréis, saldrán.

→ Usamos el futuro para hablar de eventos futuros en general, con marcadores como *mañana, el año próximo, la semana próxima, dentro de tres años,* etc.

*El año que viene **habrá** elecciones otra vez.*

→ Se usa para hacer predicciones.

*Dentro de unos años todo el mundo **tendrá** un coche eléctrico.*

→ Para hacer promesas.

*El domingo te **llevaré** al cine.*

→ Se utiliza frecuentemente en las oraciones condicionales.

*Si salgo pronto del trabajo, **iré** a verte.*

Marcadores temporales de futuro	
Iré a verte	*luego / más tarde.*
	el mes próximo / que viene.
	la semana que viene.
	dentro de un mes / un año.

CONDICIONALES

→ Para hablar de condiciones probables usamos:

- Si + presente de indicativo, futuro.
  Si tenemos dinero, compraremos el coche.

- Si + presente de indicativo, imperativo.
  Si te gusta viajar, ven con nosotros.

- Si + presente de indicativo, presente.
  Si podemos, salimos a dar una vuelta.

VOCABULARIO

ADJETIVOS DE OPINIÓN

divertido/a • raro/a • interesante
aburrido/a • maravilloso/a • horrible
estúpido/a • desagradable • original
emocionante • precioso/a • romántico/a

PLANETA

medioambiente • gases tóxicos • ozono
espacio • contaminación • milenio

Ejercicios prácticos

LLEVAR + GERUNDIO

1 Ordena los elementos para formar frases correctas.

1 año / lleva / Julia / Holanda / en / viviendo / un.
2 viendo / tele / horas / la / Clara / lleva / dos.
3 esperando / llevamos / autobús / el / hora / media.
4 Manu / llevan / juntos / mucho / Elena / saliendo / tiempo / y.
5 llorando / bebé / el / lleva / toda / noche / la.
6 desde / aquí / abril / llevo / yo / viviendo / 2009 / yo / de.
7 María / durmiendo / lleva / tres / desde / las.
8 esperándote / media / llevo / hora.
9 dos / lleva / haciendo / Jorge / años / doctoral / tesis / la.

2 Formula las preguntas como en el modelo:

1 Vosotros / esperar / Lucía.
   ¿Cuánto tiempo lleváis esperando a Lucía?
2 Estudiar español (tú).
3 Vivir en esta ciudad (tú).
4 Estudiar chino (tú).
5 Practicar yoga (tú).
6 Jugar en este equipo de fútbol (vosotros).
7 Pintar cuadros (tú).
8 Trabajar en esta empresa (tú).

FUTURO IMPERFECTO

3 Completa las frases con el futuro de los verbos del recuadro.

> poner • haber • estudiar • hacer • decir
> traer • invitar • tener • poder • estar • ir

1 No le _____ a mi cumpleaños porque estoy enfadada con él.
2 ¿A qué hora te _____ la lavadora nueva?
3 Estoy segura de que este nuevo director se _____ famoso con su primera película.
4 Juan y yo _____ a verte el martes. ¿Estarás en casa?
5 El próximo curso en nuestra escuela _____ clases de alemán.
6 No _____ ir con vosotros al concierto. _____ de vacaciones. (nosotros)

7 Suspendí dos asignaturas y _____ que estudiar este verano.
8 Pablo no _____ Medicina; le gusta más el periodismo.
9 No se lo he dicho aún. Se lo _____ mañana.
10 Son unas flores preciosas. Las _____ en el jarrón. (yo)

CONDICIONALES PROBABLES

4 Elige la forma correcta.

1 Si no *eres / serás* puntual, *llegar / llegaremos* tarde.
2 ¿Qué *haces / harás* si *apruebas / aprobarás* el examen?
3 Si *llueve / lloverá,* no *vas / iremos* al campo.
4 *Llamaré / Llámame* si *tienes / tendrás* algún problema.
5 Si *cojo / cogeré* el autobús de las ocho, *llego / llega* a tiempo.
6 Si no lo *entiendes / entenderás,* te lo *explicar / explicaré.*
7 Te *llama / llamaré* si *salgo / saldré* pronto de trabajar.

5 Completa las frases con las forma correctas de los verbos entre paréntesis.

1 Si _____ (tener / vosotros) frío, _____ (encender) la calefacción.
2 Si me _____ (comprar) un coche nuevo, no me _____ (ir) de vacaciones.
3 ¿_____ (hacer / tú) los ejercicios si te _____ (ayudar / yo)?
4 Si no _____ (querer / tú), no se lo _____ (decir / nosotros) a Juan.
5 Si _____ (ir / nosotros) a la fiesta, nos _____ (encontrar / nosotros) con mis primos.
6 No _____ (haber) sitio para sentarse si _____ (llegar / nosotros) tarde.
7 Si _____ (ir / tú) a Valencia este fin de semana, _____ (llamar / tú) a mi hermana.
8 _____ (pedir / tú) la cuenta si _____ (ver / tú) al camarero.
9 Si _____ (encontrar / ellos) trabajo, _____ (casarse / ellos) el año próximo.
10 Si no les _____ (invitar / nosotros), no _____ (venir / ellos) a la fiesta.

Verbos

VERBOS REGULARES

TRABAJAR				
Presente ind.	Pret. indefinido	Pret. imperfecto	Futuro	Pret. perfecto
trabajo	trabajé	trabajaba	trabajaré	he trabajado
trabajas	trabajaste	trabajabas	trabajarás	has trabajado
trabaja	trabajó	trabajaba	trabajará	ha trabajado
trabajamos	trabajamos	trabajábamos	trabajaremos	hemos trabajado
trabajáis	trabajasteis	trabajabais	trabajaréis	habéis trabajado
trabajan	trabajaron	trabajaban	trabajarán	han trabajado

Pret. pluscuamperfecto	Imperativo afirmativo/negativo	Presente de subjuntivo
había trabajado	trabaja / no trabajes (tú)	trabaje
habías trabajado	trabaje / no trabaje (Ud.)	trabajes
había trabajado	trabajad / no trabajéis (vosotros)	trabaje
habíamos trabajado	trabajen / no trabajen (Uds.)	trabajemos
habíais trabajado		trabajéis
habían trabajado		trabajen

COMER				
Presente ind.	Pret. indefinido	Pret. imperfecto	Futuro	Pret. perfecto
como	comí	comía	comeré	he comido
comes	comiste	comías	comerás	has comido
come	comió	comía	comerá	ha comido
comemos	comimos	comíamos	comeremos	hemos comido
coméis	comisteis	comíais	comeréis	habéis comido
comen	comieron	comían	comerán	han comido

Pret. pluscuamperfecto	Imperativo afirmativo/negativo	Presente de subjuntivo
había comido	come / no comas (tú)	coma
habías comido	coma / no coma (Ud.)	comas
había comido	comed / no comáis (vosotros)	coma
habíamos comido	coman / no coman (Uds.)	comamos
habíais comido		comáis
habían comido		coman

VIVIR				
Presente ind.	Pret. indefinido	Pret. imperfecto	Futuro	Pret. perfecto
vivo	viví	vivía	viviré	he vivido
vives	viviste	vivías	vivirás	has vivido
vive	vivió	vivía	vivirá	ha vivido
vivimos	vivimos	vivíamos	viviremos	hemos vivido
vivís	vivisteis	vivíais	viviréis	habéis vivido
viven	vivieron	vivían	vivirán	han vivido

Pret. pluscuamperfecto	Imperativo afirmativo/negativo	Presente de subjuntivo
había viv**ido**	viv**e** / no viv**as** (tú)	viv**a**
habías viv**ido**	viv**a** / no viv**a** (Ud.)	viv**as**
había viv**ido**	viv**id** / no viv**áis** (vosotros)	viv**a**
habíamos viv**ido**	viv**an /** no viv**an** (Uds.)	viv**amos**
habíais viv**ido**		viv**áis**
habían viv**ido**		viv**an**

VERBOS IRREGULARES

Presente ind.	Pret. indefinido	Futuro	Imperativo	Presente sub.
ACORDAR(SE)				
(me) acuerdo	acordé	acordaré		acuerde
(te) acuerdas	acordaste	acordarás	acuerda(te) / no (te) acuerdes	acuerdes
(se) acuerda	acordó	acordará	acuerde(se) / no (se) acuerde	acuerde
(nos) acordamos	acordamos	acordaremos		acordemos
(os) acordáis	acordasteis	acordaréis	acordad(os) / no (os) acordéis	acordéis
(se) acuerdan	acordaron	acordarán	acuerden(se) / no (se) acuerden	acuerden
ACOSTAR(SE)				
(me) acuesto	acosté	acostaré		acueste
(te) acuestas	acostaste	acostarás	acuesta(te) / no (te) acuestes	acuestes
(se) acuesta	acostó	acostará	acueste(se) / no (se) acueste	acueste
(nos) acostamos	acostamos	acostaremos		acostemos
(os) acostáis	acostasteis	acostaréis	acostad(os) / no (os) acostéis	acostéis
(se) acuestan	acostaron	acostarán	acuesten(se) / no (se) acuesten	acuesten
ANDAR				
ando	anduve	andaré		ande
andas	anduviste	andarás	anda / no andes	andes
anda	anduvo	andará	ande / no ande	ande
andamos	anduvimos	andaremos		andemos
andáis	anduvisteis	andaréis	andad / no andéis	andéis
andan	anduvieron	andarán	anden / no anden	anden
APROBAR				
apruebo	aprobé	aprobaré		apruebe
apruebas	aprobaste	aprobarás	aprueba / no apruebes	apruebes
aprueba	aprobó	aprobará	apruebe / no apruebe	apruebe
aprobamos	aprobamos	aprobaremos		aprobemos
aprobáis	aprobasteis	aprobaréis	aprobad / no aprobéis	aprobéis
aprueban	aprobaron	aprobarán	aprueben / no aprueben	aprueben

Verbos

Presente ind.	Pret. indefinido	Futuro	Imperativo	Presente sub.
		CERRAR		
cierro	cerré	cerraré		cierre
cierras	cerraste	cerrarás	cierra / no cierres	cierres
cierra	cerró	cerrará	cierre / no cierre	cierre
cerramos	cerramos	cerraremos		cerremos
cerráis	cerrasteis	cerraréis	cerrad / no cerréis	cerréis
cierran	cerraron	cerrarán	cierren / no cierren	cierren
		CONOCER		
conozco	conocí	conoceré		conozca
conoces	conociste	conocerás	conoce / no conozcas	conozcas
conoce	conoció	conocerá	conozca / no conozca	conozca
conocemos	conocimos	conoceremos		conozcamos
conocéis	conocisteis	conoceréis	conoced / no conozcáis	conozcáis
conocen	conocieron	conocerán	conozcan / no conozcan	conozcan
		DAR		
doy	di	daré		dé
das	diste	darás	da / no des	des
da	dio	dará	dé / no dé	dé
damos	dimos	daremos		demos
dais	disteis	daréis	dad / no deis	deis
dan	dieron	darán	den / no den	den
		DECIR		
digo	dije	diré		diga
dices	dijiste	dirás	di / no digas	digas
dice	dijo	dirá	diga / no diga	diga
decimos	dijimos	diremos		digamos
decís	dijisteis	diréis	decid / no digáis	digáis
dicen	dijeron	dirán	digan / no digan	digan
		DESPERTAR(SE)		
(me) despierto	desperté	despertaré		despierte
(te) despiertas	despertaste	despertarás	despierta(te) / no (te) despiertes	despiertes
(se) despierta	despertó	despertará	despierte(se) / no (se) despierte	despierte
(nos) despertamos	despertamos	despertaremos		despertemos
(os) despertáis	despertasteis	despertaréis	despertad(os) / no (os) despertéis	despertéis
(se) despiertan	despertaron	despertarán	despierten(se) / no (se) despierten	despierten
		DIVERTIR(SE)		
(me) divierto	divertí	divertiré		divierta
(te) diviertes	divertiste	divertirás	divierte(te) / no (te) diviertas	diviertas
(se) divierte	divirtió	divertirá	divierta(se) / no (se) divierta	divierta
(nos) divertimos	divertimos	divertiremos		divirtamos
(os) divertís	divertisteis	divertiréis	divertid(os) / no (os) divirtáis	divirtáis
(se) divierten	divirtieron	divertirán	diviertan(se) / no (se) diviertan	diviertan

Presente ind.	Pret. indefinido	Futuro	Imperativo	Presente sub.
		DORMIR (SE)		
(me) duermo	dormí	dormiré		duerma
(te) duermes	dormiste	dormirás	duerme(te) / no (te) duermas	duermas
(se) duerme	durmió	dormirá	duerma(se) / no (se) duerma	duerma
(nos) dormimos	dormimos	dormiremos		durmamos
(os) dormís	dormisteis	dormiréis	dormid(os) / no (os) durmáis	durmáis
(se) duermen	durmieron	dormirán	duerman(se) / no (se) duerman	duerman
		EMPEZAR		
empiezo	empecé	empezaré		empiece
empiezas	empezaste	empezarás	empieza / no empieces	empieces
empieza	empezó	empezará	empiece / no empiece	empiece
empezamos	empezamos	empezaremos		empecemos
empezáis	empezasteis	empezaréis	empezad / no empecéis	empecéis
empiezan	empezaron	empezarán	empiecen / no empiecen	empiecen
		ENCONTRAR		
encuentro	encontré	encontraré		encuentre
encuentras	encontraste	encontrarás	encuentra / no encuentres	encuentres
encuentra	encontró	encontrará	encuentre / no encuentre	encuentre
encontramos	encontramos	encontraremos		encontremos
encontráis	encontrasteis	encontraréis	encontrad / no encontréis	encontréis
encuentran	encontraron	encontrarán	encuentren / no encuentren	encuentren
		ESTAR		
estoy	estuve	estaré		esté
estás	estuviste	estarás	está / no estés	estés
está	estuvo	estará	esté / no esté	esté
estamos	estuvimos	estaremos		estemos
estáis	estuvisteis	estaréis	estad / no estéis	estéis
están	estuvieron	estarán	estén / no estén	estén
		HACER		
hago	hice	haré		haga
haces	hiciste	harás	haz / no hagas	hagas
hace	hizo	hará	haga / no haga	haga
hacemos	hicimos	haremos		hagamos
hacéis	hicisteis	haréis	haced / no hagáis	hagáis
hacen	hicieron	harán	hagan / no hagan	hagan
		HABER		
he	hube	habré		haya
has	hubiste	habrás	he / no hayas	hayas
ha	hubo	habrá	haya / no haya	haya
hemos	hubimos	habremos		hayamos
habéis	hubisteis	habréis	habed / no hayáis	hayáis
han	hubieron	habrán	hayan / no hayan	hayan

Verbos

Presente ind.	Pret. indefinido	Futuro	Imperativo	Presente sub.
			IR	
voy	fui	iré		vaya
vas	fuiste	irás	ve / no vayas	vayas
va	fue	irá	vaya / no vaya	vaya
vamos	fuimos	iremos		vayamos
vais	fuisteis	iréis	id / no vayáis	vayáis
van	fueron	irán	vayan / no vayan	vayan
			JUGAR	
juego	jugué	jugaré		juegue
juegas	jugaste	jugarás	juega / no juegues	juegues
juega	jugó	jugará	juegue / no juegue	juegue
jugamos	jugamos	jugaremos		juguemos
jugáis	jugasteis	jugaréis	jugad / no juguéis	juguéis
juegan	jugaron	jugarán	jueguen / no jueguen	jueguen
			LEER	
leo	leí	leeré		lea
lees	leíste	leerás	lee /no leas	leas
lee	leyó	leerá	lea / no lea	lea
leemos	leímos	leeremos		leamos
leéis	leísteis	leeréis	leed / no leáis	leáis
leen	leyeron	leerán	lean / no lean	lean
			OÍR	
oigo	oí	oiré		oiga
oyes	oíste	oirás	oye / no oigas	oigas
oye	oyó	oirá	oiga / no oiga	oiga
oímos	oímos	oiremos		oigamos
oís	oísteis	oiréis	oíd / no oigáis	oigáis
oyen	oyeron	oirán	oigan / no oigan	oigan
			PEDIR	
pido	pedí	pediré		pida
pides	pediste	pedirás	pide / no pidas	pidas
pide	pidió	pedirá	pida / no pida	pida
pedimos	pedimos	pediremos		pidamos
pedís	pedisteis	pediréis	pedid / no pidáis	pidáis
piden	pidieron	pedirán	pidan / no pidan	pidan
			PREFERIR	
prefiero	preferí	preferiré		prefiráis
prefieres	preferiste	preferirás	prefiere / no prefieras	prefieran
prefiere	prefirió	preferirá	prefiera / no prefiera	prefiera
preferimos	preferimos	preferiremos		prefiramos
preferís	preferisteis	preferiréis	preferid / no prefiráis	prefiráis
prefieren	prefirieron	preferirán	prefieran / no prefieran	prefieran

Presente ind.	Pret. indefinido	Futuro	Imperativo	Presente sub.
PODER				
puedo	pude	podré		pueda
puedes	pudiste	podrás	puede / no puedas	puedas
puede	pudo	podrá	pueda / no pueda	pueda
podemos	pudimos	podremos		podamos
podéis	pudisteis	podréis	poded / no podáis	podáis
pueden	pudieron	podrán	puedan / no puedan	puedan
PONER				
pongo	puse	pondré		ponga
pones	pusiste	pondrás	pon / no pongas	pongas
pone	puso	pondrá	ponga / no ponga	ponga
ponemos	pusimos	pondremos		pongamos
ponéis	pusisteis	pondréis	poned / no pongáis	pongáis
ponen	pusieron	pondrán	pongan / no pongan	pongan
QUERER				
quiero	quise	querré		quiera
quieres	quisiste	querrás	quiere / no quieras	quieras
quiere	quiso	querrá	quiera / no quiera	quiera
queremos	quisimos	querremos		queramos
queréis	quisisteis	querréis	quered / no queráis	queráis
quieren	quisieron	querrán	quieran / no quieran	quieran
RECORDAR				
recuerdo	recordé	recordaré		recuerde
recuerdas	recordaste	recordarás	recuerda / no recuerdes	recuerdes
recuerda	recordó	recordará	recuerde / no recuerde	recuerde
recordamos	recordamos	recordaremos		recuerdemos
recordáis	recordasteis	recordaréis	recordad / no recordéis	recordéis
recuerdan	recordaron	recordarán	recuerden / no recuerden	recuerden
SABER				
sé	supe	sabré		sepa
sabes	supiste	sabrás	sabe / no sepas	sepas
sabe	supo	sabrá	sepa / no sepa	sepa
sabemos	supimos	sabremos		sepamos
sabéis	supisteis	sabréis	sabed / no sepáis	sepáis
saben	supieron	sabrán	sepan / no sepan	sepan
SALIR				
salgo	salí	saldré		salga
sales	saliste	saldrás	sal / no salgas	salgas
sale	salió	saldrá	salga / no salga	salga
salimos	salimos	saldremos		salgamos
salís	salisteis	saldréis	salid / no salgáis	salgáis
salen	salieron	saldrán	salgan / no salgan	salgan

Verbos

Presente ind.	Pret. indefinido	Futuro	Imperativo	Presente sub.
			SEGUIR	
sigo	seguí	seguiré		siga
sigues	seguiste	seguirás	sigue / no sigas	sigas
sigue	siguió	seguirá	siga / no siga	siga
seguimos	seguimos	seguiremos		sigamos
seguís	seguisteis	seguiréis	seguid / no sigáis	sigáis
siguen	siguieron	seguirán	sigan / no sigan	sigan
			SER	
soy	fui	seré		sea
eres	fuiste	serás	sé / no seas	seas
es	fue	será	sea / no sea	sea
somos	fuimos	seremos		seamos
sois	fuisteis	seréis	sed / no seáis	seáis
son	fueron	serán	sean / no sean	sean
			SERVIR	
sirvo	serví	serviré		sirva
sirves	serviste	servirás	sirve / no sirvas	sirvas
sirve	sirvió	servirá	sirva / no sirva	sirva
servimos	servimos	serviremos		sirvamos
servís	servisteis	serviréis	servid / no sirváis	sirváis
sirven	sirvieron	servirán	sirvan / no sirvan	sirvan
			TRADUCIR	
traduzco	traduje	traduciré		traduzca
traduces	tradujiste	traducirás	traduce / no traduzcas	traduzcas
traduce	tradujo	traducirá	traduzca / no traduzca	traduzca
traducimos	tradujimos	traduciremos		traduzcamos
traducís	tradujisteis	traduciréis	traducid / no traduzcáis	traduzcáis
traducen	tradujeron	traducirán	traduzcan / no traduzcan	traduzcan
			VENIR	
vengo	vine	vendré		venga
vienes	viniste	vendrás	ven / no vengas	vengas
viene	vino	vendrá	venga / no venga	venga
venimos	vinimos	vendremos		vengamos
venís	vinisteis	vendréis	venid / no vengáis	vengáis
vienen	vinieron	vendrán	vengan / no vengan	vengan

Transcripciones

Antes de empezar

1

Profesora: ¡Hola! Me llamo Maribel y soy la profesora de español. Vamos a presentarnos. A ver, empieza tú, ¿cómo te llamas?
Estudiante 1: Me llamo Marcelo.
Profesora: ¿De dónde eres, Marcelo?
Estudiante 1: Soy brasileño, de Porto Alegre.
Estudiante 2: Yo me llamo Isabelle y soy francesa.

4

Las vocales:
A – E – I – O – U
Las consonantes: B – C – D – F – G – H – J – K – L –
M – N – Ñ – P – Q – R – S – T – V – W – X – Y – Z
Los conjuntos de letras: CH – LL

5

ca: casa – **que:** queso – **qui:** quiero – **co:** color –
cu: cuatro
ga: gato – **gue:** guerra – **gui:** guitarra – **go:** agosto –
gu: agua
za: zapato – **ce:** cerrado – **ci:** cine – **zo:** zoo – **zu:** azul
ja: jamón – **je** / **ge:** jefe / genio – **ji** / **gi:** jirafa / gitano – **jo:** jota – **ju:** julio

7

1 erre-o-eme-e-erre-o; **2** de-i-a-zeta; **3** ge-o-ene-zeta-a-ele-uve-o; **4** erre-i-be-e-erre-a; **5** ge-i-eme-e-ene-e-zeta; **6** pe-a-de-i-ene

10

alemán – alemana – japonés – profesor – estudiante – profesora – brasileño – hospital – estudiar – libro – lección – compañero – madre

12

fiesta – hotel – cine – hospital – restaurante – flamenco – tango – bar – chocolate – café – salsa – playa – paella – guitarra – siesta

UNIDAD 1 - Saludos

2

En clase
Isabelle: ¡Hola, Marcelo!, ¿qué tal?
Marcelo: Bien, ¿y tú?
Isabelle: Muy bien. Mira, esta es Ulrike, una nueva compañera, es alemana.
Marcelo: ¡Hola! ¡Encantado! ¿Eres de Berlín?
Ulrike: Sí, pero ahora vivo en Madrid.
En un hotel
Recepcionista: Su nombre, por favor.

Fernando: Yo me llamo Fernando Álvarez y ella es Carmen Hernández.
Recepcionista: ¿De dónde son ustedes?
Fernando: Somos argentinos, de Buenos Aires.
Recepcionista: Ah, Buenos Aires... Aquí están sus tarjetas, bienvenidos a Madrid.
Fernando: Gracias.

En una oficina
Díaz: ¡Buenos días!, señor Álvarez, ¿qué tal está?
Álvarez: Muy bien, gracias. Mire, le presento a Marta Rodríguez, la nueva directora.
Díaz: Encantado de conocerla, yo me llamo Gerardo Díaz, y soy el responsable de administración.
Rodríguez: Mucho gusto, Gerardo.

4

En una cafetería
Luis: ¡Hola, Eva!, ¿qué tal?
Eva: Bien, ¿y tú?
Luis: Muy bien. Mira, este es Roberto, un compañero nuevo.
Eva: ¡Hola! ¡Encantada! ¿De dónde eres?
Roberto: Soy cubano.

7

1 China: chino / china; **2** Irán: iraní / iraní; **3** Reino Unido: británico / británica; **4** Turquía: turco / turca; **5** Sudáfrica: sudafricano / sudafricana; **6** Colombia: colombiano / colombiana; **7** Brasil: brasileño / brasileña; **8** Francia: francés / francesa; **9** Polonia: polaco / polaca; **10** Suecia: sueco / sueca; **11** Alemania: alemán / alemana; **12** Canadá: canadiense / canadiense

9

1 Secretaria: Hola, su nombre, por favor.
 Claudia: Sí, me llamo Claudia Pereyra.
 Secretaria: ¿Cómo se escribe su apellido?
 Claudia: Pe-e-erre-e-i griega-erre-a.
 Secretaria: ¿De dónde es usted, señora Pereyra?
 Claudia: Soy argentina.
 Secretaria: Muy bien, esta es su tarjeta.
 Claudia: Gracias.
2 Secretaria: Hola, ¿me dice su nombre?
 Francisco: Sí, me llamo Francisco Rodríguez.
 Secretaria: ¿Puede repetir, por favor?
 Francisco: Fran-cis-co Ro-drí-guez.
 Secretaria: ¿De dónde es usted?
 Francisco: Soy español, de Toledo.
 Secretaria: Vale. Aquí tiene su tarjeta.
 Francisco: Muchas gracias.
3 Secretaria: Buenos días, ¿me dice su nombre?
 Elizabeth: Sí, claro, me llamo Elizabeth Henríquez.
 Secretaria: ¿Puede deletrearlo, por favor?

Elizabeth: Sí, e-ele-i-zeta-a-be-e-te-hache es mi nombre y hache-e-ene-erre-i-cu-u-e-zeta mi apellido.
Secretaria: ¿Y de dónde es usted?
Elizabeth: Soy venezolana.
Secretaria: Bien, gracias, aquí tiene su tarjeta.
Elizabeth: Gracias a usted.
4 Secretaria: Buenos días, señor.
 Manuel: Buenos días, me llamo Manuel Jiménez.
 Secretaria: ¿Jiménez con ge o con jota?
 Manuel: Con jota.
 Secretaria: Aquí está. ¿De dónde es usted?
 Manuel: Soy mexicano.
 Secretaria: Muy bien, aquí tiene su tarjeta.
 Manuel: Muchas gracias.

4

Me llamo Manolo García. Soy médico. Soy sevillano, pero vivo en Barcelona. Trabajo en un hospital. Mi mujer se llama Amelia, es profesora y trabaja en un instituto. Ella es catalana. Tenemos dos hijos, Sergio y Elena; los dos son estudiantes. Sergio estudia en la universidad, y Elena, en el instituto.

1

1 ¿De dónde eres?
2 ¿De dónde son ustedes?
3 ¿Cómo te llamas?
4 ¿Quién es este?
5 ¿Dónde vives?
6 ¿Dónde trabaja usted?
7 ¿Dónde viven ustedes?
8 ¿Cómo se llama el marido de Ana?

2

cero – uno – dos – tres – cuatro – cinco – seis – siete – ocho – nueve – diez

4

1 ■ María, ¿cuál es tu número de teléfono?
 ● El nueve-tres-seis cinco-cuatro-siete ocho-tres-dos.
 ■ ¿Puedes repetir?
 ● Nueve-tres-seis-cinco-cuatro-siete-ocho-tres-dos.
 ■ Gracias.
2 ■ Jorge, ¿me das tu teléfono?
 ● Sí, es el nueve-cuatro-cinco cuatro-cero-uno ocho-tres-dos.
 ■ Gracias.
3 ■ Marina, ¿cuál es tu número de teléfono?
 ● Mi móvil es el seis-ocho-seis cinco-dos seis-uno tres-seis.
 ■ ¿Y el de tu casa?

● Sí, es el nueve-uno cinco-tres-nueve ocho-dos seis-siete.

■ Vale, gracias.

4 ■ Información, dígame.

● ¿Puede decirme el teléfono del Aeropuerto de Barajas?

■ Sí, tome nota, es el nueve-cero-dos tres-cinco-tres cinco-siete-cero.

● ¿Puede repetir?

■ Sí, nueve-cero-dos tres-cinco-tres cinco-siete-cero.

● Gracias.

5 ■ Información, dígame.

● ¿Puede decirme el teléfono de la Cruz Roja?

■ Sí, tome nota, es el nueve-uno-cinco-tres-tres-seis-seis-seis-cinco.

● ¿Puede repetir?

■ Sí, nueve-uno-cinco-tres-tres-seis-seis-seis-cinco.

6 ■ Información, dígame.

● Buenos días, ¿puede decirme el teléfono de Radio-taxi?

■ Tome nota, por favor. El número solicitado es: nueve-uno-cuatro-cero-cinco-uno-dos-uno-tres. El número solicitado es: nueve-uno-cuatro-cero-cinco-uno-dos-uno-tres.

7

once – doce – trece – catorce – quince – dieciséis – diecisiete – dieciocho – diecinueve – veinte

9

quince – uno – cuatro – veinte – ocho – siete – tres – once – cinco – seis – catorce – nueve – dieciocho – diecinueve – dos – trece – dieciséis

10

En un gimnasio

Felipe: ¡Buenas tardes!

Rosa: ¡Hola!, ¿qué deseas?

Felipe: Quiero apuntarme al gimnasio.

Rosa: Tienes que darme tus datos. A ver, ¿cómo te llamas?

Felipe: Felipe Martínez.

Rosa: ¿Y de segundo apellido?

Felipe: Franco.

Rosa: ¿Dónde vives?

Felipe: En la calle Goya, número ochenta y siete, tercero izquierda.

Rosa: ¿Teléfono?

Felipe: Seis-ocho-seis cero-cinco-cinco cero-nueve-siete.

Rosa: ¿Profesión?

Felipe: Profesor.

Rosa: Bueno, ya está; el precio es...

4

- Hola, yo me llamo Francisco. Vivo en Getafe, un pueblo de Madrid. Estudio en la universidad de mi pueblo. Mi número de móvil es seis-cero-ocho dos-nueve-uno cero-siete-seis.

- Hola, me llamo Claudia y soy músico. Toco la guitarra. Soy argentina, pero vivo en Barcelona desde hace cinco años. Mi número de celular es seis-cero-nueve tres-cuatro dos-seis siete-uno.

- Yo soy Elizabeth. Soy de un pueblo, pero vivo en Caracas porque soy informática y trabajo en la universidad. Mi número de celular es seis-ocho-cero dos-tres-uno siete-seis-cinco.

- Yo soy Manuel, soy mexicano. Vivo en Málaga porque trabajo en una escuela de música, soy profesor de niños de ocho años. Mi celular es el seis-cero-seis dos-uno-cero tres-dos-nueve.

3

1 Martínez; **2** Romero; **3** Marín; **4** Serrano; **5** López; **6** Moreno; **7** Jiménez; **8** Pérez; **9** Díaz; **10** Martín; **11** Vargas; **12** García; **13** Díez

UNIDAD 2 - Familias

2

- Hola, soy Jorge. Estoy casado y esta es mi familia. Mi mujer se llama Rosa y tenemos dos hijos: Isabel, de doce años, y David, de diez. Vivimos en Fuenlabrada, cerca de Madrid. Soy profesor de autoescuela.

- Yo soy Luis. No tengo hermanos, no tengo novia, estoy soltero y vivo en Sevilla con mis padres y mi abuela. Mi padre se llama Manuel y tiene cincuenta y ocho años. Mi madre se llama Rocío y tiene cincuenta y seis años. Mi abuela tiene setenta y nueve años y se llama Carmen. Soy estudiante de Medicina.

2

1 las tres y media; **2** las dos menos cuarto; **3** las diez y cuarto; **4** la una; **5** las doce y cinco; **6** las ocho menos veinte; **7** las doce y diez; **8** las cinco y media; **9** la una menos cuarto

7

veintiuno – veintidós – veintitrés – veinticuatro – treinta – treinta y uno – cuarenta – cincuenta – cincuenta y dos – sesenta – setenta – ochenta – noventa – cien – ciento tres – ciento once – doscientos / doscientas – trescientos / trescientas – cuatrocientos / cuatrocientas – quinientos / quinientas – seiscientos / seiscientas – mil – dos mil – cinco mil

8

a dos; **b** veinticinco; **c** cincuenta; **d** treinta y siete; **e** trescientos veintitrés; **f** ciento treinta y cinco; **g** ochocientos cincuenta; **h** mil quinientos ochenta y nueve; **i** mil novecientos noventa y ocho; **j** mil novecientos ochenta y cinco

9

1 ■ Hola, Clara, ¿cuántos años tienes?

● Doce.

2 ■ ¿Cuánto son las naranjas?

● Uno con diez.

3 ■ ¿Cuánto es el paquete de café?

● Uno treinta.

4 ■ ¿En qué año nació usted?

● En mil novecientos cuarenta y siete.

5 ■ Por favor, ¿cuántos kilómetros hay entre Madrid y Barcelona?

● Seiscientos cincuenta.

6 ■ Por favor, ¿cuánto es el café y la cerveza?

● Tres euros.

7 ■ Perdone, ¿qué hora es?

● Son las nueve.

8 ■ ¿Cuántas páginas tiene el libro?

● Quinientas cuarenta páginas.

9 ■ ¿Cuántos días tiene el mes de marzo?

● Treinta y un días.

10 ■ ¿Dónde vives?

● En la calle Alcalá, número sesenta y seis.

1 y 2

teléfono – lápiz – ventana – hotel – profesor – hermano – familia – música

3

profesora – español – café – gramática – mesa – vivir – hablar – médico – autobús – Pilar – alemán – brasileña – familia – libro – examen

6

1 Dos de los actores españoles más famosos en el mundo son Penélope Cruz y su marido, Javier Bardem. Mónica, la hermana de Penélope, y Pilar y Carlos, la madre y el hermano de Javier, también son actores.

2 La familia Alcántara celebra la primera comunión de su hija María. Junto a la niña están sus padres, Antonio y Merche, sus hermanos, Carlitos y Toni, y su abuela, Herminia.

3 Mario Vargas Llosa, Premio Nobel de Literatura, y su mujer, Patricia, tienen dos hijos, Álvaro y Gonzalo, y una hija, Morgana. Mario y Patricia son primos.

5

Salidas:

- El tren Altaria exprés, situado en el andén número tres, con destino Zaragoza, efectuará su salida a las quince treinta y cinco.

- El tren Talgo, con destino Málaga, situado en el andén número seis, saldrá dentro de quince minutos, a las catorce treinta.

- El AVE, con destino Sevilla, sale a las diez en punto, del andén número dos.

Llegadas:

- El AVE, procedente de Sevilla, tiene su llegada a las veinte horas, en el andén número once.

- El Alaris, procedente de Valencia, efectuará su entrada por el andén número ocho, a las dieciséis cuarenta y cinco horas.

- El tren Talgo, procedente de Vigo, hará su entrada en el andén número cuatro, a las diecisiete horas.

UNIDAD 3 - El trabajo

4

■ Y tú, Juan, ¿a qué hora te levantas?

● Bueno, yo me levanto pronto, a las siete, más o menos, me ducho rápidamente y tomo un café.

■ Y tu mujer, ¿a qué hora se levanta?

● Pues a las siete y media. Ella también se acuesta más tarde, sobre las doce de la noche.

■ ¿Y tus hijos?

● Ellos cenan, ven un poco la tele y se acuestan temprano, a las diez.

■ ¿Y a qué hora se levantan?

● A las ocho, porque entran al colegio a las nueve.

■ ¿Y los días de fiesta también os levantáis todos temprano?

● ¡Ah, no!, ni hablar, los domingos nos levantamos más tarde, a las diez, porque, claro, también nos acostamos más tarde.

2

- Lucía es técnico de sonido y trabaja en una emisora de radio, la Cadena Día. Tiene veintinueve años y no está casada. Vive en Valencia, y habla inglés y francés perfectamente. Todos los días trabaja de ocho a tres, menos los sábados y domingos. Los días laborables se levanta a las siete y sale de casa a las siete y media. Va al trabajo en autobús. Los sábados por la noche siempre sale con sus amigos a cenar y a bailar, por eso se acuesta muy tarde, a las tres o las cuatro de la madrugada.

- Carlos es bombero. Trabaja en el ayuntamiento

de Toledo. Vive en un pueblo cerca de Toledo y va al trabajo en tren. Tiene treinta y cuatro años, está casado y no tiene hijos. Trabaja en turnos de veinticuatro horas, un día sí y otro no. Si trabaja el sábado o el domingo, después tiene dos días libres. Siempre se levanta muy temprano, a las siete o las ocho de la mañana, por eso normalmente no sale por las noches. Cena a las diez, después ve la tele y a las once y media se acuesta.

3

1 ■ Philip, ¿qué se toma en Alemania para desayunar?

● Hay muchas cosas. Algunos toman pan con mantequilla y salami y un huevo. Otros toman muesli con yogur. Y té, mucha gente toma té. Algunos toman café, claro.

2 ■ Claudia, ¿qué se desayuna en Argentina?

● Bueno, generalmente tomamos tostadas con dulce de leche o medialunas. Y para beber, mate, té o café con leche.

3 ■ Elizabeth, ¿qué se desayuna en Venezuela?

● La gente toma café con leche y arepas rellenas de queso o carne mechada, o también empanadas de harina de maíz.

4 ■ Manuel, ¿qué desayuna la gente en México?

● En México desayunamos fuerte. El platillo central suele ser huevos con frijoles y tortillas, y para beber, jugo de frutas.

6

Camarera: Buenos días, ¿qué desean?

Madre: Yo quiero un desayuno andaluz, ¿y tú, hijo?

Hijo: Yo solo quiero un zumo.

Madre: Toma algo más: un bollo o una tostada.

Hijo: No, mamá, solo quiero un zumo de naranja.

Madre: Bueno, pues un andaluz y un zumo de naranja.

Camarera: Muy bien.

1

gato – agua – gota – guerra – guion

3

1 guapo; 2 cigarrillos; 3 guitarra; 4 gafas; 5 pagar; 6 guerra; 7 Guatemala; 8 goma

4

■ Adriana, tú eres argentina, ¿no?

● Sí, claro.

■ ¿Y de qué ciudad?

● De Buenos Aires.

■ Cuéntame un poco los horarios habituales... Por ejemplo, ¿a qué hora os levantáis?

● Nos levantamos muy temprano, a las cinco y media o las seis, porque el trabajo está lejos... y, bueno, normalmente empezamos a trabajar a las ocho.

■ ¿Y hasta qué hora trabajáis?

● Hasta las seis... sí, en las oficinas hasta las seis de la tarde. Paramos una hora para almorzar, entre las doce y las dos: comemos algo rápido y, ya, volvemos al trabajo.

■ ¿Y en las tiendas?

● Bueno, el horario de las tiendas es distinto: abren también sobre las ocho de la mañana y cierran a las ocho o las nueve de la noche, y no cierran al mediodía, ¿eh?, no es como en España. Ah, y los bancos también tienen otro horario: abren a las diez y cierran a las tres, y por la tarde ya no abren.

■ Y una cosa, Adriana: cuando la gente sale del trabajo, ¿va directamente a su casa?

● Sí, sí, eso es lo normal, vamos a casa. Tenemos otra hora más para volver, claro. Cenamos entre las ocho y las nueve y media; y no nos acostamos tarde, sobre las once más o menos.

■ Oye, ¿y los niños?, ¿qué horario tienen en el colegio?

● Estudian solo o por la mañana o por la tarde: creo que es de ocho a doce en el turno de la mañana y de una a cinco los que estudian por la tarde.

6

- Susana se levanta normalmente a las siete, se ducha, se viste, desayuna algo rápido y sale de casa a las ocho. Su trabajo empieza a las nueve. Primero va a la compra y después prepara la comida para unas treinta personas.

- Emilio se levanta tarde porque no trabaja por la mañana. Desayuna un café con leche y dos tostadas mientras lee el periódico. Come pronto porque sale de casa a las tres. Va a la universidad en tren. Sus clases empiezan a las cuatro y terminan a las ocho de la tarde.

- Jaime se levanta muy temprano porque prepara el desayuno de sus hijos y los lleva al colegio. Después va en coche a su trabajo, que está a las afueras de la ciudad. Trabaja en unos grandes almacenes atendiendo a los clientes. Su horario es de nueve de la mañana a cinco de la tarde. Cuando sale del trabajo, recoge a los niños y los lleva a casa.

UNIDAD 4 - La casa

2

Rosa y Miguel tienen una tienda de ropa en el centro de Madrid. Tienen dos hijos y viven fuera de la ciudad en un chalé adosado con dos plantas.

En la planta baja hay un recibidor, una cocina con un pequeño comedor, un salón grande y un aseo.

En la planta de arriba hay tres dormitorios y un cuarto de baño. La casa tiene también un jardín pequeño.

4

■ ¿Cuántas plantas tiene tu casa?

● Dos. Es un chalé adosado.

■ ¿Dónde está el cuarto de baño?

● En la planta de arriba. Y en la planta baja hay un pequeño aseo.

■ ¿Tiene comedor?

● Sí, uno pequeño, al lado de la cocina.

■ ¿Cuántos dormitorios tiene?

● Tres, están todos en la planta de arriba.

■ ¿Tenéis garaje?

● No, aparcamos en la calle.

5

■ Manu, ¿cómo es tu piso?

● Mi piso es muy pequeño, porque vivo solo. Tiene un dormitorio, un salón comedor pequeño, una cocina y un cuarto de baño, que está al lado del dormitorio.

■ ¿Nada más?

● Bueno, tengo una terraza grande y ahí tengo muchas plantas.

8

primero-primera / segundo-segunda / tercero-tercera / cuarto-cuarta / quinto-quinta / sexto-sexta / séptimo-séptima / octavo-octava / noveno-novena / décimo-décima

10

1 ■ ¿Sería tan amable de indicarme dónde vive el señor González?

● En el cuarto derecha.

■ Muchas gracias.

2 ■ ¿Me podría decir dónde vive doña Manuela Rodríguez?

● En el segundo izquierda.

■ Gracias.

3 ■ ¿En qué piso vive la señorita Herrero?

● En el tercero A.

4 ■ ¿Me podría enviar este paquete a mi domicilio, en la avenida del Mediterráneo, cinco, sexto B?

● Por supuesto, señor Acedo.

5 ■ ¿El señor de la Fuente, por favor?

● Es el inquilino del ático.

■ Muchas gracias.

6 ■ ¿Vive aquí la señorita Laura Barroso?

● Sí, es la hija de los vecinos del quinto E.

6

■ Inverpiso, ¿dígame?

● Buenos días. Llamo para informarme sobre los chalés anunciados en el periódico de ayer.

■ Con mucho gusto. Mire, el primero está en la calle Alonso Cano. Tiene ciento treinta y ocho metros cuadrados. Hay cuatro dormitorios en la planta de arriba y dos baños, calefacción individual y ascensor.

El segundo es una casa de tres plantas en Torrelodones. Tiene trescientos once metros cuadrados, con jardín y piscina. Hay un salón comedor y un baño en la planta baja, y cinco dormitorios y otros dos cuartos de baño en la planta superior. El garaje es para dos coches.

El tercer chalé está en una urbanización en Pozuelo. Tiene trescientos metros cuadrados construidos en dos plantas. Tiene un amplio salón y cuatro dormitorios. Hay un cuarto de baño en cada planta. Los materiales son de primera calidad. Hay piscina comunitaria.

2

Recepcionista: Parador de Córdoba, ¿dígame?

Carlos: Buenas tardes. ¿Puede decirme si hay habitaciones libres para el próximo fin de semana?

Recepcionista: Sí. ¿Qué desea, una habitación individual o doble?

Carlos: Una doble, por favor. ¿Qué precio tiene?

Recepcionista: Cien euros por noche más IVA.

Carlos: De acuerdo. Hágame la reserva, por favor.

Recepcionista: ¿Cuántas noches?

Carlos: Viernes y sábado, si es posible.

Recepcionista: No hay problema.

Carlos: ¿Hay piscina?

Recepcionista: Sí, señor, hay una.

Carlos: ¿Admiten tarjetas de crédito?

Recepcionista: Sí, por supuesto.

4

Recepcionista: ¿Me dice su nombre y apellidos, por favor?

Carlos: Carlos López Ruiz.

Recepcionista: ¿Dirección?

Carlos: Calle de Velázquez, número sesenta y seis, en Madrid.

Recepcionista: ¿Número de teléfono, por favor?

Carlos: Nueve-uno cinco-seis-nueve ocho-ocho cuatro-siete.

Recepcionista: Entonces, una habitación doble para las noches del viernes y sábado, ¿no es así?

Carlos: Sí, correcto, muchas gracias. Hasta el viernes.

Recepcionista: ¡Hasta el viernes! Buenas tardes.

5

Los patios

Los patios son lugares comunes para encontrarse, para jugar, para charlar, para descansar. Hay muchos tipos de patios: el patio del colegio, donde los niños pasan el recreo; el patio andaluz, en el sur de España, lleno de macetas con flores, que en verano protege del calor y es un lugar de descanso y de conversación.

En las ciudades tenemos el patio interior, donde la gente tiende la ropa y habla con los vecinos de enfrente.

En Hispanoamérica muchas casas coloniales conservan bellos patios llenos de plantas tropicales que ayudan a pasar las horas más calurosas del día.

En la ciudad andaluza de Córdoba, el segundo fin de semana de mayo se celebra el Festival de los Patios. Los vecinos abren sus casas, y vecinos y turistas pueden visitar sus hermosos patios.

1

queso – cuarto – cuanto – quinto – casa – comedor

7

Entrevistador: Patricia, ¿dónde pasas tus vacaciones?

Patricia: Tengo una casa en Valencia, en el mar Mediterráneo. Es un chalé de dos plantas, con un jardín muy bonito, y está cerca de la playa. Siempre paso unos días allí con mi familia y algunos amigos.

Entrevistador: ¿Con quién vas este año?

Patricia: Este año voy con mi marido, nuestro amigo Juan y su mujer. La casa no es muy grande. Tiene solo dos dormitorios, pero es muy cómoda, con dos cuartos de baño, una cocina pequeña y un salón precioso con vistas al mar. También tiene una terraza para tomar el sol.

Entrevistador: ¿Coméis en casa?

Patricia: No, normalmente comemos en algún restaurante cerca de la playa. Por la noche hacemos la cena en casa y cenamos en el jardín.

Entrevistador: Bueno, pues os deseamos unas buenas vacaciones.

UNIDAD 5 - Comer

2

Camarero: Buenos días, señores, ¿qué quieren comer?

Juan: De primer plato nos pone un gazpacho para mí y una ensalada para la señora.

Camarero: ¿Y de segundo?

Teresa: ¿La carne es de ternera?

Camarero: Sí, señora. Es muy buena.

Teresa: Entonces, me pone carne con tomate. ¿Y tú, Juan?

Juan: Yo prefiero unos huevos con chorizo.

Camarero: ¿Y para beber?

Juan: El vino de la casa y una botella de agua, por favor.

Camarero: Muy bien, muchas gracias.

(...)

Camarero: Y de postre, ¿qué desean?

Juan: Para mí, unas natillas.

Teresa: Pues, yo quiero arroz con leche.

Camarero: Enseguida se lo traigo, muchas gracias.

7

Hoy comemos fuera

En España, comer es algo que nos gusta compartir con amigos, familiares, compañeros de trabajo o estudio. Para la mayoría de los españoles es más importante la compañía que el tipo de restaurante.

Al escoger un restaurante preocupa la higiene, la calidad de los alimentos y la dieta equilibrada. En un país como España, con un clima agradable, de largos días con luz, el comer o cenar fuera de casa es un hábito extendido.

Es durante los días festivos cuando más se visitan bares y restaurantes.

3

Mi marido y yo siempre tenemos problemas para decidir qué hacer durante el fin de semana. A mí me gusta ir al cine los viernes y, el sábado por la mañana, ir de compras. Por el contrario, a mi marido le gusta pasar el fin de semana en el campo: andar, hacer deporte... El domingo por la tarde, lo que más le gusta es ver un partido de fútbol por la tele, mientras yo navego por internet. Durante la semana lo tenemos más fácil: a los dos nos gusta leer y oír música en nuestro tiempo libre.

4

Queridos amigos y amigas, hoy vamos a hacer un delicioso refresco de plátano. Bueno, ¿estáis preparados? Aquí van los ingredientes: en primer lugar vamos a necesitar tres plátanos y un vaso de leche. Como el refresco será solo para cuatro personas, vamos a utilizar únicamente un cuarto de taza de azúcar y un cuarto de taza de zumo de limón y, por último, media cucharadita de vainilla y ocho cubitos de hielo. Y ahora, para su elaboración, sigue las siguientes instrucciones:

- Primero, pela los plátanos y córtalos en rodajas.
- A continuación, mezcla los plátanos, la leche, el azúcar, el zumo de limón y la vainilla en una batidora.

- Añade los cubitos de hielo y mézclalos con los otros ingredientes.
- Reparte la mezcla en cuatro vasos.
- Finalmente, invita a tus amigos.

9

¿Productos de América?

Bienvenidos a nuestro programa. Hoy hablamos del origen de algunos productos. Atención a las siguientes informaciones:

1 Casi todas las piñas de los supermercados son de Hawái, pero los cultivadores originales son los indios de Cuba y Puerto Rico.

2 Es cierto que hay una variedad de cacahuete (también llamado en América "maní") que procede de Georgia, pero sus cultivadores originales son los indios de Bolivia y Perú.

3 Los italianos preparan una deliciosa salsa de tomate, pero los cultivadores originarios del tomate son los indios de México.

4 Ecuador es el mayor productor de plátanos del mundo, pero los plátanos son de origen africano.

5 Brasil es el mayor productor de café del mundo, pero el café también es de origen africano.

6 Las patatas son muy populares en Irlanda, pero proceden originalmente de Perú y Ecuador.

1

Isabel – vivir – vino – bueno – Ávila – viajar – botella – abuelo – hablar – muy bien – beber

2

1 ¿Dónde vive Isabel?
2 Cuba es una isla preciosa.
3 Vicente es abogado y trabaja en Sevilla.
4 Las bebidas están en la nevera.
5 Este vino es muy bueno.
6 Valeriano viaja mucho en avión.
7 Beatriz es de Venezuela.
8 Esta bicicleta es muy barata.
9 En Valencia no hay bastantes ambulancias.
10 La abuela de Bibiana está muy bien.

4

1 Yo vivo en Barcelona.
2 Este batido tiene vainilla.
3 Camarero, un vaso de agua, por favor.
4 A Isabel le gusta viajar y bailar tangos.
5 Beber agua es muy bueno.
6 ¿Este verano vas de vacaciones?
7 La botella está vacía.
8 El banco abre a las nueve.

5

1 bala; **2** poca; **3** barra; **4** beso; **5** vino; **6** pera; **7** vaca; **8** pisa; **9** pata; **10** pez

2

Buenos días, hoy hablamos de comida, española y también de otros países hispanos. Hay platos españoles e hispanoamericanos conocidos en todo el mundo. De México, el guacamole, que se hace con aguacate; de Perú es muy famoso el cebiche, pescado con limón, un plato que también se come en Ecuador y en otros países sudamericanos; las exquisitas arepas de Colombia y Venezuela, que se comen con jamón, con queso y otros muchos ingredientes; y como no, la famosa carne asada típica de Argentina, una de las mejores carnes del mundo.

En España hay un pescado y un marisco excelente en todo el país, pero especialmente en la zona de Galicia. También en el norte, en Asturias, el plato más popular es la fabada. En Andalucía, donde en los meses de verano las temperaturas son extremadamente altas, tienen una sopa fría, a base de verduras, llamada gazpacho. Por último no podemos olvidar uno de los platos más internacionales, la paella, típico de la costa mediterránea, y, en especial, de Valencia.

UNIDAD 6 - El barrio

3

Sergio: Perdone, queremos dos billetes de metro, por favor.

Taquillero: ¿Sencillos o de diez viajes?

Sergio: Sencillos. ¿Cuánto es?

Taquillero: Diez euros.

Sergio: Aquí tiene. Perdone, ¿puede decirme cómo se va de Aeropuerto a Goya?

Taquillero: Pues desde aquí es muy fácil: tome usted la línea ocho hasta Mar de Cristal y cambie a la línea cuatro dirección Argüelles. La décima estación es Goya.

Sergio: Muchas gracias. ¿Puede darme un plano del metro?

Taquillero: Sí, claro, tome.

1

1 ■ Carlos, siéntate en tu sitio, por favor.
 ● Voy.
2 ■ Venga a mi oficina, quiero hablar con usted.
 ● Ahora mismo.
3 ■ Pon la televisión, empieza el partido de fútbol.
 ● Vale.
4 ■ Cierra la ventana, por favor, tengo frío.
 ● Sí, claro.
5 ■ Tome la primera a la derecha y después siga recto.
 ● Muchas gracias.

6 ■ Tuerce a la derecha, esa es la calle.
● Ah, sí, tienes razón.
7 ■ Haz los deberes antes de cenar.
● Vale, mamá.
8 ■ Por favor, siéntese. Ahora le atiende el doctor.
● Bien, gracias.
9 ■ ¿Dígame?
● ¿Está el señor López?
10 ■ Alejandro, contesta al teléfono, por favor.
● Vale.

4

Jefe: Señor Hernández, ¿puede venir a mi oficina, por favor?
Sr. Hernández: Sí, claro.
(...)
Sr. Hernández: ¿Se puede?
Jefe: Sí, sí, pase y cierre la puerta, por favor... Siéntese. Tengo una reunión en el banco el próximo lunes y necesito la información de su departamento.
Sr. Hernández: No hay problema, está todo preparado.
Jefe: Bien, haga el informe antes del lunes y ponga todos los datos de este año.

1

rey – arroz – perro – reloj – rojo – arriba – caro – pero – diario – soltera – para

2

1 Roma; 2 Inglaterra; 3 Perú; 4 cartero; 5 compañero; 6 rosa; 7 pizarra; 8 terraza; 9 armario; 10 ruido

3

Pilar: ¿Sí?
Andrés: ¡Hola, Pilar! Soy Andrés.
Pilar: ¡Hola, Andrés! ¡Cuánto tiempo sin hablar contigo!
Andrés: ¿Qué tal te va por Palma de Mallorca?
Pilar: ¡Estoy muy contenta! Es una ciudad muy tranquila.
Andrés: ¿No te aburres en una ciudad tan pequeña?
Pilar: No, hay muchas cosas interesantes para conocer y, además, está el mar. Y me encantan sus calles antiguas y su catedral.
Andrés: ¿Cómo te mueves por la ciudad?
Pilar: Vamos de un lado a otro en autobús o en bicicleta, porque normalmente hace muy buen tiempo.
Andrés: ¿Conoces a mucha gente ya? ¿Tienes amigos?

Pilar: Comparto piso con dos compañeras de clase y tenemos un grupo de amigos de la universidad.
Andrés: ¿Y qué haces los fines de semana?
Pilar: Depende... Algunos sábados quedamos para hacer deporte, otros días conocemos pueblos y playas de la isla... Es todo muy bonito. Bueno, ¿y cuándo vienes a Palma para pasar unos días en mi casa?
Andrés: Ahora tengo mucho trabajo en la oficina, pero el mes próximo puedo pedir unos días y coger un avión para estar contigo y conocer tu nueva casa. ¿Qué te parece?
Pilar: ¡Fantástico! ¡Nos vemos el mes que viene!

UNIDAD 7 - Salir con los amigos

2

Madre: ¿Sí, dígame?
Pedro: ¿Está Antonio?
Madre: Sí, ¿de parte de quién?
Pedro: Soy Pedro.
Madre: Enseguida se pone.
(...)
Antonio: ¿Pedro?
Pedro: ¡Hola, Antonio! ¿Qué haces?
Antonio: Nada, estoy viendo la tele.
Pedro: ¿Vamos al cine esta tarde?
Antonio: Venga, vale, ¿y qué ponen?
Pedro: Podemos ver la última película de Almodóvar, ¿no?
Antonio: ¡Estupendo! ¿Cómo quedamos?
Pedro: ¿A las siete en la puerta del metro?
Antonio: No, mejor a las ocho. ¿De acuerdo?
Pedro: Vale. ¡Hasta luego!

5

Alicia: ¿Sí?
Begoña: ¿Está Alicia?
Alicia: Sí, soy yo.
Begoña: ¡Hola! Soy Begoña.
Alicia: ¡Hola! ¿Qué hay?
Begoña: Voy a salir de compras esta tarde. ¿Vienes conmigo?
Alicia: Lo siento, hoy no puedo, tengo mucho trabajo. Mejor mañana.
Begoña: Bueno, vale. ¿A qué hora? ¿Te parece bien a las seis?
Alicia: Sí, de acuerdo.
Begoña: Hasta mañana.
Ángel: ¿Diga?
Rosa: Hola, Ángel, soy Rosa.
Ángel: ¿Qué tal?

Rosa: Muy bien. Te llamo porque Luis y yo vamos a ir el sábado a Segovia, ¿por qué no te vienes?
Ángel: ¿El sábado? No puedo, lo siento, es el cumpleaños de mi madre y voy a comer a su casa. Pero podemos quedar después, ¿Por qué no venís a casa a cenar?
Rosa: ¿A cenar el sábado? Vale, se lo digo a Luis y si podemos, luego te llamo. ¿Te parece bien?
Ángel: Estupendo. Espero tu llamada.
Rosa: Hasta luego.
Ángel: Hasta luego.

9

■ Inmobiliaria Miramar. Buenos días.
● Buenos días. ¿Puedo hablar con el señor Álvarez?
■ No está en este momento. ¿Quiere dejarle un recado?
● Sí, por favor, dígale que la señora García va mañana a las once y media para hablar con él.
■ Muy bien, le dejo una nota.
● Muchas gracias. Adiós.
■ Adiós.

4

1 ■ Rosa, ¿qué estás haciendo?
● ¿Ahora mismo? Estoy peinándome porque voy a salir.
2 ■ ¡Luis, al teléfono!
● ¡No puedo, estoy duchándome!
3 ■ Niños, ¿qué hacéis?
● ¡Nada, mamá, nos estamos lavando las manos!
4 ■ ¡Qué ruido hacen los vecinos!
● Sí, están levantándose ahora porque salen de viaje.
5 ■ ¡Hola! ¿Está Roberto?
● Sí, pero está afeitándose, llama más tarde.
6 ■ ¿Y Clara? ¿Dónde está?
● En el baño, está duchándose.
7 ■ Joana, ¿qué haces?
● Me estoy pintando para salir.
8 Pero hija, ¿todavía te estás vistiendo? Vas a llegar tarde al colegio.
9 ■ ¿Está libre el baño?
● No, Jordi se está bañando.
10 ■ ¿Qué haces, Laura?
● Me estoy pintando para salir, enseguida acabo.

1

¡Vale! – ¡Hasta luego! – ¡Qué bien! – ¡Qué va! – ¡Qué bonito! – ¡Es horrible! – ¡Estupendo!

2

1 Claudia Schiffer es bastante fea, ¿verdad?
2 ¿Vamos al cine?
3 Mira qué bolso me he comprado.
4 Tengo un piso nuevo.
5 Bueno, me voy, ¡hasta luego!
6 Hay paella para comer.
7 Mira la tele, cuántas noticias malas.

3

1 ■ Claudia Schiffer es bastante fea, ¿verdad?
  ● ¡Qué va!
2 ■ ¿Vamos al cine?
  ● Vale.
3 ■ Mira qué bolso me he comprado.
  ● ¡Qué bonito!
4 ■ Tengo un piso nuevo.
  ● ¡Qué bien!
5 ■ Bueno, me voy, ¡hasta luego!
  ● ¡Hasta luego!
6 ■ Hay paella para comer.
  ● ¡Estupendo!
7 ■ Mira la tele, cuántas noticias malas.
  ● ¡Es horrible!

2

1 Tiene el pelo largo y rubio. Tiene los ojos verdes. ¡No tiene bigote!
2 Tiene los ojos oscuros. Tiene el pelo corto y la barba negra.

3

1 Es moreno y tiene los ojos oscuros. Es alto y lleva bigote. Tiene el pelo corto y liso.
2 Es delgada y baja. Tiene el pelo largo y rubio y los ojos azules. No lleva gafas.
3 Es alta y delgada. Tiene el pelo moreno, corto y liso y los ojos oscuros.
4 Es bajo y gordo. Tiene los ojos claros y es calvo. Es mayor y lleva bigote y barba. Sí lleva gafas.

12

Guantanamera, guajira guantanamera
Guantanamera, guajira guantanamera
Yo soy un hombre sincero, de donde crece la palma
Yo soy un hombre sincero, de donde crece la palma
Y antes de morirme quiero, echar mis versos del alma
Guantanamera, guajira guantanamera
Guantanamera, guajira guantanamera
Mi verso es de un verde claro, y de un jazmín encendido
Mi verso es de un verde claro, y de un jazmín encendido

Mi verso es un ciervo herido,
que busca en el monte amparo
Guantanamera, guajira guantanamera
Guantanamera, guajira guantanamera
Guantanamera, guajira guantanamera
Guantanamera, guajira guantanamera
Por los pobres de la tierra, quiero yo mi suerte echar
Por los pobres de la tierra, quiero yo mi suerte echar
El arrullo de la tierra, me complace más que el mar
Guantanamera, guajira guantanamera
Guantanamera, guajira guantanamera
Guantanamera, guajira guantanamera
Guantanamera, guajira guantanamera
Guantanamera, guajira guantanamera

3

■ Estamos en la Gran Vía de Madrid y vamos a entrevistar a algunas personas para saber qué hacen los fines de semana. ¡Hola! Buenas tardes, ¿eres de Madrid?
● Sí, claro.
■ ¿Puedes contarnos qué haces normalmente los fines de semana?
● Pues los viernes salgo con mis amigas. Normalmente comemos unas tapas en algún bar o alguna terraza y luego vamos a la discoteca.
■ ¿Y los sábados?
● Pues los sábados, a veces voy al cine por la tarde con mis amigas.
■ ¿Y por la noche también sales con tus amigas?
● Sí, comemos unas tapas y luego vamos a la discoteca...
■ ¿Otra vez?
● Sí, nos gusta mucho bailar. Normalmente me acuesto muy tarde y el domingo duermo casi todo el día.
■ Muchas gracias.

■ ¡Hola! Buenas tardes, ¿es de Madrid?
● Sí, claro.
■ ¿Puede contarnos qué hace normalmente los fines de semana?
● Pues los viernes por la noche siempre voy al cine con mi novia. Los sábados juego al fútbol por la mañana y por la noche, normalmente, vamos al teatro o a un concierto.
■ ¿Y los domingos?
● Pues normalmente vamos al Rastro por la mañana, después tomamos un aperitivo y luego nos vamos a algún restaurante a comer... A mi novia también le gusta ir a los museos de Madrid y muchos domingos vamos a ver exposiciones: al Museo del Prado, al Museo Reina Sofía...

UNIDAD 8 - De vacaciones

3

Luis: Buenos días, perdone, ¿puede decirme cómo se va a la plaza de Armas?
Recepcionista: Sí, ¡cómo no! Es muy sencillo. Al salir del hotel gire a la derecha y siga todo recto hasta el final de la calle. Entonces gire a la izquierda. Siga recto y tome la tercera calle a la derecha, la avenida del Sol, y al final de la avenida, a la derecha, se encuentra la plaza de Armas.
Luis: Entonces, salgo a la derecha, giro a la izquierda y en la avenida del Sol giro a la derecha. La plaza está al final de la calle, a la derecha, ¿no es así?
Recepcionista: Así es, señor. En quince minutos puede estar allí.
Luis: Muchas gracias. ¡Hasta luego!

5

1 Desde el hotel
■ Perdone, ¿puede decirme dónde está la farmacia más cercana?
● Tome la calle Santo Domingo, gire la primera a la derecha y, después, la primera a la izquierda.

2 Desde la iglesia de San Francisco
■ Por favor, ¿puede decirme cómo se va a la iglesia de Santa Teresa?
● Gire a la izquierda, después tome la segunda calle a la derecha, la calle Nueva Alta, y al final de la calle, a la izquierda, está la iglesia de Santa Teresa.

6

Ayer, como todos los días, me levanté a las siete de la mañana y me preparé para ir a trabajar. Al llegar al hospital, como todos los días, atendí a los enfermos de la consulta y visité a los pacientes de las habitaciones. A las cinco de la tarde, como todos los días, acabé de trabajar y pasé por el supermercado a comprar algo para la cena. A las seis de la tarde llegué por fin a casa, muy cansada, como todos los días. Pero ayer fue diferente: mi marido me invitó a un concierto y después cenamos en mi restaurante favorito.

8

Soledad: ¡Oh, qué semana tan terrible! Por fin de vuelta a casa.
Federico: ¿Dónde estuviste?
Soledad: El lunes fui a Caracas para visitar a un cliente, y el martes volamos, mi jefe y yo, a Madrid, para firmar un contrato. Estuvimos dos días de conversaciones y, al fin, lo logramos. El jueves nos fuimos a Río de Janeiro para cerrar unos asuntos pendientes y hoy por fin vuelvo a casa. Y a ti, ¿cómo te fue?

Federico: Hasta el martes estuve acá, en Buenos Aires, preparando cosas para irme al día siguiente a Lima, donde estuve trabajando dos días y aproveché para conocer esa linda ciudad. Hoy fui al aeropuerto a primera hora y terminé mi semana de trabajo. ¿Qué te parece si cenamos juntos?

Soledad: Me parece muy buena idea.

1

1 Llevó gafas.
2 Comió mucho.
3 ¿Abro la puerta?
4 ¿Hablo más alto?
5 Entro a las ocho.
6 Trabajo por la mañana.
7 Estudió Geografía.

6

En Toledo, durante los meses de invierno (diciembre, enero y febrero) hace mucho frío y algunas veces nieva. Durante la primavera (marzo, abril y mayo), suben las temperaturas y empieza a hacer buen tiempo. En verano (junio, julio y agosto), hace mucho calor: todos los días hace mucho sol y las temperaturas son muy altas. En otoño (septiembre, octubre y noviembre), los días son más cortos, el cielo está nublado y a veces llueve y hace viento.

8

Estas son las condiciones meteorológicas para el día de hoy en algunas zonas de Sudamérica. Tenemos tiempo inestable en Brasil, con fuertes lluvias y bajas temperaturas, sobre todo en el interior, donde tenemos ocho grados centígrados en estos momentos. En la zona del Caribe, por el contrario, hace muy buen tiempo, con mucho sol y una temperatura de veintidós grados centígrados. Tiempo inestable en la República de México, con fuerte viento y cielo nublado. La temperatura en la capital es de quince grados centígrados. Próximo parte meteorológico en una hora.

2

Hay tantas cosas que ver en España que es difícil seleccionar las más interesantes. Si empezamos por el noroeste, podemos visitar Galicia y allí pararnos a ver Santiago de Compostela y su catedral. Siguiendo por la costa cantábrica, el viajero descubre paisajes inolvidables de praderas suaves y pequeñas playas entre acantilados. Desde el País Vasco nos dirigimos a Cataluña, que mira al Mediterráneo. La ciudad catalana más importante es Barcelona, puerto de mar y punto de partida y llegada de barcos de todo el mundo.

Podemos seguir nuestro viaje por la costa mediterránea para disfrutar de las ciudades y playas que llegan hasta Almería y Málaga, en Andalucía. También la comunidad andaluza merece una atención especial por los restos de cultura árabe que se pueden ver en Córdoba, Sevilla y Granada, especialmente. Desde Córdoba podemos ir a Madrid, atravesando la Mancha, la tierra de Don Quijote, el héroe de Cervantes. Aquí acaba nuestro viaje por esta vez, pero aún nos quedan por ver muchos otros paisajes y ciudades.

8

Hoy estamos en Barcelona, junto al mar Mediterráneo. Es la segunda ciudad más poblada de España. Barcelona fue la sede de la Exposición Universal de 1929 y de los Juegos Olímpicos de 1992. Muchos personajes importantes nacieron en esta ciudad:

- Montserrat Caballé, una de las grandes cantantes de la ópera, nació en Barcelona en 1933. En 1987 conoció al líder del grupo de rock Queen, Freddie Mercury. Con él grabó la canción «Barcelona», el himno oficial de las Olimpiadas de 1992.
- Joan Miró, pintor y escultor catalán mundialmente conocido, nació en Barcelona a finales del siglo XIX. En el Museo Joan Miró de Barcelona están las mejores obras de este artista. Murió en Palma de Mallorca en 1983.
- Joan Manuel Serrat, músico y poeta español, nació en Barcelona en 1943. Es un artista muy querido y admirado en toda España e Hispanoamérica. Entre sus canciones podemos encontrar poemas de grandes poetas como Machado, Lorca, Miguel Hernández o Pablo Neruda.
- Arancha Sánchez Vicario, tenista profesional, nació en Barcelona en 1971. Se convirtió en la número uno del mundo, después de ganar el torneo de tenis de Roland Garros por segunda vez.

5

Sara: El pasado mes de mayo, después de un año de mucho trabajo, tuve quince días de vacaciones. Fui en tren a Galicia y me alojé en un hotel maravilloso. Pasé unos días estupendos yo sola, sin salir prácticamente de la playa.

Lucía: Mi sitio favorito para pasar las vacaciones es la Isla de Capri. Hace veinte años que fui por primera vez. Este verano llegué a la isla en barco, como siempre, para pasar mi mes de vacaciones con un grupo de amigos. Capri no es la misma de hace veinte años, pero sigue siendo única.

Carlos: Tengo muy buen recuerdo de las últimas vacaciones que pasé con mi familia en Atacama, al norte de Chile; está a unos cuatro mil metros de altura. Alquilamos un coche para recorrer toda la zona, uno de los desiertos más secos del mundo, con unas salinas impresionantes. Fueron unas vacaciones memorables.

UNIDAD 9 - Compras

3

Celia: Mira estos zapatos, Álvaro, son preciosos.
Álvaro: No están mal, pero a mí me gustan más aquellos marrones.
Celia: Oiga, ¿cuánto cuestan estos zapatos negros?
Dependiente: Noventa euros.
Celia: ¿Y aquellos marrones?
Dependiente: Ciento quince euros.
Celia: ¿Ciento quince euros? Gracias, tengo que pensarlo.

Álvaro: Celia, ¿qué te parece esta camisa para mí?
Celia: Bien, ¿cuánto cuesta?
Álvaro: Solo sesenta euros. Voy a probármela.
Celia: Vale.
(...)
Celia: A ver... pues no te queda bien, ¿eh?
Álvaro: No, no, a mí tampoco me gusta.
Celia: Toma, pruébate esta chaqueta, es muy bonita.
Álvaro: A ver... Pues sí, parece que me queda bien, ¿no?
Celia: Muy bien, es tu talla.
Álvaro: ¿Cuánto cuesta?
Celia: Ciento veinte euros, es un poco cara.
Álvaro: Bueno, pero me gusta mucho, me la llevo.

Celia: Mira, ¿qué te parece este gorro? ¿Cómo me queda?
Álvaro: Bien, muy bien.
Celia: Pues me lo llevo, solo cuesta cinco euros.
(...)
Dependiente: Una chaqueta y un gorro de lana... Muy bien, son ciento veinticinco euros. ¿Pagan en efectivo o con tarjeta?
Álvaro: En efectivo.

3

- Mi amiga Bárbara es estudiante y le gusta mucho la ropa informal. Hoy lleva unos pantalones verdes, una camiseta roja y un collar a juego con los pendientes.

- Javier es el novio de Bárbara y también es estudiante. Hoy lleva unos pantalones vaqueros, una camisa de lunares y unas zapatillas marrones.

- Ignacio es informático, trabaja en una gran empresa de informática. Le gusta vestir bien. Para la reunión de hoy se ha puesto una camisa azul, muy elegante, y una corbata blanca. También lleva un traje oscuro.

- Marta trabaja de diseñadora en unos grandes almacenes y casi siempre lleva ropa elegante. Hoy lleva un vestido verde y unos zapatos blancos.

- Charlie es el primo de Bárbara y es fotógrafo. Hoy lleva unos pantalones rojos, una camisa blanca y unas playeras amarillas.

1

jamón – jugar – rojo – julio – joven – gimnasia – jefe – jirafa – geranio – genio – gato – goma – agua – guerra – guitarra – guapo – águila – Guadalajara – gota

2

gusto – hago – jabón – pagar – hijo

5

Luis: Voy a preparar mi maleta para el viaje, a ver... ¿qué llevo? Mira, estos zapatos están bien, ¿no?

Carla: No, para ir a la montaña, las botas son mejores que los zapatos.

Luis: Tienes razón. ¿Llevo los vaqueros?

Carla: No, para el frío son mejores los pantalones de pana.

Luis: Bueno, llevo los dos y ya está.

Carla: ¿Por qué llevas la maleta azul?

Luis: Pues porque es mejor que la gris, tiene ruedas.

Carla: Yo prefiero la gris, caben más cosas. Toma el paraguas, guárdalo.

Luis: ¿El rojo? No, este es peor que el negro.

Carla: Lo siento, el negro ya está en mi maleta.

1

María: A mí me encanta la ciudad en la que vivo. Es grande, tiene más de tres millones de habitantes y mucha oferta cultural y de ocio. Puedes ir al cine, al teatro, hay varias salas de conciertos, museos y también grandes parques donde relajarte o practicar deportes. Es verdad que es una ciudad ruidosa porque hay mucho tráfico. Otro problema es la contaminación, porque la gente utiliza poco el transporte público (el metro, el autobús...), pero a mí me encanta mi ciudad.

Jordi: Yo vivo en una ciudad pequeña, no llega al medio millón de habitantes y la verdad es que me gusta mucho vivir aquí. No hay una gran oferta cultural, pero tenemos mucha más tranquilidad que en una ciudad grande. Nuestros hijos viven más en contacto con la naturaleza porque hay muchos parques y tenemos la playa muy cerca. Seguro que en el futuro, si nuestros hijos van a la universidad, cambiaremos de ciudad, pero de momento no, este es el mejor lugar para vivir.

UNIDAD 10 - Salud y enfermedad

2

rodilla – pierna – pecho – hombro – brazo – mano – cuello – dedo – cara – oreja – espalda – pie

3

1 A Pedro le duele la cabeza.
2 A Daniel le duelen las muelas.
3 A Carmen le duelen los oídos.
4 A Julia le duele la espalda.
5 A Victoria le duele el estómago.
6 Ana tiene fiebre.
7 A Ricardo le duele la garganta.

4

A Sara: ¡Hola, Ángel!, ¿qué tal estás?
Ángel: No muy bien.
Sara: ¿Qué te pasa?
Ángel: Tengo una gripe muy fuerte.
Sara: ¿Y qué tomas cuando estás así?
Ángel: De momento, nada.
Sara: ¿Por qué no te tomas una aspirina con un vaso de leche con miel y te vas a la cama?
Ángel: Sí, creo que es lo mejor.

B Raúl: ¡Qué mala cara tienes! ¿Qué te pasa?
Luisa: Me duele muchísimo el estómago.
Raúl: ¿Por qué no vas al médico?
Luisa: Sí, voy a ir mañana.
Raúl: Mira, tómate un té y acuéstate sin cenar.
Luisa: Sí, creo que es lo mejor.

8

Paciente 1
■ Buenos días, ¿qué le ocurre?
● No me siento muy bien. Creo que tengo la gripe.
■ Tome una aspirina cada ocho horas y beba mucho zumo de naranja.

Paciente 2
■ Buenas tardes, ¿qué problema tiene?
● Me duele la garganta cuando hablo.
■ A ver... No está muy mal, pero tome leche con miel y no hable mucho.

Paciente 3
■ Buenos días, ¿qué le pasa?
● Mire, doctor, me duele mucho el estómago desde hace días.
■ Vaya, pues no tome café, ni fume. Coma frutas y ensaladas. Y tome estas pastillas.

2

Elena y Emilio ya son padres. Su vida cambió cuando, de repente, se encontraron con... dos bebés en los brazos.

Elena: Antes de ser padres teníamos una vida social muy activa: viajábamos, íbamos al cine, salíamos con los amigos, teníamos mucho tiempo libre. Emilio jugaba al *hockey*, yo estudiaba alemán...

Emilio: Ahora todo es distinto. Dedicamos todo nuestro tiempo a Álvaro y Adrián, que son maravillosos.

8

Martina tiene noventa y dos años. Cuando era pequeña no iba a la escuela. Vivía con su madre y sus cuatro hermanos en un pueblo pequeño del sur de España. A los ocho años, ya trabajaba en el campo con su familia: empezaba a las seis de la mañana y acababa a las seis de la tarde. No sabía leer, ni escribir, pero tenía muchas ilusiones y planes para el futuro. A los diecinueve años se casó y tuvo su primer hijo. Los fines de semana iba con su marido a vender las verduras de su huerta en los mercadillos de los pueblos vecinos. Solo los domingos por la tarde descansaban y se reunían con sus vecinos en la plaza del pueblo.

1

alemán – café – teléfono – cantante – árbol – canción – examen – estudiar – ordenador – ventana – periódico – móvil – pintura – música

2

1 Andrés me llamó por teléfono para saludarme.
2 Bárbara trabaja en una empresa de informática en México.
3 Yo estudié decoración en Milán.
4 Antes Raúl vivía cerca de aquí, pero ahora está viviendo en Valencia.
5 Aquí hace más calor que allí.
6 Ella es más guapa que él.
7 Los teléfonos móviles son muy cómodos.
8 Esta casa es más céntrica que tu piso.

5

■ Hoy vamos a hablar con la alpinista Elisa Urrutia. Está en España después de escalar el monte Everest. Elisa, ¿qué planes tienes para la próxima temporada?
● No voy a hacer ninguna escalada el año próximo. La temporada pasada acabé agotada y tengo que darme un poco de descanso. El próximo curso voy a hacer una campaña escolar en el País Vasco. Quiero ir por los colegios y hablar con los chicos y chicas sobre este deporte.
■ ¿Cuánto tiempo vas a dedicar a esta actividad?
● Voy a dedicarme unos tres meses. Después quiero montar un centro de alpinismo y organizar excursiones por la montaña.
■ ¿Y vas a ser una de las instructoras?

● Bueno, ese es mi objetivo. También quiero estar un poco más en casa. El año pasado me casé y creo que es el momento de pensar en organizar mi familia. Ahora estoy esperando mi primer hijo. Va a nacer el próximo otoño y estoy muy ilusionada.

■ ¡Enhorabuena, Elisa! ¡Te deseamos mucho éxito para todos tus planes!

5

Mánager: Este disco suena muy bien, es mejor que el otro.

Escorpión 1: Sí, estoy de acuerdo.

Mánager: Va a estar en las tiendas en la próxima semana y creo, amigos míos, que va a tener gran futuro.

Escorpión 2: ¿Y cuándo nos vamos de gira?

Mánager: En diciembre vamos a dar unos conciertos por toda España y, si todo va bien, nos vamos a Sudamérica.

Escorpión 3: ¿Y vamos a salir en televisión?

Mánager: Claro, y también tengo preparada nuestra propia página web.

Escorpión 1: ¿Cuándo vamos a ir a Barcelona?

Mánager: En septiembre, antes de empezar la gira. ¿A que no sabéis quién va a cantar con vosotros?

Escorpión 2: Ni idea.

Mánager: Jennifer Lopez.

Escorpión 3: ¡Vaya sorpresa!

UNIDAD 11 - Biografías

3

Presentador: Buenas tardes, señoras y señores, otro día estamos con ustedes para ofrecerles el concurso "¿Quiere ser millonario?".

Tenemos dos concursantes, que ustedes ya conocen de la semana pasada. El señor González, de Salamanca, y la señora Buitrago, de Madrid. Empezamos. Señor González, pregunta 1: ¿Dónde se encuentra la Pirámide del Sol? ¿En Egipto, en la India o en México?

Sr. González: En México.

Presentador: Muy bien. Ha ganado usted 100 euros. Ahora le toca a usted, señora Buitrago. ¿Quién fue el primer hombre que pisó la Luna? ¿Armstrong, Collins o Nixon?

Sra. Buitrago: Armstrong.

Presentador: ¡Correcto! Ha ganado usted otros 100 euros. Ahora le toca al señor González. Por 150 euros, ¿qué novela dio fama a Cervantes? ¿*Los miserables*, *El Quijote* o *Romeo y Julieta*?

Sr. González: *El Quijote*.

Presentador: Muy bien, 150 euros para usted. Veamos, señora Buitrago, pregunta número 4, ¿cuál es la capital de Dinamarca? ¿Copenhague, Estocolmo o París?

Sra. Buitrago: Copenhague.

Presentador: ¡Muy bien! Pasamos a la pregunta número 5. Señor González, ¿sabe usted en qué año llegó Colón a América? ¿En 1789, 1942 o 1492?

Sr. González: En 1492.

Presentador: Acaba usted de ganar 200 euros más. Señora Buitrago, ¿puede decirme de qué país fue presidente Nelson Mandela: de la India, de Marruecos o Sudáfrica?

Sra. Buitrago: De la India.

Presentador: Incorrecto. La respuesta correcta es Sudáfrica. Lo siento mucho. Pasamos al señor González, por 250 euros, dígame, ¿cuándo se formó el grupo de Los Beatles? ¿En la década de los cincuenta, los sesenta o los setenta?

Sr. González: En los setenta.

Presentador: No, lo siento. El grupo se formó en los sesenta. Volvemos con la señora Buitrago. ¿Podría decirme qué selección de fútbol ganó el Mundial de 2010: Alemania, Holanda o España?

Sra. Buitrago: España.

Presentador: ¡Muy bien! ¡Otros 250 euros para usted! ¡Vamos a las dos últimas preguntas. Por 300 euros, señor González: ¿cuándo fueron los primeros Juegos Olímpicos: en el año 776 antes de Cristo, en 1935 o en el año 2000?

Sr. González: En el año 776 antes de Cristo.

Presentador: ¡Correcto! ¡300 euros más para usted! Y, por último, señora Buitrago, ¿en que año empezaron los europeos a utilizar el euro: en 1999, en 2000 o en 2002?

Sra. Buitrago: Yo creo que fue en el año 2000.

Presentador: No, lo siento. Fue en el año 2002. Y hasta aquí el programa de hoy. Continuamos la próxima semana a esta misma hora. Buenas tardes a todos.

8

Entrevistador: Hoy tenemos con nosotros a Carlos Hernández, destacado ciclista del pelotón español. ¿Qué tal Carlos?

Carlos: Muy bien, encantado de estar con vosotros.

Entrevistador: Nuestros oyentes quieren saber algunas cosas sobre tu vida. Por ejemplo: ¿dónde vives?

Carlos: Vivo en Toledo, una ciudad histórica al sur de Madrid.

Entrevistador: ¿A qué hora te levantas?

Carlos: Me levanto a las seis de la mañana y a las siete empiezo a entrenar.

Entrevistador: ¿Cuántos días entrenas?

Carlos: Todos los días, menos uno.

Entrevistador: ¿Qué día descansas?

Carlos: Normalmente, mi día de descanso es el lunes.

Entrevistador: Suponemos que llevas una dieta especial. ¿Cuánta agua bebes?

Carlos: Bebo tres litros de agua al día. Beber líquido es muy importante.

Entrevistador: ¿Y qué comes?

Carlos: Como mucha pasta y alimentos energéticos: frutos secos, verduras y... chocolate. ¡Me encanta el chocolate!

Entrevistador: Muy bien Carlos. Muchas gracias por contestar nuestras preguntas.

2

"Nací en Buenos Aires, Argentina, a los dos años y medio de edad", respondía Carlos Gardel a las preguntas sobre su nacimiento.

Probablemente nació en Toulouse, Francia, el 11 de noviembre de 1890, pero desde muy pequeño vivió en el barrio porteño de Buenos Aires. Empezó a cantar en el coro escolar y en las calles de su barrio, donde trabajaba en diversos oficios. En 1913 él y su compañero José Razzano cantaron en el cabaré más lujoso y caro de Buenos Aires, el Armenoville, y tuvieron tanto éxito que el público los sacó a hombros por las calles. Entonces el propietario del cabaré les hizo un contrato con un sueldo increíble para el dúo.

En 1917 el poeta Pascual Contursi compuso el primer tango-canción titulado *Mi noche triste*. Carlos Gardel la grabó poco después, y se convirtió así en el primer cantor de tango-canción. Gardel fue el inventor de una manera de cantar el tango. A partir de este momento, su fama creció; en su repertorio había canciones criollas, zambas, valses, pasodobles, etcétera.

Durante los años 20, Gardel viajó a Europa. Durante los años 30 hizo varias películas: *Luces de Buenos Aires*, *Espérame*, *El día que me quieras*... Junto al poeta Alfredo Le Pera, Gardel compuso canciones tan conocidas como *Mi Buenos Aires querido* y *Volver*, y con ellas conquistó al público de Europa y América. Nunca se casó.

El 24 de junio de 1935, durante una gira por Latinoamérica, murió en un accidente de avión en Medellín. Y nació el mito.

2

Las islas del Caribe forman una cadena desde la costa de Florida hasta Venezuela. Cuentan con unas hermosas playas, a las que los turistas acuden en masa.

CUBA Tiene una superficie de 110 860 Km². Consiguió la independencia de España en 1898. Tiene una población de más de 11 millones de habitantes. El 40% de la población es católica y el 55% no practica ninguna religión. Su idioma oficial es el español.

JAMAICA Es la tercera isla caribeña por su tamaño, 10 990 km². Políticamente es una democracia parlamentaria y consiguió su independencia del Reino Unido en 1962. Tiene una población de 2 800 000 habitantes. Su idioma oficial es el inglés. La mayor parte de sus ingresos procede del turismo.

REPÚBLICA DOMINICANA La República Dominicana se encuentra en la Isla de Santo Domingo, la segunda isla más grande del Caribe, territorio que comparte con Haití. Tiene una superficie de 48 730 km² y una población de 10 350 000 habitantes. En 1865 consiguió su independencia definitiva de España. Su idioma oficial es el español.

7

[16 - 12 - 1956] dieciséis de diciembre de mil novecientos cincuenta y seis.

[12 - 10 - 1980] doce de octubre de mil novecientos ochenta.

[2- 2 - 2002] dos de febrero de dos mil dos.

8

a. veintidós de agosto de mil novecientos cincuenta y tres.

b. once de marzo de mil novecientos catorce.

c. catorce de abril de dos mil tres.

d. cinco de junio de mil setecientos ochenta y nueve.

e. treinta de septiembre de mil cuatrocientos noventa y tres.

f. cuatro de julio de mil novecientos cuarenta y cinco.

12

Eva María se fue buscando el sol en la playa,
con su maleta de piel y su bikini de rayas.
Ella se marchó y solo me dejó recuerdos de su ausencia.
Sin la menor indulgencia, Eva María se fue.
Paso las noches así pensando en Eva María.
Cuando no puedo dormir miro su fotografía:
¡Qué bonita está bañándose en el mar, tostándose en la arena!
Mientras yo siento la pena
de vivir sin su amor.
¿Qué voy a hacer? ¿Qué voy a hacer?
¿Qué voy a hacer si Eva María se fue?
Apenas puedo vivir pensando si ella me quiere,
si necesita de mí y si es amor lo que siente.

Ella se marchó y solo me dejó recuerdos de su ausencia.
Sin la menor indulgencia, Eva María se fue.
¿Qué voy a hacer? ¿Qué voy a hacer?
¿Qué voy a hacer si Eva María se fue?

2

La Alhambra está en Granada, sobre una alta colina, desde la que se puede ver toda la ciudad. La Alhambra es un palacio-ciudadela donde residían los sultanes y los altos funcionarios de la corte árabe. Se empezó a construir en el siglo XIII. Es un conjunto monumental en el que se distinguen distintas zonas: los palacios, la zona militar o Alcazaba, la ciudad o Medina y el Generalife. Todo ello está rodeado de bosques, jardines y huertas.

También podemos encontrar edificios de otras épocas, como el palacio de Carlos V (siglo XVI), donde se halla el Museo de la Alhambra.

Miles de visitantes se maravillan cada año ante la combinación de patios, arcos y fuentes; especialmente el patio de los Leones, representación del paraíso en la arquitectura islámica.

Para apreciar los valores arquitectónicos y paisajísticos de la Alhambra es aconsejable acercarse al barrio del Albaicín o al Sacromonte. Desde ellos puede observarse la relación de la Alhambra con la ciudad de Granada.

5

Celia Cruz, la reina de la salsa.

Celia Cruz, la reina de la salsa, nació el 21 de octubre de 1929 en la Habana, Cuba.

Celia empezó a cantar desde pequeña, y lo hacía muy bien.

En 1947 recibió un premio por cantar en la radio y, entonces, empezó a estudiar música.

En 1950 empezó a trabajar en la banda musical "La Sonora Matancera" y con ese grupo dejó la Cuba de Fidel Castro en julio de 1960 y se instaló en Estados Unidos.

En Estados Unidos grabó varios discos con Tito Puente y con otros salseros reconocidos a nivel mundial. Durante los años 90, recibió muchos premios. La reina de la salsa falleció el 16 de julio de 2003 en Nueva Jersey, a causa de un cáncer.

7

Miguel Bosé es un conocido cantante, actor y presentador de televisión español.

Nació el 3 de abril de 1956 en la ciudad de Panamá. Es hijo del famoso torero español Luis Miguel Dominguín y de la actriz italiana Lucía Bosé. Por la profesión de sus padres creció rodeado de pintores, escritores y directores de cine como Picasso, Hemingway y Visconti.

En los años 70 se trasladó a Londres para estudiar danza en la escuela de Lindsay Kemp.

En 1977 presentó su primer álbum: *Linda*, con el que obtuvo un gran éxito. Desde entonces, no ha dejado de grabar nuevos álbumes. Los más conocidos son: *Bandido*, publicado en 1984, y *Papito*, en 2007, con más de 1 400 000 copias vendidas. Fue tanto el éxito de este trabajo que en 2012 grabó un nuevo disco con el nombre de *Papitwo*.

A lo largo de su carrera ha recibido numerosos premios, entre los que se encuentran: el Premio Ondas y el Disco de Oro en Estados Unidos.

UNIDAD 12 - Costumbres

2

Marta: Hola, Carmen, ¿qué tal?, ¿te apetece salir a dar una vuelta?

Carmen: Hola, Marta, lo siento pero hoy no puedo salir contigo, estoy muy liada porque se casan mi hermana Pilar y Carlos.

Marta: ¡No me digas! ¿Y cuándo? ¿Por la tarde?

Carmen: No, se van a casar dentro de una hora, a las doce del mediodía, y claro, estamos todos nerviosos. Después, nos vamos a ir a comer a un restaurante que hay cerca de la carretera de La Coruña.

Marta: ¿Y hay muchos invitados?

Carmen: No muchos. Van a venir los amigos de los novios, mi hermano, mi cuñada Bárbara, mis sobrinos, mi madre y la familia del novio, que son muy cariñosos y amables.

Marta: Pues son bastantes...

Carmen: Sí, unos setenta, creo. Mis hijos están encantados porque van a ver a sus primos. Cuando se juntan se lo pasan muy bien. Y mi madre, contentísima con sus cuatro nietos, claro.

Marta: ¿Y luego?

Carmen: Bueno, luego vamos a ir a bailar y a tomar unas copas con los amigos de mi hermana, que son muy divertidos.

Marta: Bueno, pues me alegro mucho. Ya te llamo otro día y me cuentas.

4

Virginia: Pili, ¿qué tal lo pasasteis en la boda?

Pili: Nos lo pasamos muy bien. Mira, te voy a enseñar las fotos para que conozcas a mi familia. Estos son mis padres: mi padre se llama Jacinto y mi madre, Pilar.

Virginia: ¿Y quién es este chico tan alto?

Transcripciones

Pili: Es mi hermano Jacinto. Es muy divertido, pero en la foto está muy serio. Su mujer se llama Bárbara; es mi nueva cuñada, ya sabes que mi hermano estaba divorciado.

Virginia: La del pelo corto es tu hermana, ¿no?

Pili: Sí, mírala en esta foto. Está con su marido, mi cuñado Nacho. Son muy simpáticos. Yo les quiero mucho

Virginia: ¿Y todos estos niños?

Pili: Son mis sobrinos. Ana y Pablo son los hijos de mi hermana, y David y Sergio son los de mi hermano. Los cuatro primos se quieren mucho. Les encanta estar juntos.

Virginia: ¿Entonces tus padres tienen ya cuatro nietos?

Pili: Y otra sobrina que viene de camino.

Virginia: ¿Y tu marido?

Pili: Aquí está en esta foto. Mira qué cariñosos estamos. Carlos estaba muy contento, en todas las fotos sale riéndose.

Virginia: ¿Y el viaje de novios?

Pili: Nos fuimos a Costa Rica y....

3

Alberto: ¿Qué tal? ¿Cómo te ha ido hoy?

Ana: El día ha sido terrible. Juan y yo hemos tenido una reunión de cuatro horas con los clientes japoneses y luego hemos terminado el informe para la Comisión Económica. Y tú, ¿qué tal?

Alberto: Yo también he tenido hoy mucho trabajo. Primero, he llevado a los niños al colegio, después he hecho la compra y luego he planchado la ropa antes de hacer la comida. Por la tarde los niños y yo hemos estado en el parque con los amiguitos de Pablo.

Ana: ¡Uff, qué día! Ahora nos queda un ratito para descansar y ver la televisión.

5

Amiga: Pablo, ¿puedes contestarme a un test?

Pablo: Vale, ¿de qué es?

Amiga: Es sobre las experiencias que has tenido en tu vida. Primera: ¿has montado alguna vez en moto?

Pablo: Claro, muchas veces, mi hermano tiene moto.

Amiga: ¿Y has salido alguna vez al extranjero?

Pablo: Sí, una vez, hace tres años, cuando terminé el bachillerato fui a Italia con mis compañeros.

Amiga: ¿Has tomado pescado crudo?

Pablo: No, nunca, ¡qué asco!

Amiga: ¿Has tenido alguna operación?

Pablo: No, nunca. Bueno, sí, me rompí un brazo una vez y me operaron. Hace más de diez años.

Amiga: ¿Has perdido las llaves de tu casa alguna vez?

Pablo: Sí, las perdí la semana pasada.

Amiga: ¿Has salido en la tele?

Pablo: No, nunca.

Amiga: ¿Has estado alguna vez en Buenos Aires?

Pablo: No, todavía no, pero quiero ir algún día.

Amiga: Y ya la última: ¿te has enamorado alguna vez?

Pablo: Claro que sí, estoy completamente enamorado de ti, ¿no lo sabes?

1

médico – comer – libro – ventana – lección – pasó – mejor – rápido – mano – bebí – canté – trabajo – trabajó.

3

café – mesa – música – Madrid – español – madre – árabe – estudiar – comí – comió – como – vino – venir – móvil – teléfono – profesor – nacional – zapato – camisa.

3

Lucía: ¡Qué rica está esta sopa de pescado! ¿Qué tal tu ensalada de atún?

Miguel: Muy bien, muy rica. ¿Tú has viajado mucho, Lucía?

Lucía: Hombre, mucho, mucho, no..., pero vaya, bastante. Casi todos los años hago algún viaje.

Miguel: Es que yo no he viajado casi nada y ahora me gustaría salir más. Me encantaría ir a Egipto. ¿Tú has estado en Egipto?

Lucía: Sí, estuve allí hace unos cuatro años

Miguel: ¿Sí? ¿Cuántos días estuviste?

Lucía: Estuve diez días. Fue un viaje maravilloso, la verdad.

Miguel: ¿Con quién fuiste?

Lucía: Con mi hermana, su marido y sus dos hijos.

Miguel: ¿Y dónde más has estado?

Lucía: He viajado mucho por Europa, conozco casi todas las capitales importantes: París, Londres, Roma, Berlín.

Miguel: ¿Has estado en Australia?

Lucía: No, tan lejos no. Estuve en Argentina y Chile, eso sí. Y tú, ¿qué haces en las vacaciones de verano?

Miguel: Muy fácil, mis padres tienen un apartamento en la costa de Andalucía, en Tarifa, y todos los veranos los pasamos allí. Me lo paso muy bien, porque practico el windsurf.

Lucía: ¡Ay, me encanta Tarifa!

UNIDAD 13 - Tiempo libre

2

1 Vendedor: Buenos días, ¿en qué puedo ayudarte?

Roberto: Buenos días, estoy buscando un apartamento o un estudio, algo pequeño y barato para vivir mientras estudio.

Vendedor: ¿Dónde, en el centro o en un barrio?

Roberto: No exactamente en el centro, prefiero que esté cerca de la universidad, para no tener que usar el autobús...

2 Vendedor: Así que ustedes quieren un chalé.

Señor: Sí, nos interesa un chalé, es que necesitamos un jardín para los niños y el perro, ¿sabe?

Vendedor: ¿Y lo quieren muy grande?

Señora: Bueno, no mucho, no tenemos mucho dinero. Puede ser un chalé adosado con tres dormitorios, un salón comedor y dos cuartos de baño, eso sí.

3 Vendedor: ¿Qué están buscando exactamente?

Señor: Pues, mire usted, nosotros queremos vender el piso de Barcelona porque es demasiado grande para dos y nos gustaría comprar una casita en la playa. Eso sí, tiene que ser de una sola planta porque no podemos subir muchas escaleras... También me gustaría tener una cocina amplia, porque a mí me gusta mucho cocinar.

4

1 Carlos: ¡Hola, Pepa! ¿Qué tal el fin de semana?

Pepa: Bien, el sábado fui al cine.

Carlos: ¿Y qué viste?

Pepa: Una película argentina: *El hijo de la novia*.

Carlos: ¿Y qué tal?

Pepa: Es una comedia muy divertida

2 Alberto: ¿Qué tal, Beatriz? ¿Qué has hecho este fin de semana?

Beatriz: Muy bien, el sábado fuimos a cenar a un restaurante catalán.

Alberto: ¿Y el domingo, qué hicisteis?

Beatriz: El domingo fuimos a la playa con los amigos de Juan y nos lo pasamos muy bien...

3 Nuria: ¡Hola, Mariano! ¿Qué tal lo habéis pasado este fin de semana?

Mariano: Bueno, la verdad es que no hemos hecho nada especial. Nos hemos quedado en casa para ver la final del Campeonato de Europa de Fútbol.

Nuria: ¿Y qué tal el partido?

Mariano: Bastante aburrido.

3

1 A: ¿Y estos vaqueros?, ¿de quién son?
B: Son míos.
A: ¡Qué bonitos! ¿Me los dejas?
B: Sí, claro, llévatelos.
2 A: ¿Nuria, ¿es tuyo este cinturón?
B: No, el mío es más ancho que este.
3 A: ¿De quién es esta raqueta?
B: Mía.
A: ¿Es nueva?
B: Sí, me la ha comprado mi madre.
4 A: ¡Qué pendientes tan bonitos! ¿Quién te los
ha regalado?
B: ¿Te gustan? Me los ha regalado mi novio.

7

Irene: Carlos, ¿puedes venir?
Carlos: Sí, claro, ahora mismo voy.
Irene: ¿Qué tal la semana?
Carlos: Bien, con mucho trabajo, como siempre.
Irene: Bueno, vamos a ver, ¿has enviado la información de las novedades al resto de los departamentos?
Carlos: Sí, se la pasé el martes a Cristina, y creo que ella la ha enviado a los otros departamentos.
Irene: ¿Y el presupuesto para el director general?
Carlos: No, no se lo he enviado todavía porque no lo he terminado, necesito un poco más de tiempo.
Irene: ¿Y qué tal la entrevista con el director del banco?
Carlos: Bueno, le llamé pero no me ha dado la respuesta, lo llamaré otra vez.
Irene: ¿Les has pasado las facturas a los compañeros de contabilidad?
Carlos: Sí, se las pasé el miércoles.
Irene: ¿Y qué tal el pedido para los clientes de Sevilla, lo has enviado?
Carlos: No hay ningún problema, se lo envié todo al señor Torres, el comercial.

1

limón – rápido – lápiz – ácido – papelera - examen – japonés – trabajo – lápices – lección – sofá – escribir – rapidez – alemana – iraní – coche – ordenador – crisis.

4

1 La Fiesta de las Flores de Mayo
En Filipinas es muy importante la fiesta que se llama Flores de Mayo. En esa ocasión las calles y la iglesia están llenas de flores. El último día de mayo las chicas del pueblo se visten con trajes muy elegantes. Recorren todas las calles del pueblo llevando velas. Cuando terminan el recorrido todos van a la iglesia a escuchar la misa.

2 El Día de la Luna
En China, la fiesta más importante es el Día de la Luna. No tiene fecha fija y depende del calendario chino. Generalmente es un día de septiembre, siempre con luna llena. Ese día se reúnen las familias (abuelos, padres, hijos...) y preparan muchas comidas. El plato más importante es un pastel de carne, mermelada y almendra, que tiene forma redonda y simboliza la perfección. El Día de la Luna por la noche las familias se sientan al aire libre y comen y beben mientras observan la luna. Otra fiesta importante es la de Año Nuevo, que suele celebrarse a primeros o mediados de febrero.

3 La Fiesta de Aid es Seguer
Después de Ramadán (en el que los musulmanes ayunan durante un mes), empieza la fiesta de Aid es Seguer, que dura tres días. El primer día por la mañana temprano todos van a rezar a la mezquita y allí se encuentran con sus amigos. A mediodía regresan a comer a casa con toda la familia. Hay cordero, pollo y toda clase de comidas ricas. Por la tarde bailan, los hombres por un lado y las mujeres por otro. Todo el mundo lleva ropa nueva y los niños reciben regalos. Es una fiesta muy alegre.

UNIDAD 14 - Antes y ahora

3

A principios del siglo XX los niños madrileños se bañaban en el río Manzanares o cruzaban las calles sin mirar. Ahora es imposible.
María Guerra tiene más de 90 años ahora y cuenta cómo era su infancia:
"Mi padre era conductor de tranvía. Yo fui a un colegio de monjas hasta los 14 años. Como no había transporte en el barrio donde vivíamos, todos los días tenía que andar más de media hora para llegar. Cuando tenía catorce años entré a trabajar en un taller de modistas. Los domingos salía con mis amigas a bailar o al teatro, íbamos siempre al teatro La Latina. En Madrid había muchos cafés, pero las mujeres no entrábamos solas, porque estaba mal visto".
Por su parte, Emilio Rodríguez dice que le gustaba más jugar en la calle que ir a la escuela. Iba a la puerta del Palacio Real a ver el cambio de guardia en tiempos de Alfonso XIII. También recuerda la primera vez que fue al cine: le pareció maravilloso. A los 14 años empezó a trabajar en una pastelería y todos los días repartía los bollos a domicilio.
Luego entró a trabajar en una imprenta y se hizo tipógrafo.

Tanto María como Emilio piensan que la vida ha cambiado desde que ellos eran jóvenes, y que ahora se vive muchísimo mejor que antes.

5

Luis: ¡Sí, dígame!
Celia: ¡Hola, Luis! Soy Celia.
Luis: ¿Qué tal Celia? ¿Cómo estás?
Celia: Muy bien. ¿Y a ti? ¿Cómo te va por Cercedilla? ¿Llevas una vida más divertida que en Madrid?
Luis: ¿Más divertida? Bueno..., ¡no exactamente!
Celia: Pero te gusta vivir allí, ¿no?
Luis: Sí, eso sí. Hay menos contaminación que en Madrid.
Celia: Eso seguro.
Luis: Sí, además las casas son más grandes, con jardín y con vistas a la montaña.
Celia: ¡Qué bien! ¿Y qué tal las tiendas?
Luis: No hay muchas por aquí. Las tiendas son mejores en Madrid.
Celia: ¿Y la gente?
Luis: La gente por aquí es estupenda. Son mucho más tranquilos que en Madrid. No tienen tanta prisa.
Celia: Bueno, pues el próximo fin de semana voy a hacerte una visita.
Luis: Vale, venga..., y te preparo un cocido montañero.
Celia: Estupendo. Nos vemos el sábado.

5

1. El coche rojo está delante de la casa.
2. El coche azul está enfrente de la casa.
3. El coche verde está en la esquina de la casa.
4. El coche naranja está en el cruce.
5. El coche marrón está detrás de la casa.
6. El coche amarillo está a la derecha de la casa.
7. El coche negro está a la izquierda de la casa.
8. El coche violeta está cerca de la casa.
9. El coche azul marino está lejos de la casa.

3 127

1 A: Perdone, ¿podría decirme dónde hay un puesto de periódicos?
B: Siga recto y enfrente del banco, justo en la esquina, ahí lo encontrará.
2 A: Disculpe, estoy buscando una farmacia. ¿Sabe si hay alguna por aquí?
B: ¿Ve usted esa iglesia? Pues detrás de la iglesia está la farmacia, al lado de la oficina de correos.
3 A: Por favor, ¿me podría indicar cómo llegar al ayuntamiento?
B: Sí, claro. Siga todo recto y, en el cruce, tuerza a la derecha. Delante de la escuela está el ayuntamiento.

1 🔊128

diez – seis – pie – pausa – historia – puedo – oigo – agua – diario – horario – rey – cien – sauna.

2 🔊129

dios – res – aula – pez – mes – ven – cielo – oro – cuero – podo.

4 🔊130

1 Entrevistador: ¿Lola, dónde pasabas las vacaciones cuando eras pequeña?

Lola: Cuando era niña iba de vacaciones al pueblo de mis abuelos en Ondara, en Valencia. Era un pueblo más pequeño que ahora, no había tantos turistas ni urbanizaciones de apartamentos al lado de la playa. Como no había tráfico, jugaba con mis amigos en la calle y solo volvía a casa para comer y dormir. En agosto venían mis padres y nos bañábamos en la playa. Mi padre me enseñó a nadar entre las olas. ¡Cuánta agua salada tragué! Ahora también voy, pero mis abuelos ya no están y el pueblo ha cambiado mucho.

2 Entrevistador: Carlos, ¿dónde pasabas las vacaciones cuando eras pequeño?

Carlos: Yo pasaba las vacaciones en un pueblo de La Mancha, en la provincia de Ciudad Real. Hacía mucho calor y no teníamos aire acondicionado, claro. Por las mañanas jugábamos en la plaza del pueblo o algunas veces nos bañábamos en el río, pero después de comer teníamos que dormir la siesta, o leer, o descansar, porque en la calle no se podía soportar el calor. Luego, a partir de las ocho o las nueve, toda la gente del pueblo salía a pasear y a tomar el aire. Nos acostábamos muy tarde, después de las doce.

3 Entrevistador: ¿Y tú, Paloma?

Paloma: Pues yo pasaba las vacaciones en Madrid, porque mis padres no tenían dinero para viajar. Jugaba con mis amigos en el parque, o leíamos tebeos en casa, y cuando mi padre tenía vacaciones íbamos todos los días a la piscina. En mi barrio había tres piscinas grandísimas, con mucho césped donde podíamos jugar a la pelota, a las cartas, leer... Comíamos unos bocadillos y helados y volvíamos a casa casi de noche.

UNIDAD 15 - Cocinar

4 🔊131

A: ¿Dígame?

B: ¡Hola, buenos días! ¿Es ahí donde venden una moto?

A: Sí, sí, aquí es.

B: El anuncio dice que es una Yamaha, ¿no?

A: Sí, efectivamente, es una Yamaha de 600 centímetros cúbicos.

B: ¿Y es muy antigua?

A: ¡No, qué va! Solo tiene cuatro años.

B: ¿Y de qué color es?

A: Roja.

B: ¿Y cuánto pide?

A: 3600 euros al contado.

B: Bien, mmm... ¿Cuándo puedo verla?

A: Pues... esta tarde a las cuatro.

B: ¿Me puede decir la dirección?

A: Sí, claro. Calle Toledo, 23.

B: ¿Puede repetir, por favor?

A: Sí, calle Toledo, número 23.

B: Gracias, ¡hasta luego!

A: ¡Hasta luego!

8 🔊132

Reportero: ¿En qué gastamos nuestro dinero durante el tiempo libre? Estamos haciendo una encuesta en la calle sobre las actividades de tiempo libre. Susana, ¿tú, en qué te gastas el dinero?

Susana: Bueno, después de los gastos habituales, no me sobra mucho, pero algo sí. Mi marido y yo salimos todos los fines de semana al cine y, si se puede, cenamos en un restaurante. También ahorramos algo para las vacaciones. Nos gusta mucho viajar por España y, especialmente, conocer los pueblos de la montaña.

Reportero: Y tú, Ángel, ¿cómo gastas tu dinero?

Ángel: Bueno, teniendo en cuenta que soy estudiante, pues no tengo mucho, la verdad. Pero vaya, me encanta la música, así que gasto mucho en discos y voy a algún concierto de vez en cuando. También me gustan mucho los juegos de ordenador, así que, cuando puedo, me compro alguno, o los intercambio con otros colegas.

3 🔊133

Vendedor: Buenas tardes, ¿qué desea?

Cliente: Quería comprar unas naranjas de zumo.

Vendedor: ¿Cuántas quiere?

Cliente: Dos kilos.

Vendedor: Aquí las tiene, ¿algo más?

Cliente: Sí, también quiero una lechuga.

Vendedor: Lo siento, no me queda ninguna. ¿Quiere unas judías verdes?

Cliente: No, gracias. No quiero nada más. ¿Cuánto es?

Vendedor: 5,25 €.

Cliente: Tome, ¿puede darme una bolsa, por favor?

Vendedor: Sí, claro... Y aquí tiene sus vueltas. Muchas gracias.

Cliente: Adiós, muchas gracias.

1 🔊134

país – Díez – oír – río – paella – león – día.

2 🔊135

radio – secretaría – diez – armario – vacío – mía – río – alegría – secretario – cuadro – avión – farmacia.

3 🔊136

1 Este libro cuesta diez euros.

2 Mi hermana es secretaria del director general.

3 Pedro se rio mucho de la historia.

4 El río Duero no pasa por Lisboa.

5 Eso tienes que preguntarlo en la secretaría.

6 No entiendo nada, ¡qué lío!

7 Los bomberos iban hacia la casa que se quemó.

8 Antes yo hacía gimnasia, pero ahora no tengo tiempo.

9 Mis vecinos se llaman Díez de apellido.

2 🔊137

Trocear un calamar - Machacar los ajos - Picar la cebolla - Cocer en agua - Freír el pimiento

3 🔊138

Ingredientes de la paella: 150 gramos de gambas, un calamar, medio kilo de mejillones, una cebolla pequeña, un tomate, un pimiento, azafrán, dos dientes de ajo, aceite de oliva.

Verduras optativas: guisantes y judías verdes.

Elaboración: Primero se lavan las gambas, el calamar y los mejillones. Después se trocea el calamar. En una paellera, se calienta el aceite y se fríen el pimiento y la cebolla bien picada y luego el tomate. Cuando está todo frito, se echan los mariscos y las verduras. Se deja cocer, a fuego lento, unos diez minutos y luego se echa el arroz y a continuación el agua. La cantidad de agua será el doble de la de arroz. El arroz cocerá unos veinte minutos. Mientras se cuece, en un mortero, se machacan los ajos con la sal, el azafrán y se echa en la paellera. Se deja reposar unos minutos

7

1 A: Por favor, pónganos dos cañas y un vino.

B: ¿Quieren algo de tapa?

C: Sí, pónganos tres tapas de morcilla.

2 A: ¿Qué tal está la paella?

B: Está buenísima, y el salmón, ¿qué tal está?

A: Está un poco soso. Camarero, traiga la sal, por favor.

3 A: ¿Qué van a comer?

B. Yo quiero de primero ensaladilla rusa y de segundo ternera asada.

C: Pues a mí póngame menestra de verduras y de segundo cordero.

A: ¿Y de beber?, ¿qué quieren?

B: Vino de la casa y agua, por favor.

4 A: Por favor, ¿me cobra?

B: Sí, enseguida. Son 5,30 €.

C: Deja, deja. Hoy me toca pagar a mí.

5 A: Buenas tardes. ¿Qué van a tomar?

B: Pónganos dos cafés con leche y un té con limón.

A: ¿Quieren algo de comer?

C: Sí, traiga unos churros, por favor.

6

Locutora: Bienvenidos a nuestro programa semanal "Estilos de vida". Hoy vamos a hablar de la gente que come fuera de casa. En la actualidad los horarios de trabajo nos obligan muchas veces a comer fuera de casa. ¿Cómo se organiza esta situación en los distintos países del mundo? Tenemos con nosotros a Daniel Pérez, experto en dietética. ¿Qué comen los españoles a mediodía?

Dietista: La mayoría de los españoles que comen fuera de su casa suelen ir a bares y restaurantes donde se sirve el plato del día. Es un menú económico que consta de un primer plato: sopa, legumbres o verdura, un segundo plato de carne o pescado y un postre: algo de fruta o un dulce casero.

Locutora: ¿Es igual en el resto de Europa?

Dietista: En muchos países de Europa la comida del mediodía es más ligera que en España. Suelen comer una ensalada, algún sándwich o algo de comida rápida. Las comidas fuertes son el desayuno y la cena, que suele ser a las siete u ocho de la tarde. En su menú podemos encontrar a diario ensaladas, carne con verduras, queso y también fruta.

Locutora: ¿Y en Estados Unidos?

Dietista: Bueno, en Estados Unidos la situación es diferente, se comen hamburguesas, patatas fritas, bebidas refrescantes... Pero también hay un movimiento social a favor de una comida más sana.

Locutora: ¿Y en los países asiáticos?

Dietista: En Japón, por ejemplo, se sigue una alimentación bastante sana, tanto fuera como dentro de casa, que siempre incluye una sopa o arroz con carne o pescado y verduras variadas.

Locutora: Bueno, Daniel, es la hora de comer. ¿Qué tal si compartimos una paella en el restaurante de aquí abajo?

Dietista: ¡Muy buena idea!

UNIDAD 16 - Consejos

2

En la piscina, dúchate antes de entrar en el agua. Bebe suficiente líquido.

Ponles a los niños algo en la cabeza y una camiseta para protegerles del sol.

Entra en el agua poco a poco.

Sal inmediatamente del agua si estás cansado de nadar.

Conserva la playa limpia. No tires basura. Utiliza la papelera.

Respeta las señales de peligro: el banderín rojo indica que el mar está revuelto y no puedes bañarte.

Para no quemarte, toma el sol poco a poco y ponte siempre crema protectora solar.

No te bañes después de una comida abundante o de un ejercicio intenso.

7

Doctor: Buenas tardes, ¿qué le pasa?

Juan: Mire, es que hemos estado en la playa y tengo la espalda roja.

Doctor: A ver, quítese la camisa. Se ha quemado la espalda. ¿Cuánto tiempo ha estado al sol?

Juan: Unas dos horas.

Doctor: ¿Y no se ha puesto crema protectora?

Elena: Yo se lo he dicho, pero los hombres...

Juan: Y también me duele la cabeza...

Doctor: Bueno, para tomar el sol hay que tomar precaución. Ahora póngase esta crema contra las quemaduras y tómese estas pastillas para el dolor de cabeza. Y otra vez, póngase crema protectora y cómprese una sombrilla. No es bueno tomar tanto sol.

Juan: Sí, doctor, gracias.

4

1 A: Javier, ¿qué te pasa?, tienes mala cara.

B: Hoy he tenido mucho trabajo y estoy cansado.

2 A: Hola, María, ¿qué tal?

B: Fatal, estoy harta de limpiar y de ordenar la casa, y mis hijos no ayudan nada.

3 A: Jesús, toma ya la sopa.

B: No puedo, está muy caliente.

4 A: ¿Qué le pasa a Aída?

B: No sé, está muy rara, yo creo que está enamorada.

5 A: Luis, tu mesa está muy desordenada, así no puedes estudiar bien.

6 A: Marta, ¿qué te pasa? ¿Estás enferma?

B: No, qué va. Estoy agobiada con el trabajo, mi jefe no me deja descansar un minuto.

7 A: ¿Qué le pasa al niño?

B: Está asustado porque un perro se ha acercado mucho a él.

8 A: ¿Tú sabes por qué Paloma está tan preocupada?

B: Sí, su madre está en el hospital.

8

Carmen: Hola, Marisa, ¿qué tal estás?

Marisa: Hola, Carmen. Bueno, yo no estoy mal, pero en mi familia estamos regular.

Carmen: ¿Qué ha pasado?

Marisa: Pues mira, mi madre está enferma, tiene la tensión alta. Mi padre está mejor, pero le duelen las piernas y no puede andar mucho.

Carmen: ¡Ah, ya...!

Marisa: Y luego, mi hermano. Resulta que se ha separado de su mujer y está deprimido.

Carmen: ¡No me digas! ¿Cuándo ha sido?

Marisa: Estaban mal desde hace tiempo, pero este verano tuvieron una pelea y decidieron separarse...

Carmen: ¡Qué pena! ¿Y los niños?

Marisa: Los niños están con mi cuñada. Por eso mi hermano está deprimido, porque no los ve...

Carmen: Bueno, mujer, son cosas que pasan, con el tiempo se pondrá bien.

Marisa: Sí, ¿y tú?, ¿qué tal tu familia?

Carmen: Yo estoy bien, resulta que tengo un trabajo nuevo...

5

Maribel: A ver, Roberto, ¿puedes decirme cuáles son tus expectativas para el futuro?

Roberto: Sí, claro. Primero, yo espero acabar mis estudios, luego espero encontrar algún trabajo, quizás en el extranjero, y vivir tranquilo.

Maribel: ¿No quieres casarte?

Roberto: Bueno, sí, si encuentro a la mujer de mi vida espero casarme y tener hijos, pero más tarde. Y tú, Maribel, ¿qué deseos tienes para el futuro?

Maribel: Yo estoy casada y tengo un buen trabajo..., dos hijos, así que espero que mi hijo mayor sea músico, pues está estudiando piano, y mi hija creo que será periodista. Espero que tengan suerte, que les vaya bien en la vida, que no sufran, vamos, lo que quieren todas las madres para sus hijos.

1

pero – polo - para - tara – molar - caro – porro – perro.

2

1 Dame una pala para trabajar.
2 Este jersey es muy caro, y además tiene una tara.
3 Quiero un polo de moras.
4 El perro de Rosa se llama Toby.
5 Maribel tiene la cara sucia.
6 En México los coches se llaman carros.

3

A: Hola, José Miguel, ¡cuánto tiempo sin verte!
B: Hola, Beatriz, es verdad, hace más de un año...
A: Pero, te encuentro muy cambiado... ¿Has adelgazado?
B: Claro, más de ocho kilos
A: ¡No me digas! ¿Y cómo lo has hecho?
B: Pues pasando hambre..., no,... es broma. Es que me encontraba muy mal, estaba siempre cansado, me dolían los huesos, la cabeza y fui al médico y resulta que tenía la tensión alta y el colesterol por las nubes. Dice que si no me cuido el corazón me puede dar un susto, así que estoy haciendo una dieta especial.
A: ¿Y te ha costado mucho seguir esa dieta?
B: No, no mucho, porque Yolanda me ayuda a preparar la comida y como solo lo necesario. También he cambiado mucho de hábitos.
A: ¿Te has vuelto deportista? No lo creo...
B: Bueno, muy deportista no, pero voy y vengo andando al trabajo todos los días.
A: ¡Qué bien!
B: Sí, y además ya no tomo tantos aperitivos como antes, los fines de semana vamos a dar una vuelta por el parque...
A: Bueno, me alegro un montón de verte, a ver si nos llamamos un día de estos, tengo ganas de ver a Yolanda.
B: Vale, te llamo un día para pasear por el Retiro.

UNIDAD 17 - El periódico

9

Elena: ¡Hola, Sofía! ¿Qué tal? ¿Has encontrado trabajo?
Sofía: Sí. Estoy trabajando de enfermera desde el mes pasado en el hospital de San Rafael de Barcelona.
Elena: ¿Trabajas mucho?
Sofía: Sí, es bastante duro porque cada semana cambio de turno: una semana trabajo por la mañana, otra por la tarde y la tercera por la noche.

Luego tengo un descanso de cuatro o cinco días.
Elena: ¿Te gusta tu trabajo?
Sofía: Bueno, es bastante agotador, pero me gusta mucho trabajar con los niños pequeños. Estoy en la sección de maternidad y cada día nacen varios bebés. Es un trabajo precioso. Las madres siempre están muy contentas con sus niños recién nacidos y a los padres se les cae la baba. De todas formas, me gustaría tener un turno fijo para poder seguir estudiando.

3

1 ¡Hola soy Carlos! Ya tengo las entradas para el concierto. ¿Quedamos mañana a las 7 de la tarde en la puerta del Auditorio?
2 Soy Paloma. Acabo de terminar de leer tu libro. ¿Cuándo paso a dejártelo?
3 ¡Buenos días! Llamamos del supermercado. Su pedido ya está preparado. Puede recogerlo después de las cuatro.
4 ¡Hola, soy Manuel! He llamado a Luisa. Voy a quedar con ella para mañana por la mañana. ¿Te vienes?
5 Llamo de la consulta del doctor Ramírez. Tenemos que aplazar la cita del jueves para el viernes a la misma hora. Gracias.

1

padre – pelo – puedo – pongo – polo - papá – pipa - perro - piso – pan – playa.

2

vamos – ven – bien – balón – abuelo – visto - beber – vivo – billete – volver.

3

1 Valencia, 2 pan, 3 paño, 4 vista, 5 poda, 6 piso, 7 batata, 8 vino, 9 bollo, 10 berro.

5

A: Mira, en esta foto estoy con Javier y Luisa después de terminar la Maratón de Madrid.
B: ¿Y cómo decidisteis participar?
A: Un día estábamos viendo un programa de televisión sobre la ciudad de Madrid y pensamos que era buena idea participar en esta carrera.
B: Supongo que tuvisteis que entrenar mucho.
A: Sí, pero esto nos sirvió para seguir organizando otros proyectos deportivos.
B: ¿Ah, sí? ¿Qué hicisteis después?
A: El verano pasado hicimos el Camino de Santiago en bicicleta. ¡Bueno, empezamos en bicicleta, pero luego tuvimos que cambiar de planes!
B: ¿Cuántos kilómetros hicisteis?
A: Decidimos hacer el Camino francés, saliendo de Roncesvalles. Un total de 750 kilómetros.
B: ¿Y cuánto tardasteis?

A: Planeamos hacerlo en 13 días, pero luego todo se complicó y al final tardamos 23.
B: ¿Y eso? ¿Tuvisteis algún problema?
A: Después de 10 días de camino, algunos con muy mal tiempo, sobre todo en Burgos donde nos llovió mucho, cuando estábamos llegando a León, Javier se cayó de la bicicleta y se hizo daño en un brazo.
B: ¿Y qué hicisteis?
A: Fuimos al hospital, donde le vendaron el brazo y el médico le dijo que no podía seguir el camino en bicicleta.
B: ¿Y ahí acabó vuestra aventura?
A: ¡No, qué va! ¡Enviamos las bicicletas en el tren y nosotros hicimos los 300 kilómetros restantes andando! Por eso tardamos 10 días más. Cuando llegamos a Santiago los padres de Javier nos estaban esperando para llevarnos a casa en coche.

UNIDAD 18 - Predicciones

2

A Pilar: ¿Cuánto tiempo llevas trabajando en este hospital?
Mónica: Tres meses, ¿y tú?
Pilar: Yo llevo solo un día. Empecé ayer. Estoy un poco nerviosa.
B Susana: Hablas muy bien español. ¿Cuánto tiempo llevas estudiándolo?
Pierre: En mi país estudié cuatro años y ahora llevo cinco meses en Barcelona.
C Alberto: ¿Cuánto tiempo llevas esperando?
Ignacio: Más de una hora. Llegué a las siete y ya son las ocho y cuarto.
Virginia: Yo llevo dos horas, desde las seis.

8

Chen: Mis padres tienen un restaurante en Toledo. Llevamos nueve años viviendo en España, y yo soy su traductor e intérprete porque ellos no hablan español, es demasiado difícil. Yo me encuentro bien tanto aquí como en China, pero me gusta un poco más la cultura española. Allí el nivel del colegio es más alto, los chicos tienen que trabajar más en el colegio, pero aquí la gente es más abierta y divertida. De mayor me gustaría estudiar Económicas. También me gusta mucho jugar al fútbol. Llevo tres años jugando en el equipo de mi barrio.
Miguel: Yo nací en Toledo, pero mis padres son británicos, así que no sé bien de dónde soy. Mis amigos ingleses me consideran español, y al revés, los españoles me llaman "el inglés". Yo me siento más pegado a las costumbres inglesas

porque mis padres me han educado así. Ellos llevan viviendo aquí casi treinta años porque les gusta tanto el clima como las relaciones que hay en las familias españolas. Los ingleses son más reservados. Por otro lado, ser bilingüe tiene muchas ventajas, entiendes mejor a la gente, aunque a veces choco con personas muy cerradas.

11

Si mi partido gana las elecciones, crearemos más puestos de trabajo.

Si ustedes nos votan, nosotros subiremos las pensiones.

Si salgo elegido, les prometo que el gobierno gastará más dinero en educación y sanidad.

Por último, les prometo que todo el mundo tendrá lo que necesita si ustedes votan a mi partido.

5 y 6

Entrevistador: Estamos haciendo una encuesta sobre los problemas que preocupan actualmente a los jóvenes. ¿Podéis contestarme?

Ana: Sí, claro.

Entrevistador: ¿Veis la tele? ¿Leéis las noticias? ¿Qué pensáis de lo que pasa en el mundo?

Roberto: Bueno, sí, yo veo las noticias de la tele, pero no me importa mucho la política, a mí me preocupa la contaminación, eso sí, yo creo que cada día hay más contaminación en las playas, en el aire.

Ana: A mí sí me interesa la política, lo que pasa es que no creo mucho en los políticos, pienso que no son sinceros.

Roberto: Eso, todos dicen que van a arreglar el problema del paro pero es dificilísimo encontrar un buen trabajo.

Ana: Sí, los trabajos son cada vez peores: trabajamos más y ganamos menos. Y otro problema importante, creo yo, es la vivienda. Los pisos están carísimos, no podemos marcharnos de casa, toda la vida con nuestros padres...

Roberto: Jo, sí, ¡menudo rollo! Ahora yo estoy bien con mis padres, pero antes, todos los días discutíamos: por el pelo, por la ropa, por el piercing, por las tareas de la casa... La verdad es que si no tienes trabajo, ni tienes dinero, ¿adónde vas los fines de semana? Pues a beber alcohol al parque, que es más barato.

Ana: Bueno, tampoco es eso, hay otras forma de pasar el fin de semana...

1

cine - zapato – zona – azul – cielo – azúcar – cigarrillo – cerveza – cenicero.

3

Si cien cenicientas encienden cien cirios, cien mil cenicientas encenderán cien mil cirios.

4

Si cien cenicientas encienden cien cirios, cien mil cenicientas encenderán cien mil cirios.

5

Sara: ¿Tú crees que cambiará nuestra forma de viajar en el futuro?

Luis: No lo sé, pero yo creo que utilizaremos menos los aviones, porque son muy contaminantes. Por ejemplo, si un avión va de Madrid a Nueva York contamina lo mismo que un coche durante un año.

Sara: Sí, pero seguramente los ingenieros fabricarán en el futuro aviones más limpios. Si lo consiguen, la mayoría de la gente continuará utilizando el avión, porque es lo más rápido. ¿Y tú, qué crees que pasará con los coches?

Luis: Bueno, ahora ya hay más de un billón de coches y en el 2030 probablemente habrá más de 2 billones.

Sara: Si no hacemos nada por cambiarlo, todos esos coches harán el planeta irrespirable.

Luis: Bueno, ¿qué te parece si nos vamos andando a casa?

Primera edición, 2014
Décima edición, 2019

Produce: SGEL – Educación
Avda. Valdelaparra, 29
28108 Alcobendas (Madrid)

© Francisca Castro, Pilar Díaz, Ignacio Rodero, Carmen Sardinero
© Sociedad General Española de Librería, S. A., 2014
Avda. Valdelaparra, 29, 28108 Alcobendas (Madrid)
© Salvador Dalí. Fundación Gala – Salvador Dalí. VEGAP Madrid, 2006. Pág. 103
© Sucesión Pablo Picasso. VEGAP Madrid, 2006. Pág. 103
© Wilfredo Lam. VEGAP Madrid, 2006. Pág. 103

Coordinación editorial: Jaime Corpas
Edición: Yolanda Prieto, Mise García
Corrección: Belén Cabal y Susana López
Diseño de cubierta e interior: Verónica Sosa
Fotografías de cubierta: Shutterstock
Maquetación: Leticia Delgado

Ilustraciones: Pablo Torrecilla
excepto: Maravillas Delgado (Unidad 2, pág. 28 marcadores de lugar. Unidad 5, pág. 60. Unidad 8, pág. 86. Unidad 14, pág. 150. Unidad 15, pág. 160. Unidad 16, pág. 166. Apéndice gramatical: págs. 204, 228 y 230), Shutterstock (Unidad 2, pág. 31. Unidad 3, pág. 41. Unidad 5, pág. 62 Restaurante La Estancia y Vida Natural. Unidad 9, pág. 97. Unidad 10, pág. 113 imágenes de fondo de página web de ejercicio 3 e imagen de ejercicio 5. Apéndice gramatical: pág. 216 imágenes de las estaciones del año) y Thinkstock (Unidad 5, pág. 62 Restaurante peruano La llama y Restaurante la Alpujarra. Unidad 9, pág. 98 colores).

Cartografía: SGEL (páginas 12, 13, 92)
Fotografías: ARCHIVO SGEL: Unidad 13: pág. 137. Unidad 14: pág. 152 fotos músicos en San Telmo y casas de La Boca. BIRGITTA FRÖHLICH: Unidad 6: pág. 67. CORDON PRESS: Unidad 1: pág. 15; pág. 23 fotos 1 y 4. Unidad 2: pág. 33 foto 3. Unidad 6: pág. 72. Unidad 9: pág. 103 todas las fotos excepto fotos 2 y 5. Unidad 11: pág. 116 fotos de Mandela, Los Beatles y Armstrong; pág. 123 Celia Cruz. Unidad 13: pág. 138 carteles de *Biutiful* y *El secreto de sus ojos*; pág. 143 fotos 1 y 2. Unidad 14: pág. 146 las dos fotos del Madrid antiguo. Unidad 17: pág. 182 fotos de Isabel Allende y de Manuel Vázquez Montalbán. Actividades en pareja: pág. 199 Luz Casal. DREAMSTIME: Unidad 1: pág. 16 foto A; pág. 22; pág. 80 ejercicio 3 foto D. HÉCTOR DE PAZ: Unidad 1: pág. 16 foto D. Unidad 3: pág. 40 fotos desayunos A-H. Unidad 4: pág. 47; pág. 48 fotos cocina y baño. LATINSTOCK: Unidad 4: pág. 48 foto salón. THINKSTOCK: Unidad 1: pág. 17 foto 3. Unidad 2: pág. 29 ejercicio 6. Unidad 3: pág. 41 carta Cafetería Teide. Unidad 4: pág. 51; pág. 52 fotos A, B y C. Unidad 5: pág. 59 foto Olga; pág. 61; pág. 63 mapas. Unidad 6: pág. 73. Unidad 7: pág. 77; pág. 82. Unidad 8: pág. 90 fotos a, b, d y e; pág. 91 foto superior; pág. 92. Unidad 9: pág. 102. Unidad 10: pág. 106 fotos de Ana, Victoria y Carmen de ejercicio 3; pág. 109; pág. 110 fotos 1, 2, 4 y 6; pág. 112; pág. 113 todas las fotos del ejercicio 3 excepto foto de cabecera de página web de Pirineos. THOMAS HOERMANN: Antes de empezar: pág. 8. Unidad 1: pág. 16 fotos A, B y C; pág. 21. Unidad 2: pág. 19 foto del ejemplo. Unidad 3: pág. 39 foto centro; pág. 41 ejercicio 5. Unidad 9: pág. 95; Unidad 10: pág. 107. Unidad 15: pág. 161 fotos B y C. SHUTTERSTOCK: Resto de fotografías, de las cuales, solo para uso de contenido editorial: Antes de empezar: pág. 11 foto B (Cenk Ertekin / Shutterstock.com), foto D (criben / Shutterstock.com), foto J (Kobby Dagan / Shutterstock.com) y foto N (Igor Bulgarin / Shutterstock.com); pág. 14 foto 1 (Luciano Mortula / Shutterstock.com) y foto 5 (Ignacio Soto / Shutterstock.com). Unidad 1: pág. 23 foto 2 (Featureflash / Shutterstock.com), foto 3 (Maxisport / Shutterstock.com), foto 5 (Joe Seer / Shutterstock.com), foto 6 (s_bukley / Shutterstock.com), foto 7 (Helga Esteb / Shutterstock. com) y foto 8 (s_bukley / Shutterstock.com). Unidad 11: pág. 33 foto 1 (Featureflash / Shutterstock.com), pág. 34 (Toniflap Shutterstock.com). Unidad 3: pág. 42 (Iakov Filimonov / Shutterstock.com). Unidad 5: pág. 57 (Tupungato / Shutterstock.com). Unidad 6: pág. 65 (Tupungato / Shutterstock.com); pág. 67 ejercicio 7 (Jorg Hackemann / Shutterstock.com); pág. 70 (Kushch Dmitry / Shutterstock.com); pág. 71 foto autobús (Tupungato / Shutterstock.com) y foto calle (Deymos / Shutterstock.com). Unidad 7: pág. 80 ejercicio 4, Salma Hayek (Featureflash / Shutterstock.com) y Antonio Banderas (Featureflash / Shutterstock.com). Unidad 8: pág. 91 foto inferior (Naaman Abreu / Shutterstock.com). Unidad 9: pág. 103 foto 5 (PSHAWPHOTO / Shutterstock.com). Unidad 11: pág. 116 Selección española (fstockfoto / Shutterstock.com); pág. 118 Gardel (519 Graphic / Shutterstock.com), foto pareja bailando tango (Veroxdale / Shutterstock.com); pág. 120 República Dominicana (Goran Bogicevic / Shutterstock.com); pág. 123 Miguel Bosé (miqu77 / Shutterstock. com) y Enrique Iglesias (Joe Seer / Shutterstock.com). Unidad 12: pág. 132 foto boda india (f9photos / Shutterstock.com). Unidad 13: pág. 136 Torre de Madrid (FXEGS Javier Espuny / Shutterstock.com); pág. 139 (Anton Gvozdikov / Shutterstock.com). Unidad 14: pág. 146 Gran Vía de Madrid (LIUDMILA ERMOLENKO / Shutterstock.com); pág. 151 foto motorista (BartlomiejMagierowski / Shutterstock.com), foto autobús (Tupungato / Shutterstock.com), foto metro de Madrid (Iakov Filimonov / Shutterstock.com); pág. 154 Eva Longoria (Helga Esteb / Shutterstock. com), Javier Bardem (Entertainment Press / Shutterstock.com), Jennifer Lopez (Everett Collection / Shutterstock.com), Ricky Martin (s_bukley / Shutterstock.com), Paulina Rubio (s_bukley / Shutterstock.com) y Leo Messi (Natursports / Shutterstock.com). Unidad 15: pág. 155 (Mikhail Zahranichny / Shutterstock.com); pág. 158 foto mercado de Málaga (Pabkov / Shutterstock. com). Unidad 17: pág. 176 foto 8 (Hung Chung Chih / Shutterstock.com). Unidad 18: pág. 186 foto C (Natursports / Shutterstock.com); pág. 187 foto pianista (Elena Dijour / Shutterstock.com). Para cumplir con la función educativa del libro, se han empleado imágenes de: Unidad 13: Carteles de películas de: *La piel que habito*, producción: Agustín Almodóvar; *El hijo de la novia*, de POL-KA PRODUCCIONES, JEMPSA, PATAGONIK FILM GROUP y TORNASOL FILMS; *Carmen*, de SUEVIA FILMS, producida por Emiliano Piedra; *El Bola*, de TESELA PC; *Lo imposible*, de Apaches Entertainment / Telecinco Cinema / Mediaset España / Canal+ España / IVAC / ICAA y *La comunidad*, de Lolafilms. Unidad 15: mapa del Mediterráneo, Wikimedia. Unidad 16: historieta de Leo Verdura, de Rafa Ramos.

Audio: Crab Ediciones Musicales y Nordqvist Productions España SL

ISBN: 978-84-9778-529-7 (versión internacional)
       978-84-9778-838-0 (versión internacional sin CD)
       978-84-9778-783-3 (versión Brasil)
Depósito legal: M-36165-2013
Printed in Spain – Impreso en España

Impresión: Talleres Gráficos Edelvives